L'ARMOIRE AUX MENTERIES
de Rodrigue Paré
est le deux cent quatre-vingt-dix-septième ouvrage
publié chez
LANCTÔT ÉDITEUR.

À mon fils
Gabriel,

que j'aime

maman
29/04/2005

L'ARMOIRE AUX MENTERIES

Remerciements

À *Marie-Monique* que j'aimerai toujours, dans cette vie et après la vie…

À *Marie-Christine, Jean-Rodrigue* et *Marc-Antoine*, qui viennent tout de suite après.

À *Victor* et *Éloi* qui me donnent de la *joie*, même quand ils ne sont pas là.

À *Jean Lapointe* qui m'a fait confiance et qui m'a remis les clés de sa Maison.

* * *

À mon ami *Jean-Marie Lelièvre* qui m'a guidé pas à pas et m'a fait croire que l'*élève* pouvait devenir *auteur*.

À mon ami *Jean Robitaille* que je remercie de m'avoir entraîné dans cette aventure.

À *Manon* aux doigts agiles qui semaine après semaine a patiemment déchiffré mes hiéroglyphes.

À *Louise*, à *Danièle* et à tous ceux qui m'ont relu et encouragé.

À *Catherine* qui m'a mis sur la piste des éditeurs.

Aux *Girard* et à la lumière de la Provence qui m'ont permis de mettre un point final à ce récit.

Rodrigue Paré

L'ARMOIRE AUX MENTERIES

Récit

LANCTÔT
ÉDITEUR

LANCTÔT ÉDITEUR
1660 A, avenue Ducharme
Outremont (Québec)
H2V 1G7
Tél.: (514) 270.6303
Téléc.: (514) 273.9608
Adresse électronique: lanctotediteur@videotron.ca
Site Internet: www.lanctotediteur.qc.ca

Illustration de la couverture:
Giotto di Bondone, *Les démons chassés d'Arezzo* (détail), vers 1296/97.
Fresque, Assise, San Francisco, basilique supérieure.

Maquette de la couverture:
Louise Durocher

Mise en pages:
Andréa Joseph [PAGEXPRESS]

Distribution:
Prologue
Tél.: (450) 434.0306 / 1.800.363.2864
Téléc.: (450) 434.2627 ou 1.800.361.8088

Distribution en Europe:
Librairie du Québec
30, rue Gay-Lussac
75005 Paris
France
Téléc.: 43.54.39.15

Nous remercions le ministère du Patrimoine canadien et le Conseil
des arts du Canada de l'aide accordée à notre programme de
publication. Nous remercions également la SODEC, du ministère de
la Culture et des Communications du Québec, de son soutien.
Lanctôt éditeur bénéficie du Programme de crédits d'impôt pour
l'édition de livres du gouvernement du Québec, géré par la SODEC.

Préface

Connaissant mon vieil ami Rodrigue Paré depuis des lunes et en lisant les premières pages de son bouquin *L'armoire aux menteries*, je me doutais déjà que je venais de plonger dans une aventure rocambolesque où l'espoir et le désespoir seraient frères.

Tout au long du livre, on sent une tension constante, un déchirement continuel entre la volonté d'Émile de reprendre sa vie en main et le désir sauvage de la détruire avec un grand éclat de rire diabolique, mais sincère. Ce récit, c'est aussi l'histoire d'une amitié peu commune et d'un cheminement spirituel tortueux qui nous entraîne vers un dénouement surprenant.

Décrire cette souffrance indescriptible de l'alcoolique ou du toxicomane relève de la haute voltige. Rodrigue nous y plonge avec une lucidité et une précision dignes de l'exploit. L'histoire vécue que contient ce bouquin se déroule devant nos yeux comme s'il s'agissait d'un film dramatique. Dès les premières pages, on veut savoir.

Ce matin-là, je me suis dit que j'allais lire quelques pages avant de partir malgré les nombreux rendez-vous qui m'attendaient. Ils attendent encore. Je ne pouvais rien faire d'autre que de poursuivre la lecture de *L'armoire aux menteries*.

Traversant avec Émile ce sentier tortueux, je ressentais avec lui toute cette souffrance endurée au fil des jours et des nuits. Avec un mélange d'espérance et de découragement, j'essayais bien malgré moi de lui suggérer quelques solutions.

«Mon Dieu, faites que cette autre tentative soit la bonne.»

Vers midi, ayant terminé la lecture de *L'armoire*, je n'ai pas pu résister à l'envie d'appeler Rodrigue pour le féliciter et lui dire que je serais heureux d'écrire sa préface.

En lisant cette histoire vécue, vous allez rencontrer quelqu'un qui sait de quoi il parle. Vous allez prendre une avenue où rarement toute la souffrance du drogué nous a été livrée avec autant de précision. L'alcoolisme et la toxicomanie sont de terribles maladies, et à ceux et celles qui en doutent encore, je fais la suggestion de lire *L'armoire aux menteries*.

JEAN LAPOINTE

Prologue

Février 2003

Le travail me pousse constamment dans une course effrénée et bien peu d'espace demeure disponible pour les anniversaires de ceux qui comptent le plus dans ma vie. Dans quelques jours, mon ami le père Lacasse vieillira d'une autre année. Je me dis qu'il faudrait bien que j'aille le voir, mais j'éprouve toutes les difficultés du monde à faire entrer cette visite dans mon horaire étranglé. Et puis, il commence à perdre la mémoire le père Lacasse. Il aura quatre-vingt-dix-huit ans. Est-ce que ça vaut la peine de visiter une personne qui, quelques heures plus tard, aura probablement oublié que j'ai fait cinquante kilomètres à l'aller et autant au retour, pour lui souhaiter *bon anniversaire*? En même temps, un petit fond de culpabilité me serre le cœur à la pensée que je néglige mes amis, mes meilleurs amis.

J'ai fini par me dire que je nous devais bien ça, autant au père Lacasse qu'à moi-même. Et tant pis s'il ne se souvient pas de son ami, ni de son propre anniversaire. Quelqu'un se sera déplacé pour lui et ce quelqu'un ne pleurera pas sur les *j'aurais bien dû* le jour où on lui annoncera que son ami n'est plus là.

C'était un homme plutôt austère le père Lacasse. Il s'est adouci avec les années. Il porte maintenant un beau sourire énigmatique et on a l'impression qu'il se moque de nous à mesure qu'il s'approche du ciel. Je ne lui avais jamais vu ce sourire auparavant. Il me trouve bien jeune. Il m'appelle *mon ami*. Un *mon ami* qui ouvre tout grand les bras et m'accueille comme personne n'avait su le faire auparavant.

Il prie pour moi depuis quarante ans. Il prie pour moi chaque jour. Il me l'a dit et je le crois. Je l'ai connu dans des circonstances dramatiques. Ma vie était en lambeaux et il m'a invité à faire une retraite de silence. Il m'a dit que Dieu allait m'accueillir comme son enfant. Je me suis retrouvé dans un monastère avec un jésuite qui avait passé sa vie à prêcher le silence à des âmes en dérive. Je ne parvenais même pas à réaliser ce qui m'arrivait. J'essayais désespérément de coller mon tumulte intérieur au nébuleux concept qu'il me proposait. J'avais l'impression d'entendre les curés de mon enfance.

J'ai passé sept jours avec lui. Il m'a appris qu'il y avait trois sortes de silences :

— Il y a le silence de la parole, le silence des yeux et le silence d'action. C'est ce que je vais vous demander d'observer pendant cette retraite, nous avait-il dit le premier soir avant d'ajouter : En clair, cela veut dire qu'on ne parle pas, qu'on ne regarde pas les autres retraitants et qu'on prend garde à ne pas faire de bruit en se déplaçant.

Mes tourments se sont vite apaisés, vaincus par les trois silences du père Lacasse. Je ne sais par quelle alchimie, mais j'ai pu retrouver un peu de la douceur de mon enfance et Dieu m'est revenu comme un souvenir abondant après la famine.

Plusieurs personnes avaient bien essayé de m'aider. On m'apportait des livres où on me lançait de bonnes paroles entre deux phrases sur la pluie et le beau temps. Cette insistance m'agressait. « Lorsque j'aurai trouvé quelqu'un qui *est* ce qu'il *dit*, on verra », m'amusais-je à répéter. Je ne croyais pas qu'une telle personne puisse exister. Je ne savais pas encore que le père Lacasse allait entrer dans ma vie.

Il y eut plusieurs autres retraites. De longs silences ont ébranlé les murs de ma prison et même si la vanité m'empêchait de donner à quiconque le crédit de cette métamorphose, le père Lacasse n'était jamais bien loin et il est demeuré dans ma vie.

Il m'a aimé et moi aussi je l'ai aimé. Nous avons fait des voyages ensemble. Nous avons couru les miracles, de Rome jusqu'aux cavernes du désert. Nous avons vu les enfants de Medjugorje et nous avons prié à la chapelle de la Médaille miraculeuse. Il m'a fait connaître un saint qui sentait la rose et je ne l'ai pas cru alors que son parfum m'enveloppait d'un chant qui ne pouvait venir d'ici. Il a versé de l'eau sur le front de mes enfants et ils seront avec moi pour l'accompagner, en silence, vers son dernier repos.

Aujourd'hui, je roule sur l'autoroute à cent quarante à l'heure. Je suis pressé. Aujourd'hui, j'ai bloqué le père Lacasse dans mon agenda, un espace de trois par deux centimètres. Une heure, ça devrait suffire, pour lui et pour moi. Ensuite, je dois repartir. J'ai d'autres rendez-vous.

J'aperçois la *Maison des jésuites* après avoir erré trente minutes à la recherche de cet endroit perdu. Elle est perchée, tout en haut de la montagne, entre les arbres et le ciel. Des dizaines de prêtres passent par cette maison devenue hôpital avant de se présenter devant leur Créateur. Me voilà au terminus des piliers de l'Église. Ici vit le père Lacasse.

Je me sens nerveux et plein d'appréhension. Devant moi, de larges portes s'ouvrent sur la vie d'un homme qui a rempli la mienne de prières et de mystères :

— Le père Lacasse, s'il vous plaît. J'ai rendez-vous.

— Vous pouvez monter. Il vous attend. Prenez l'ascenseur au bout du corridor. Cinquième étage.

Je pousse le bouton. Un vieil ascenseur m'ouvre sa porte et nous gravissons lentement les étages à sa rencontre. La porte du cinquième s'ouvre. Je suis en état de choc. Des marchettes, des tremblements, des dos voûtés qui semblent marcher à l'unisson, sans but, vers un espèce d'horizon où ils sont attirés, comme si une flûte enchantée les avait hypnotisés.

Je frappe à sa porte. Une voix hésitante me dit d'entrer. Il est assis dans son fauteuil roulant. Maigre et voûté. Je le regarde, je ne ressens rien. J'ai perdu le contact. Il n'y a plus d'étincelles ni de brasier.

Il se rend compte de ma présence et lève les yeux en disant :

— On ne va pas rester ici. On va s'installer au parloir. Il y fait plus clair.

Je ne suis pas certain qu'il me reconnaisse. Une tempête de pellicules blanchit son vieux veston noir et son pantalon bleu n'est qu'à moitié rempli par ses jambes amaigries.

— Bonjour père Lacasse, c'est moi, Émile !

— Oui, oui. Où es-tu ? me dit-il en relevant la tête et en cherchant autour de lui. « Ah oui ! Émile. »

— C'est votre anniversaire aujourd'hui, père Lacasse. Quel âge avez-vous ?

— Quatre-vingt-dix-sept ou quatre-vingt-dix-huit. Je ne me souviens plus.

— Voulez-vous que je pousse votre fauteuil ?

— Non, non, je m'arrange. Ouvre-moi la porte ! Ça me fait de l'exercice.

J'ouvre la porte et il avance lentement. Je ne suis pas encore convaincu qu'il m'a reconnu. Ses petits pieds glissent, l'un après l'autre et la chaise avance, dans un bruit de chaussettes et de plancher ciré.

— Ferme la porte, me dit- il.

Les pensées se bousculent dans ma tête alors que nous circulons à l'inverse dans le couloir. Je me demande comment il fait pour se souvenir qu'il faut fermer la porte. Il ne sait même plus qui je suis.

Je marche derrière. Un silence inconfortable s'est installé. Je ne suis pas heureux d'être ici. Cette chaise roule trop lentement. J'aurais bien aimé lui dire : « Allez, père Lacasse ! Mettez vos pieds sur les appuis. Je vais vous pousser. On ne va pas traîner toute la journée.»

Mais j'avais trop de respect pour oser lui parler ainsi et je me demandais pourquoi j'étais tellement pressé d'en finir. La vérité m'apparut, évidente. Je n'étais pas venu pour le voir, j'étais venu m'acquitter d'une civilité incontournable et apaiser la culpabilité qui me rongeait chaque fois que j'étais plusieurs mois sans le visiter.

Cette vision de moi-même me fait sourire et plus calmement, je commence à m'intéresser à la lenteur de ses petits pieds et au mystère des habiles virages qu'il négocie entre les éclopés de l'Église agonisante, les brancards et les autres motorisés du trépas.

J'appuie à nouveau sur le bouton et l'ascenseur finit par se pointer. Nous entrons et la porte se referme avec un bruit du début du siècle. Je me sens coincé dans ce réduit trop petit. Je suis mal à l'aise. L'ascenseur est aussi lent que la chaise du père Lacasse et j'ai l'impression d'avoir franchi la distance de la terre à la lune lorsque la porte s'ouvre enfin. Les petits pieds repartent. Ils avancent un à un, comme s'ils étaient détachés du reste de son corps.

Sur la droite, une lumière dorée filtre à travers les faux vitraux de la porte de la chapelle. La voix frêle du père Lacasse me surprend :

— On s'arrête. On va dire bonjour au Seigneur.

Je me sens mieux. Je le reconnais. Il fait un grand signe de croix et murmure quelques invocations. Un autre signe de croix, et nous voilà repartis.

— Ouvre cette porte, me dit-il en indiquant une autre porte sur la droite. On va s'asseoir ici ?

Nous nous retrouvons dans une grande pièce de jésuite, ni belle ni laide.

— Tourne ma chaise si tu le veux bien. Je ne peux pas voir à contre-jour.

Je suis content. Il sait encore ce que c'est que le contre-jour. Je tourne sa chaise et je l'installe dos à la lumière. Je m'assois tout près, en face de lui.

— Maintenant, je te vois bien. Comment ça va ?

— Ça va bien et vous ?

— Je vieillis. Je suis presque sourd. Je vois mal. J'ai de la difficulté à reconnaître mes amis. Et puis, j'oublie tout. Je mélange tout.

— Est-ce que vous me reconnaissez ? ajoutai-je avec une pointe d'inquiétude.

— Tout à l'heure, je n'étais pas certain. Maintenant je te reconnais. Je suis heureux de te voir. Ta famille, comment ça va ? Catherine, ton épouse, Guillaume et les autres.

— Très bien, père Lacasse. Moi aussi, je suis heureux de vous voir.

— *Mon ami...* me dit-il, en me prenant la main.

Il me reconnaissait. Nous nous étions retrouvés. Je me sentais heureux et sans m'en rendre compte, j'avais refermé mon agenda. J'étais soudainement ému d'être avec lui.

— Vous ne vous sentez pas trop déprimé d'être ici, dans un fauteuil roulant ?

— Non, me répondit-il, les yeux à demi-fermés, avec un visage de nouveau-né qui sourit aux anges. Mais je suis vieux. Je mélange tout.

Parfois, je coiffe les uns avec les événements des autres.

Il me disait cela en mettant ses mains en forme de cônes, comme s'il était en train d'essayer des chapeaux sur les mauvaises têtes. Il ajouta avec un autre petit sourire et un brin de désinvolture :

— Le bon Dieu, ça ne lui fait rien. Il démêle tout ça. Je vais te raconter quelque chose parce que je sais que tu as la foi, poursuivit-il sur un air de confidence.

J'étais heureux de voir qu'il croyait en ma foi plus que je n'y croyais moi-même. Je me sentais totalement avec lui maintenant. Une sorte de bulle nous entourait. J'avais rejoint son univers.

— Quelques heures avant de mourir, alors que j'étais dans sa chambre à l'hôpital, maman m'a appelé et elle m'a dit : « Tu sais que j'ai eu dix-sept enfants. Neuf sont vivants, quatre sont morts avant leur naissance et les quatre autres sont morts quelques jours après avoir été baptisés. Ils sont au ciel. Ils m'attendent depuis des années. J'ai tellement hâte de les voir ! Je n'ai jamais pu les oublier. J'ai pensé à eux et je les ai priés chaque jour de ma vie. J'ai hâte de voir ton père et les autres, mais eux... » et soudainement, elle s'est interrompue. Son visage devint lumineux et elle répéta : « Je les vois ! Je les vois ! Ils sont là ! Ils m'attendent ! »

Elle était déjà avec eux et je pouvais le voir dans ses yeux. Elle rayonnait de bonheur. Elle leur tendait les bras en disant : « Ils arrivent ! Ils arrivent ! Faites-leur de la place. »

Soudainement, son visage s'est crispé de douleur et elle a dit, d'une voix affaiblie : « Mon Dieu, je pensais que j'étais déjà partie, que j'étais au ciel.» Elle mourut quelques minutes plus tard.

Il poursuivit, d'une voix douce qui touchait presque l'au-delà:

— Je l'ai vu dans ses yeux ce jour-là: *La joie du ciel est telle, qu'elle nous donne de la joie même ici sur la terre. N'oublie pas! La joie du ciel est telle qu'elle nous donne de la joie même ici sur la terre.*

Avec un visage plein du souvenir de sa mère, il me demanda:

— Est-ce qu'il y a quelque chose que tu voudrais me confier?

J'étais ému. J'avais l'impression qu'il me faisait un cadeau inestimable. Ma foi ne transporte pas les montagnes, mais je ressentais la sienne et j'étais heureux d'être là.

— Non, père Lacasse. Je suis heureux d'être ici. Je suis heureux d'être avec vous. J'aimerais que vous me bénissiez.

C'était devenu une tradition entre nous. Je me mis à genoux devant lui et, en posant ses mains sur ma tête, il prononça les paroles de la Bénédiction:

— Que la grâce de Dieu descende sur toi et y demeure à jamais.

Il m'a serré dans ses bras comme il le faisait depuis toujours en disant:

— *Mon ami...*

Les petits pieds sont repartis. J'ai marché avec lui et j'ai appelé l'ascenseur qui repartait pour le royaume des mourants. Je me suis surpris à prier pour que cette fois, il ne s'arrête pas avant d'avoir atteint cet au-delà qui avait allumé sur son visage le sourire de celle qu'il appelle encore sa *maman*.

Chapitre premier

Depuis ma tendre enfance, je ne sais trop pourquoi, j'ai toujours eu l'impression de porter en moi des rêves démesurés. À mesure que les années passaient, je les avais presque tous rangés, un à un, dans la grande armoire aux illusions. L'école et le collège avaient été une succession d'échecs qui avaient creusé le fossé entre mes idéaux et leur réalisation devenue improbable. Je sautais d'un emploi à l'autre : emballeur, couvreur, chauffeur de taxi, camionneur, vendeur et j'avais acquis la quasi-certitude que ma vie serait une suite sans fin aux échos d'un des dictons favoris de mon père : *Si tu ne finis pas ton cours classique, tu vas travailler avec un pic et une pelle.*

Et, *cours classique* je n'avais jamais fini...

Dès l'adolescence, Catherine est entrée dans ma vie comme un ange dans un marécage. À peine avions-nous atteint la vingtaine que nous étions devenus les parents d'Isabelle et François, en ayant l'impression d'en être arrivés là sans nous en apercevoir. Vers la fin des années soixante, la marijuana et de LSD se mutèrent en religion nouvelle. Les fidèles devaient s'enfumer le cerveau et s'absenter de la réalité. J'étais rapidement devenu un adepte du *p'tit joint* et des hommages à Timothy Leary. Être celui qui possède le *meilleur stock en ville* et qui n'en manque jamais était devenu une gloire qui soignait mon ego blessé.

Cette gloire comportait également des risques et, pour maintenir l'approvisionnement, je devais parfois visiter nos voisins du sud. Un de ces voyages a mal tourné et pendant plusieurs mois, je fus hébergé gratuitement par l'état de Californie. Lorsque je suis revenu à la maison, il n'y avait plus de maison. La famille avait été démembrée. Mes enfants habitaient chez ma mère et Catherine essayait de refaire sa vie.

Contre toute attente, nous avons repris nos amours et nos enfants. Nous formions à nouveau la famille dont j'avais rêvé et la vie me semblait merveilleuse et différente. Je devais tout reconstruire : ma relation avec Catherine, une nouvelle vie pour les enfants et un nouvel emploi. Je reprenais goût à la vie. Mais l'effervescence fut de courte durée. Après quelques mois, je me suis à nouveau retrouvé derrière cet horizon bouché qui ne s'ouvrait qu'à grands coups de hache dans la réalité.

Au cours de cette période, Nicole, une amie d'enfance de Catherine, se mit soudainement à changer d'une façon incompréhensible. Sans transition, elle était passée de *mère attentionnée* à *célibataire insouciante et droguée*. Elle était devenue une autre personne. Puis, je ne sais plus par quel hasard, au bout de son rouleau, ou du rouleau des autres, elle avait échoué dans une des retraites de silence du père Lacasse. Elle y avait subi une transformation si spectaculaire qu'on ne pouvait croire que les résultats puissent être durables. Elle avait troqué le *bar* pour la *chapelle* et remplacé le *joint du matin* par la *communion quotidienne*. Elle s'occupait des plus pauvres et avait repris le temps perdu avec sa fille.

À ma grande surprise, en plein été, Catherine décida à son tour de partir pour ce même silence qui avait transformé son amie. Je rencontrai le père Lacasse pour la première fois en allant la chercher à la fin de cette retraite. Elle portait une longue robe de velours à fleurs rouges et elle était resplendissante.

La retraite les avait suffisamment remplies de mystère pour me donner l'envie d'y plonger à mon tour. Je ne voulais pas l'avouer, mais l'histoire de Nicole ressemblait à la mienne et cette métamorphose m'intriguait au plus haut point. Chaque fois qu'elle venait à la maison, tout en ayant l'air de prêter une oreille distraite à la conversation, je ne perdais pas un mot du récit de sa nouvelle vie.

J'étais capable de donner le change, en montrant que cette retraite ne représentait rien de plus qu'une nouvelle aventure, un défi que je me lançais à moi-même, mais au fond, même si j'avais très peur de ces sept jours de silence, j'espérais qu'un miracle pourrait me rapprocher des rêves de mon enfance.

Je me souviens du premier soir et de l'austérité du père Lacasse. Malgré l'interdiction, j'avais apporté quelques livres et suffisamment de *haschich* pour atténuer le choc de l'atterrissage. J'étais incapable de me retirer sans parachute et sans la sécurité que procure la possibilité de l'oubli. Aussitôt les instructions données pour la première méditation de la retraite, j'allumai mon premier *joint* en me disant que la méditation et le haschich seraient de bons compagnons. Je fus immédiatement assailli par le remords et la culpabilité qui, au fil des années, étaient devenus des compagnons familiers. Même si ma fierté ne me permettait pas de partir, je passai la première soirée à me répéter : « Qu'est qui t'a pris de venir te fourrer dans un pareil endroit ? »

J'étais encore assez lucide pour réaliser que quelque chose ne tournait pas rond. Le haschich et saint Ignace n'étaient pas des compagnons habituels. Furieux contre moi-même, je jetai le haschich par la fenêtre. Je m'installai au petit bureau qui meublait un coin de la chambre et j'entrepris la première méditation de ma première retraite. Je dormis paisiblement cette nuit-là et au réveil, j'étais fier de moi.

Au moment du déjeuner, l'obsession, comme un appel, se mit à dialoguer dans ma tête : « En cherchant bien, tu pourrais peut-être le retrouver ton haschich. Il est sûrement quelque part sous la fenêtre. C'est bien là que tu l'as jeté. Pas à gauche, pas à droite, directement en face, en plein centre. »

L'autre voix, plus timide, se frayait péniblement un chemin : « Tu es venu en retraite avec du haschich. Tu as peur de passer sept jours sans drogue ? C'est peut-être ta chance. Qu'est-ce que tu fous dans la vie ? Pense à Catherine, aux enfants, tu ne peux pas continuer ainsi. Tu n'as pas d'études, pas de travail, pas d'argent, pas d'avenir!»

L'autre répondit aussitôt: «Qu'est-ce qui t'as pris de jeter du haschich par la fenêtre? Pour avoir l'air intéressant. Tu n'avais pas besoin de le fumer. Tu aurais pu le garder pour la fin de la retraite.»

Le gagnant réclamait le prix de sa victoire et aussitôt le déjeuner terminé, je grimpai quatre à quatre les marches qui conduisaient à ma chambre. Je me penchai à la fenêtre et j'inspectai le sol, quatre étages plus bas. Des cailloux, rien que des cailloux. Je m'en voulais d'avoir agi ainsi dans un accès de culpabilité stupide.

Je parvins à déterminer quelques repères approximatifs pour mieux quadriller le site de mes futures recherches. Je redescendis les escaliers de la même manière que je les avais montés et me dirigeai, presque au pas de course, vers l'arrière du couvent. J'avais laissé ma fenêtre ouverte et placé quelques livres sur le rebord pour pouvoir me retrouver plus facilement parmi les nombreuses fenêtres de l'édifice.

J'entrepris systématiquement la fouille de ce périmètre avant que d'irresponsables promeneurs ne viennent y détruire les indices. J'avançais, en essayant d'avoir l'air le plus naturel possible, examinant soigneusement chaque centimètre devant moi avant d'y poser le pied. Comment reconnaître un petit cube de haschich parmi ces milliers de cailloux de la même forme et de la même couleur?

Oh bonheur et petits beignes bien chauds! Des mots doux réchauffent mon âme lorsque je vois, devant mes yeux incrédules, le petit bloc de haschich bien camouflé, comme un caméléon au milieu du désert.

Si je ne m'étais pas retenu, j'aurais crié : « Merci mon Dieu! Tu savais bien que j'avais besoin d'un parachute et que je ne pourrais pas atterrir ainsi, passant du bar au monastère sans transition. »

Le haschich s'envola graduellement en fumée et le silence remplaça le tumulte. C'est ainsi que le père Lacasse entra dans ma vie. C'est ainsi que j'entrai dans la sienne. Cette première retraite ne fit pas de moi un autre homme. Je me perdis bien souvent encore, mais un phare s'était allumé, solide et tranquille. Je pourrais m'y accrocher, aujourd'hui et demain, jusqu'à ce que mes tempêtes s'apaisent.

À partir de cette retraite, le père Lacasse se mit à me confier toutes sortes de missions que j'accomplissais, il faut bien le dire, religieusement. Pendant quelques années, avec d'autres retraitants, nous avons accueilli plusieurs réfugiés du Cambodge et du Vietnam. Il me confiait leurs premiers pas en Amérique et se chargeait de leur parler du Dieu qui les avait guidés jusqu'ici.

J'ai été son chauffeur. J'ai organisé ses listes d'adresses et plié les bulletins qu'il envoyait à ses retraitants. Je vivais une double vie dont les frontières n'étaient pas toujours clairement délimitées. Celui qui passait ses soirées et ses nuits dans le bruit infernal des bars du quartier latin prenait la route au petit matin et récitait des chapelets entre Québec et ailleurs, se surprenant à écouter le père

Lacasse qui ne s'arrêtait jamais de lui parler de Dieu. Au cours de ces années, avec quelques autres retraitants, je fis partie du *SWAT Team* du père Lacasse, allant où il nous appelait, à la rescousse des corps et des âmes perdues.

L'année suivante, je fis une deuxième retraite. Voyant que la première n'avait pu garantir définitivement le salut de mon âme, le père Lacasse, qui donnait chaque été une retraite spéciale de trente jours, m'y invita avec insistance. Il me dit, à mots à peine voilés, que ma situation exigeait davantage que les sept jours que je lui avais consacrés jusqu'ici.

Il fallait que j'aie une confiance peu commune pour accepter de m'enfermer avec lui pendant trente jours, en plein été et en silence. Nous étions huit retraitants à vivre cette expérience. Sept sont devenus prêtres et le huitième a convaincu Catherine de faire un troisième enfant que le père Lacasse a baptisé et qui plus tard, a développé une belle amitié avec lui.

Chaque fois qu'il me voit, le père Lacasse ne manque jamais de me dire :

— N'oublie pas de dire bonjour à mon ami Guillaume.

Chapitre 2

Quelques années et plusieurs retraites plus tard, ma vie avait beaucoup changé. J'avais pris des risques inouïs et déployé des énergies que je ne croyais pas posséder. Avec quelques amis, j'avais lancé une entreprise de restauration qui était devenue un *success story*. Mes horizons s'étaient élargis et dans mes temps libres, j'organisais des voyages pour les clients du restaurant. Une ou deux fois par année, je visitais un nouveau pays et je planifiais soigneusement l'itinéraire avant de former un groupe et de l'accompagner vers cette nouvelle destination. J'amenais Catherine et les enfants à tour de rôle et ils étaient fous de ces voyages.

J'avais tout de même gardé un pied dans la broussaille. L'alcool et les drogues étaient demeurés dans ma vie, mais d'une façon qui ne mettait pas mes réussites en péril. Notre vie s'était transformée pour le mieux et même si le travail accaparait une bonne partie de mon temps, nous vivions la vie d'une famille normale.

Un jour, quelqu'un me fit goûter à la cocaïne. Un revendeur qui avait flairé la bonne affaire me présenta la *Dame blanche*. Au début, rien de spécial. Un regain d'énergie, une clarté de vision. J'en prenais à l'occasion, sans raison particulière, jusqu'au jour où un ami que je n'avais pas vu depuis longtemps vint me voir au restaurant. Il arrivait tout droit d'Amérique du Sud. Il avait ramené de la cocaïne d'une grande pureté et m'a convaincu d'en profiter puisqu'il était rare de trouver une telle qualité de *coke* au Québec. Il avait besoin d'argent rapidement et était prêt à me consentir un prix tout à fait spécial si j'en achetais une quantité suffisante. Il en parlait comme d'un cadeau de la vie.

Je décidai d'en acheter quelques grammes en me disant que si je ne les utilisais pas, je connaissais des personnes qui seraient heureuses d'en profiter. Je mis les sachets dans ma poche et à mon retour au bureau, les cachai sous le climatiseur, sans même y goûter.

Quelques jours plus tard, je dus me rendre au chalet pour régler des problèmes qui ne pouvaient plus attendre. Malgré l'heure tardive, je décidai de partir et d'apporter quelques milligrammes de cet élixir des Andes qui avait aussi la propriété de garder éveillé. À mi-chemin, je m'arrêtai sur le bord de la route et j'en reniflai une toute petite quantité avant de redémarrer en direction du chalet.

Mes idées se mirent à tourbillonner. Il me semblait que je réfléchissais d'une façon inhabituelle. Les pensées s'enchaînaient dans une logique implacable et j'avais l'impression de découvrir une nouvelle façon de comprendre les choses. J'étais si intéressé par le cheminement de ma propre pensée que j'en étais presque venu à oublier que je conduisais une voiture et que j'avais pris de la cocaïne. Je ne voulais plus que ce flot s'arrête et après trente ou quarante minutes, lorsque la réalité pointa son nez et que l'excitation se mit à perdre de son intensité, je m'arrêtai à nouveau pour remettre du carburant dans la machine à penser. J'étais exalté et je fus surpris d'arriver au chalet soudainement, comme si j'y avais été téléporté. Je marchais de long en large, seul en plein bois, fasciné par cette lucidité nouvelle qui éclairait ma vie sous un jour nouveau.

Au beau milieu de la nuit, le petit quart de gramme que j'avais innocemment emporté a rendu l'âme et je fus effrayé à l'idée que le manège puisse s'arrêter.

La décision fut rapide comme l'éclair. J'ai sauté dans la voiture et j'ai refait les cent cinquante kilomètres qui m'ont ramené à Québec. Je suis remonté à mon bureau. J'ai retrouvé ma cache. J'ai étendu la poudre sur le bureau et l'ai inhalée avec un soulagement indicible, comme si je venais de retrouver un enfant perdu. Après une seconde d'hésitation, j'enfonçai le sachet dans ma poche et refis le trajet en sens inverse jusqu'au chalet.

Lorsque je parvins à m'endormir, les cloches de l'église de mon village natal sonnaient l'Angelus. Je me réveillai au soleil couchant, écrasé par une impression de grande fatigue qui m'empêchait de penser clairement. Il ne me fallut que quelques minutes pour prendre la décision de retourner à Québec et de retrouver celui qui détenait les clés de cet état que je pourrais retrouver, pour quelques dollars, chaque fois que je le désirais.

Cette nuit-là, je suis devenu un drogué, un rat qui continue à peser inlassablement sur le levier pour obtenir sa dose, jusqu'à ce que mort s'en suive.

Les années qui suivirent ne furent que des copies de plus en plus pâles de cette première nuit où la cocaïne avait pris le contrôle de ma vie.

Chapitre 3

Ma vie est une succession de tempêtes qui se déclenchent au gré des obsessions qui me ramènent immanquablement à la cocaïne, parfois dans les circonstances les plus improbables. Une seule petite ligne de cette poudre et le cycle infernal se déclenche. Je ne peux plus l'arrêter. Des éclairs se faufilent jusqu'à mon cerveau et mes neurones s'allument un à un comme un sapin à Noël. Le sang s'anime dans mes veines. Je comprends la vie, je comprends la complexité des êtres et des choses, je me comprends et je peux m'expliquer moi-même. Je marche de long en large dans la maison. Je suis incapable de m'arrêter et de m'asseoir. Mon cerveau fonctionne à la vitesse de l'éclair. Je me suis mis à l'écriture pour ne pas que les perles qui jaillissent de mon cerveau surexcité puissent disparaître dans l'oubli. J'ai des cahiers au salon, d'autres à la cuisine et je marche nerveusement d'une pièce à l'autre. J'écris deux histoires à la fois, une au salon et une à la cuisine. J'ai aussi des projets, de grands projets. Je sais exactement ce que je dois faire. Je décris en détail les actions que j'entreprendrai dès demain et au cours des prochains jours. Ma vie va se transformer. Mon plan est parfait et ses étapes sont clairement définies.

Un excès de lucidité m'oblige à poser mon crayon avec tristesse. Tout cela est de peu d'utilité. Je ne sais que faire de toutes ces explications que je trouve à la vie. C'est toujours la même chose. Ma tête se remplit de plans et de vastes projets, mais le lendemain et au cours des jours qui suivent, je suis incapable de faire quoi que ce soit. Je peux à peine me lever et regarder les autres en face.

Cette nuit-là, sur la table du salon, une lettre du 14, rue Dauphine. Une lettre du père Lacasse. Je les connais, ses lettres. Un petit mot pour ses retraitants et une invitation aux futures retraites. J'y suis allé deux fois ou peut-être trois et voilà où j'en suis. Catherine l'a peut-être placée là en espérant que je la verrais. La dernière fois, elle a cru que la grâce m'avait touché en permanence. Moi aussi je l'ai cru. Elle est folle d'absolu et ne supporte pas le court terme de l'amour et de la vie. Nous sommes ensemble depuis toujours. Ces derniers temps, j'ai l'impression que notre *toujours* tire à sa fin.

Je regarde l'horloge. Quatre heures trente du matin. Dans quinze minutes, le père Lacasse célèbrera sa messe. Je saute dans la voiture. Ma tête bourdonne et un mélange de chant de cigales et de fils à haute tension envahit mes oreilles et mon cerveau. Je conduis. Les rues sont vides et j'ai une drôle d'impression. L'univers qui m'entoure est plein de bruits étranges et de mouvements furtifs.

Le père Lacasse célèbre la messe tous les matins, à quatre heures quarante-cinq. Je n'ai jamais compris pourquoi il le faisait à cette heure-là, seul dans une petite chapelle avec quelques chaises. Il ne la célèbre certainement pas pour les fervents fidèles qui y assistent. Il n'y a personne à part moi, qui parviens parfois à m'y traîner au rythme de mes douloureux excès de cocaïne et de mes résolutions éphémères.

Je n'y vais pas parce que j'aime la messe. J'y vais pour me sentir moins seul. Pour être en sécurité. J'ouvre la porte de la chapelle doucement, sans bruit. Je ne veux pas vraiment qu'il remarque ma présence. Il sait que c'est moi. Je sais qu'il le sait. Il continue à dire sa messe. Je m'installe dans le coin le plus éloigné, celui qui ne fait pas trop sentir la chaleur d'un contact que je ne peux plus supporter. Il se retourne pour chanter et sa voix frêle entonne *Orémus*, pendant que ses yeux me regardent, sans surprise et sans jugement. Avant la fin de la messe, je m'enfuis. Je suis trop fébrile pour parler. J'en serais incapable.

Je rentre à la maison. J'irai à sa prochaine retraite. Il ne m'a rien dit, mais il m'a convaincu. Il est six heures du matin. Je conduis la voiture sans même m'en rendre compte. Le jour se lève. J'arrive d'une autre planète. Je me glisse sous les couvertures. Catherine y est déjà depuis long-temps. Elle sait que j'ai passé la nuit debout, et elle s'est probablement endormie au petit matin, sans *Orémus*. Elle a probablement vu la lettre du père Lacasse sur la table. Elle s'est inquiétée, mais elle a fini par s'endormir en sachant où j'étais allé. Ce n'est pas la première fois.

Depuis que mon nez s'est ouvert aux plaisirs et aux tourments de la cocaïne, je sens un tel remue-ménage autour de moi, à cause de moi, que j'aimerais ne pas exister. Lorsque j'ai annoncé à Catherine que je prenais de la cocaïne et que je ne pouvais plus m'en passer, je l'ai infiniment regretté. On aurait dit que j'avais retiré le sol sous ses pieds et l'angoisse s'est installée dans la maison.

J'en suis venu à me faire tellement petit et silencieux que je pourrais entrer dans le lit d'une inconnue, y dormir et repartir au matin, furtivement, sans bruit et sans même avoir froissé les couvertures. Je dors comme une roche, les yeux ouverts, les poings et les dents serrés, sans bouger. Je ferme les yeux seulement quand on me regarde, pour avoir l'air endormi. Quelle solitude d'être devenu une ombre, lorsqu'on a désespérément besoin d'une présence.

Je me colle un peu, à peine. J'ai tellement peur qu'elle se réveille, que je sois obligé de parler, de répondre à des questions, de me voir dans ses yeux mal endormis, que j'en suis venu à vivre sans bruit. Demain, demain j'appellerai le père Lacasse. Une autre retraite, un autre silence. Je ne crois pas très fort à ce que je fais, mais moi et Catherine, nous avons tant besoin d'un peu de tranquillité, d'un peu de sécurité. Quelque chose va craquer. La tension est devenue insupportable.

L'*Orémus* a suffi. J'ai parlé au père Lacasse. Dans trois jours, j'entre en retraite. J'ai l'impression que mes démons m'ont abandonné. Quelques emplettes, une ou deux broutilles à vérifier et la retraite va commencer. Un petit vent d'espoir flotte autour de moi malgré un froid d'enfer. Une belle journée pour entrer en retraite. Aussi bien le faire maintenant. Ça ne gâchera pas le printemps! Je ne suis pas très excité à la pensée de cette retraite, mais il faut bien payer pour ses excès. Ma sincérité est fortement colorée par mon désir de contrer l'inflation galopante de ma culpabilité.

Je me rends au restaurant et je prends une dernière bière en parlant de cette retraite comme d'une excursion dans le Grand Nord ou l'assaut de l'Himalaya. Ça fait de l'effet et j'en suis conscient. Mes amis me regardent comme si j'étais un sorcier mystérieux qui nage en eaux troubles, quelque part entre l'humble spiritualité et la conscience altérée.

Quelqu'un s'approche de moi et me murmure à l'oreille:

— J'avais placé une commande et elle vient tout juste d'arriver.

Je reconnais ce visage et cette voix.

— On m'a dit que tu pourrais être intéressé.

— Non! Pas aujourd'hui. Je pars pour une semaine, dans quelques heures.

— Tu manques quelque chose. C'est *top* qualité.

— Combien? firent mes lèvres, sans transition, comme si j'en avais soudainement perdu le contrôle.

— Quatre mille l'once, et elle n'est pas coupée. Tout droit de Colombie.

— Combien de temps pour la livraison?

— Pas aujourd'hui! J'ai dû la cacher à l'extérieur. Avec le froid qu'il fait, ce ne sera pas possible.

Quelqu'un continuait de parler à ma place :

— Cinq cents de plus si tu me livres une once avant six heures trente. Il est cinq heures. Il faut que je sois à Charlesbourg à sept heures au plus tard.

— D'accord ! Je vais essayer. Je te rejoins ici.

Je piaffe d'impatience. Je remonte à mon bureau et mon imagination s'enflamme. J'oublie le père Lacasse. Effacés, les souvenirs de la stricte discipline de la retraite, des horaires chargés, des levers à l'aube, des longues méditations. Il ne reste que la liberté d'être enfin seul, sans contraintes, avec une réserve de cocaïne suffisante pour la traversée du désert.

À moi la liberté !

J'essaie de m'occuper. Je fais semblant de régler quelques problèmes, de fermer quelques dossiers, mais la fébrilité de l'anticipation s'est emparée de moi. Il n'existe plus rien hormis cette idée obsédante qui transforme chaque minute en supplice.

Le livreur arrive. Je paie sans hésitation. Le prix du lait me pose davantage de problèmes. Il y a quelques jours, j'ai engueulé les enfants parce qu'ils avaient laissé le lait sur la table. Encore quelques heures ! Il ne faut pas que j'y touche maintenant. Il ne faut pas que je foute tout en l'air. Il faut que je sois à la hauteur. Il est six heures trente. J'ai tout ce qu'on peut espérer de la vie. Ma valise, le petit livre des exercices de saint Ignace, quelques vêtements et la *précieuse*, celle qui m'assurera l'envolée que je projette depuis longtemps. En prendre tant que je peux, tant que je veux. Plus d'heures, plus de famille. Des vacances de rêve. Quelques écueils, mais rien que je ne puisse contrôler. Je me sens comme un joueur qui part seul pour Las Vegas avec un budget illimité et la bénédiction de son entourage.

Et si j'en meurs ? Tant pis ou tant mieux. Je suis incapable de faire la différence.

J'arrive à Charlesbourg, chez les sœurs. Ils se ressemblent tous, ces monastères. Je les connais par cœur. J'en ai visité des dizaines en jouant au chauffeur pour le père Lacasse.

La porte s'ouvre. C'est l'accueil. Le père Lacasse me tend les bras :

— Je suis content de te voir et le Seigneur aussi.

— Moi aussi, père Lacasse.

Je sonne faux. Je joue le jeu. Je suis trop fébrile pour penser à autre chose qu'au sachet qui s'anime dans la valise. Nous sommes une dizaine. Des jeunes boutonneux, des plus vieux, des sans âge. Qu'est-ce qu'ils ont dans leur sac ? Tous, j'en suis persuadé, attendent le miracle qui changera ce qu'ils sont incapables de changer eux-mêmes. Des dépressifs, des faux curés qui sont venus donner à Dieu ce qu'ils auraient bien aimé donner à celle qui n'en voulait pas. Tout un cadeau !

Des parents qui prient pour un enfant drogué. On pourrait peut-être s'entendre, moi j'ai des enfants qui prient pour un père drogué. Le père Lacasse, il prend tout ça et le passe dans le grand tordeur de saint Ignace et de la grâce de Dieu.

Les présentations se font rapidement et nous nous rendons à nos chambres. De petites chambres de monastère. Ça aussi, je connais. Des portes en bois verni. Des planchers gris, marbrés de petits cailloux rouges et bruns. Propres et bien cirés. Un lit simple, un petit bureau de travail et un lavabo.

Il ne faut pas que le décor distraie l'esprit !

Je déballe mes affaires et je range le tout soigneusement. Je dépose mon nouveau cadeau à quatre mille dollars, livraison en sus, en plein centre du bureau. Ironiquement, juste au-dessus, il y a un crucifix. J'ai l'impression qu'ils se regardent. Avec un peu plus de hâte que je ne le voudrais, je reprends le sac et je l'enfouis sous le matelas.

Le nez me pique d'anticipation :

— Juste un petit essai avant de descendre, me dit la voix, la même que celle qui a dit « combien ? »

— Non, non, pas question, me dit la raison. Il faut attendre. C'est trop tôt. Tu vas tout gâcher. Le premier soir, le père Lacasse nous ménage. Encore quelques instants et tu seras libre.

Je ferme la porte et je redescends. Mon cahier, un crayon, le petit livre de saint Ignace. Il n'en faut pas plus pour passer une semaine avec le père Lacasse. Chacun prend sa place et s'installe à l'endroit où il se sent le mieux. Moi, je suis attiré par les coins éloignés. Ceux où je ne risque pas de me faire remarquer.

Le père Lacasse commence à parler. Je revois mes retraites précédentes. Il parle doucement, les yeux fermés. On peut les fermer aussi, il n'y a pas lieu de le regarder.

— Comme le corps et l'intelligence, notre âme a besoin d'exercice. C'est pourquoi on les appelle *exercices spirituels*. Il nous semble normal de faire de l'exercice et de se tenir en forme, d'étudier pour meubler son intelligence, mais qu'en est-il de notre âme? Elle a aussi grand besoin qu'on lui consacre notre temps et nos énergies. Il nous faut dès aujourd'hui nous mettre en présence de Dieu, dans un état de totale disponibilité. Dans ce dessein, saint Ignace propose le fondement des exercices spirituels qui consiste à se placer dans une attitude d'indifférence spirituelle, c'est-à-dire...

Déjà, je n'entends plus rien. La voix monocorde du père Lacasse m'hypnotise. Je ne suis plus avec les autres retraitants et saint Ignace n'est qu'un écho lointain. Je suis déjà dans ma chambre. La cocaïne m'attend, pétillante, sous le matelas. Sa petite voix, ténue d'abord, se gonfle maintenant et se permet de me distraire de la grâce de Dieu. Je sais qu'il n'y plus de retour possible. Je suis sur le dangereux sentier qui empêche celui qui s'y aventure de se rendre compte qu'il ne pourra plus revenir sur ses pas.

Le père Lacasse se tait maintenant. Il n'y a pas beaucoup de différence entre ses paroles et ses silences. Les instructions sont données. Chacun doit se retirer dans sa chambre et méditer sur le *fondement* des exercices. Le retraitant doit se disposer à recevoir la grâce qui ne manque pas d'accompagner celui qui s'y abandonne sincèrement. Les exercices sont un lieu agréable et redoutable à la fois. Il faut méditer et faire la paix en soi et à l'extérieur de soi. Le silence est de rigueur et il faut l'écouter, semble-t-il, car il réjouit l'âme et mène à l'apaisement des passions.

Les miennes sont loin d'être apaisées. Je me lève sans hâte apparente. Il ne faut pas se faire remarquer. Je replace ma chaise et je retourne doucement à ma chambre, comme un bon retraitant. Je parviens même à ouvrir et à refermer ma porte lentement, sans bruit.

L'enfer se déchaîne. « *Good bye*, saint Ignace, et à plus tard. » Les flammes brûlent à travers le matelas et ma main y plonge avec ravissement et frayeur à la fois. « Où va me mener cette partie de roulette russe avec mon âme et avec ma vie ? »

Le malheur s'allonge en longues lignes blanches sur le bureau, juste sous le crucifix. Même si je dois en mourir ou détruire ce qui me reste de vie, j'en prends et j'en reprends avec ravissement. Je n'ai plus le choix. Satisfaire cette obsession est plus fort que la vie. Je suis prêt à m'éteindre sans bruit, pourvu que ce soit avec de la cocaïne et dans l'abondance.

— Ne joue pas avec Lucifer, me murmure la voix du père Lacasse. Tu n'es pas de taille.

— Je sais. Mais il est trop tard. Il m'a déjà emporté.

Mon cerveau fonctionne à deux cents à l'heure. Les idées affluent comme une tempête. Il faut que j'écrive, que je décrive ce torrent qui déferle sur moi. Comme si une autre main avait pris la mienne, j'écris. J'écris si vite qu'elle peut à peine suivre le flot d'idées qui jaillissent dans ma tête et coulent dans mon bras, jusqu'au bout de chaque doigt, dans un flot continu qui par vagues successives déferle sur le papier. J'écris des pages et des pages. Dieu est tout près et je l'entends, je le comprends. Je comprends l'univers.

«Mon Dieu, éclatai-je, soudainement frappé par une image d'une clarté hallucinante. Le père Lacasse a besoin de moi. Il a besoin d'aide, jamais il ne pourra y parvenir tout seul.»

Je regarde le Christ, étendu sur le crucifix. J'ai l'impression que je dois l'aider à garder les bras en croix. C'est pour ça qu'on les a cloués. S'il baisse les bras, l'univers s'écroulera avec lui. Tant qu'il pourra les tenir ainsi, l'équilibre ne sera pas rompu. Mais il est fatigué! Il est à bout de forces!

Je vois les églises, dispersées à travers la planète, dans les coins les plus reculés de l'univers. Des personnes prient et leurs prières montent vers les clochers, sous forme de lumière blanche et rose. Elles s'échappent par les bras de la croix et grimpent vers le ciel. Elles forment un nuage protecteur qui recouvre la planète de l'énergie du bien et du beau. Ce sont les paratonnerres de la grâce de Dieu. Ils font échec à la noirceur. Par endroits, des églises ne prient plus et des trous apparaissent dans l'ozone spirituel qui enveloppe la planète.

«Des clochers s'éteignent! Il faut faire quelque chose! L'équilibre va être rompu! Je sais à quoi travaille le père Lacasse. Il n'y arrivera pas.»

J'ai le visage écrasé dans la poudre qui s'est répandue sur le bureau. Je suis comme un fou. Je vois les forces qui s'affrontent dans l'univers, mais je suis dans un tel état de tumulte que je peux seulement serrer ma tête entre mes mains avec un sentiment d'horreur et d'impuissance.

Je ne sais plus combien de grammes de cocaïne j'ai pu respirer. Il ne me reste plus de

papier. J'ai rempli tous les espaces blancs de toutes
les feuilles que j'ai pu dénicher. Je ne peux plus
écrire et je ne peux plus m'arrêter. Ma chambre est
devenue une barque sur une mer déchaînée. Mon
cœur bat si fort que j'en suis presque paralysé. Je
ne suis plus capable. J'abandonne. Je desserre les
poings. Une sorte de calme m'engourdit. J'ai une
décision à prendre. Je me laisse aller et je meurs ou
je serre les poings à nouveau. Si je ferme le sac, je
pourrai peut-être survivre. Il y a cette étincelle qui
brûle encore au fond, quelque part.

Catherine, les enfants...

Il est six heures du matin. J'ai choisi. La retraite
continue. Je mourrai plus tard. Je n'ai pas dormi
de la nuit. Les autres retraitants sont déjà levés. Je
me rends à la chapelle comme un fantôme. Le
père Lacasse dit sa messe. Il se retourne et chante
de sa voix fragile :

— *Orémus.*

Il a l'air fatigué et malade. J'ai soudain la certitude qu'il n'a pas dormi lui non plus. Je ne lui fus
d'aucune utilité. Il a dû non seulement soutenir les
bras du Christ, mais aussi me réinsuffler la vie.

L'atmosphère de la chapelle m'apaise. Un
mélange d'encens et de piété parfume les lieux tandis que les retraitants se recueillent ou peut-être, se
laissent-ils seulement flotter à la dérive, contem-
plant leur propre naufrage. L'église est trop grande
et nous formons des petits îlots de solitude éparpillés, perdus parmi les bancs bien rangés de la chapelle. Un espace plus éclairé autour de l'autel a
accueilli le *Deo gracias* et brûle encore du halo des
dernières oraisons du père Lacasse.

Les retraitants se lèvent, un à un, lorsqu'ils croient avoir suffisamment rendu grâce à Dieu et se rendent dans une petite salle non loin de la chapelle où nous allons recevoir les instructions qui vont libérer nos âmes. Quelques tables où nous nous alignons sans bruit. Des tables de monastère en bois vernis recouvert de linoléum vert et beige, comme le visage des retraitants.

Au fond de moi, une seule pensée: «Comment faire pour traverser cette journée?» Ma tête est encore pleine de ces bruits qui me rendent fou. Je me tiens la tête à deux mains pour ne pas la perdre. La voix du père Lacasse me parvient, sourde et lointaine:

— Pouvez-vous imaginer l'amour de Dieu? Pouvez-vous imaginer un père qui envoie son fils sur terre, en sachant qu'il doit mourir? Quel père peut agir ainsi?

Je pouvais répondre sans hésiter: «Certainement pas moi. Du moins pas aujourd'hui.»

La fatigue m'envahissait. Je ne pouvais plus continuer. Il fallait que je parte. Quelle sorte d'histoire pourrais-je inventer qui ne risquerait pas de tuer l'espoir timide que la retraite avait fait naître autour de moi? La conscience me quittait et alors que je sombrais dans une espèce de *no man's land*, je sentis une main sur mon épaule. Une voix m'interpellait:

— Tu vas manquer les exercices. C'est l'heure de la méditation.

Le père Lacasse était tout près de moi et me parlait avec autorité. Je m'entendis répondre:

— Mon père, je suis malade! J'ai une grippe terrible. Je n'ai pas dormi de la nuit et je ne me sens plus capable de continuer.

Il me regardait intensément, comme pour s'assurer que je ne cherchais pas une raison de partir avant la fin de la retraite.

— C'est vrai que tu n'as pas l'air bien. Va te reposer, finit-il par répondre. Va te reposer et on se reverra plus tard.

— Merci! lui répondis-je, comme s'il venait de me faire un immense cadeau.

Je retourne à ma chambre avec une joie indicible. J'ouvre la porte. J'ai peur de ce que je vais y trouver, mais je ne peux aller nulle part ailleurs. Le jour éclaire ma nuit et donne un nouveau relief à mes démons. Le lit est défait et une atmosphère mauvaise s'est installée. Le bureau est envahi par des feuilles éparses, remplies d'une écriture à peine lisible. Pas un coin n'a été épargné. Les marges sont remplies de flèches, qui vont en tous sens, qui forment un inextricable filet de mots et de phrases respirant le malheur. Ma barque s'est échouée sur le rivage du désespoir.

Je n'ai pas le courage ni la capacité de ranger ce désordre irrespirable. Je suis fatigué, prêt à m'écrouler. Je me cache sous le couvre-lit et prie pour que le sommeil fasse taire les clameurs qui grondent en moi et autour de moi.

Je grelotte et m'entends répéter les paroles du père Lacasse:

— Mon Dieu, vous qui comprenez nos misères et nos faiblesses, ne m'abandonnez pas. Je suis perdu. Je ne sais plus qui je suis. Donnez-moi un peu de votre amour. J'en ai tellement besoin. Veillez sur le père Lacasse pour qu'il puisse veiller sur moi.

Et je continue à marmonner des phrases toutes faites que je répète et d'autres que j'invente à mesure que les idées se frayent un chemin dans mon esprit tourmenté. Un demi-sommeil menaçant finit par m'emporter et je remercie le ciel de me priver de la douloureuse conscience de mon existence.

Un bruit à la porte me réveille. J'ouvre péniblement les yeux. Le père Lacasse est là. J'ai dormi cinq minutes ou cinq heures, je ne sais plus. Il jette un œil inquiet sur la chambre tandis que je me bats pour revenir à la réalité.

—Père Lacasse, il faut que je vous dise la vérité. J'ai apporté de la cocaïne en retraite. Je n'ai pas la grippe. Je n'ai pas dormi parce que j'ai pris de la cocaïne toute la nuit.

Il est assis en face de moi sur une petite chaise droite. Je suis à peine sorti de mon lit, le visage défait et la voix souffrante. Je vois dans ses yeux qu'il n'est pas certain de comprendre ce que je lui raconte. Il a de la difficulté à évaluer la portée de mes paroles.

—Je ne pourrai pas faire la retraite avec ce sachet dans ma chambre, lui dis-je en montrant la cocaïne sur le bureau. Gardez-le pour moi sinon je ne pourrai pas continuer. Après la retraite, je le rapporterai à celui qui me l'a vendu.

Il prend le sachet dans ses mains. Je ne peux pas croire que je suis en train de lui donner ma cocaïne. Une voix en dedans me dit: «Qu'est-ce que tu es en train de faire?»

Mais le père Lacasse a réponse à tout et toujours de la même façon.

— On va prier ensemble et on va demander à Dieu de nous aider.

J'ai les larmes aux yeux parce qu'il a dit: «Il va nous aider» et non pas: «Il va t'aider.»

Il recommence à prier:

— Mon Dieu qui voyez vos enfants, qui les comprenez, nous vous abandonnons nos difficultés, nos souffrances...

Il continue à prier et sa voix me remplit d'une force tranquille et de sa foi inébranlable:

— Allons manger, maintenant, dit-il en se levant.

Je descends avec lui. Le sommeil et la prière m'ont fait du bien. J'arrive à la cafétéria. La fatigue et l'ingestion de quantités énormes de cocaïne me donnent l'impression d'évoluer dans un monde irréel. Je marche comme si je flottais sur un coussin d'air et la lumière me semble plus intense qu'à l'habitude. Elle filtre à travers les rideaux orangés qui colorent le visage des retraitants. Une voix monotone qui sort d'un magnétophone de mauvaise qualité raconte la vie de saint François d'Assise. J'ai l'impression d'être prisonnier d'un mauvais film.

La journée se poursuit et après le dîner, un nouvel exercice, une nouvelle méditation. Au lieu de méditer, je ramasse les débris de ma nuit et je range la chambre avec minutie. Je ressens un urgent besoin de purifier le décor et de rendre l'air respirable. Je compte les heures qui devront passer avant la nuit. Je vais y arriver. Encore le souper, une autre méditation et enfin, le sommeil, l'oubli.

Chapitre 4

Deuxième journée. J'ai l'impression d'être ici depuis une éternité. J'ouvre le rideau et je regarde par la fenêtre. C'est la première fois que je regarde dehors depuis mon arrivée. Il fait un froid si intense qu'on pourrait presque le toucher. La routine recommence. Le père Lacasse célèbre la messe. *Orémus*, lance-t-il de sa voix frêle en se retournant. Il a l'air un peu mieux lui aussi. Nous sommes soulagés. Nous avons frôlé la catastrophe. Je prie avec les autres. Je m'efforce de revenir avec eux.

C'est l'heure du déjeuner. Saint François d'Assise, deuxième partie. Le magnétophone ne s'est pas amélioré et la nourriture non plus. Mon sens critique revient. Je vais sûrement beaucoup mieux. Il ne faut pas que j'oublie de dire au père Lacasse de se trouver un nouveau magnétophone s'il ne veut pas faire fuir les retraitants. Je me surprends à penser à mon sachet qui est reparti avec lui : « Il y a de la cocaïne ici, quelque part. »

Je ne médite plus. Je ne peux m'empêcher de me demander ce que le père Lacasse a bien pu en faire. Il l'a peut-être jeté. « Non ! Il n'aurait jamais osé. Peut-être bien. Pourquoi pas! Les jésuites n'ont pas l'habitude de garder de la cocaïne dans leur chambre pendant les exercices de saint Ignace.»

La journée passe. La cloche sonne. Le dîner arrive. Je médite. Je prie. Mardi, mercredi, jeudi, vendredi et voilà, ma probation sera terminée et mon âme aura été reforgée à la flamme de saint Ignace. On va me regarder avec d'autres yeux. On va peut-être dérouler le tapis rouge. Nous savions qu'il s'en sortirait. Nous sommes fiers de nous.

«Je me demande où le père Lacasse a bien pu cacher ce qu'il reste de mon once de cocaïne. Je pourrais peut-être en prendre un peu, juste un peu et la remettre à sa place.»

Une autre volonté que la mienne s'empare de moi. Je me lève et me dirige vers les toilettes. Je jette un œil vers la cafétéria. Tout le monde écoute saint François, le nez dans son assiette. Personne ne semble se soucier de mon absence. Je marche de plus en plus rapidement. Je cours presque. La porte de l'ascenseur est en vue. J'enfonce le bouton nerveusement. L'ascenseur n'arrive pas assez vite. Je grimpe les escaliers comme un fou. Quatre étages sans souffler. J'entre dans la chambre du père Lacasse.

Sacrilège!

Des papiers sont étalés sur le bureau à plusieurs tiroirs. Je les ouvre un à un en essayant de ne pas faire de bruit. Rien, rien et encore rien. Les tiroirs sont vides. J'aperçois la valise du père Lacasse dans un coin, noire comme son costume. Je fouille chaque compartiment. Vide. Mon cœur bat très fort. Je fouille la garde-robe. Rien. Je me balance, incertain, au milieu de la pièce.

Est-ce que j'ai encore le temps de chercher? Une éternité s'est écoulée depuis que j'ai quitté la cafétéria.

Mes yeux scrutent les moindres recoins. Le veston sur la chaise. Le veston du père Lacasse... Peut-être! Je n'y avais pas pensé. Je n'aurais jamais pu m'imaginer que le père Lacasse avait présenté la dernière méditation avec une once de cocaïne dans sa poche. Ma main s'enfonce dans la poche du veston, celle où il avait mis le sachet en sortant de ma chambre. Elle est là. Je sens le sac moelleux sous mes doigts...

Je cours vers ma chambre. J'ouvre la porte sans bruit et je cherche un sac et un endroit où flanquer le trésor. J'arrache une feuille de mon cahier et j'y vide une partie du sachet. Il faut bien le plier et le replier. Sous le matelas maintenant. C'est sa place!

La folle course reprend. Je retourne à la chambre du père Lacasse, je remets le sachet dans la poche et je referme la porte. Encore l'escalier, quatre à quatre. Encore quelques marches. Il faut que le cœur s'apaise. Il faut marcher doucement maintenant. Il faut entrer normalement en frottant ses mains humides, comme si on venait de les laver. Je me rends compte qu'ils n'ont même pas eu le temps de finir leur soupe ni d'écouter la mauvaise cassette. J'ai de la difficulté à arracher le petit sourire déplacé qui s'est accroché à mon visage. Je prends une grande respiration. La vie est belle et la grâce de Dieu est abondante pour celui qui la cherche avec ardeur. Je m'assois et je déguste ma soupe avec appétit.

J'ai de la peine à me souvenir de ce que cet autre moi-même a fait.

La journée se poursuit. Elle est là, en sécurité. Il n'y a plus rien à craindre. Tout à l'heure, elle et moi, on va méditer. Mais cette fois, pas de folies, pas de bêtises. Pas question de passer la nuit debout. Juste un peu, raisonnablement, pour le plaisir. On a travaillé fort. On s'est dépensé.

La journée avance, presque légère. La dernière méditation. Je remonte à ma chambre. Il faut bien faire les choses. J'ouvre mon livre et je relis le thème de la méditation : *Voir l'immensité et la sphère du monde, où vivent des peuples si nombreux et si divers. Puis voir en particulier la maison et l'appartement de Marie dans la ville de Nazareth, dans la province de Galilée.*

J'étends la poudre sur le bureau, juste à côté du petit livre de saint Ignace. Un écran de tristesse vite chassé passe devant mes yeux :

« Qu'est ce que j'ai encore fait ? Mais non, je n'ai rien volé. C'est à moi. »

Mon sang se remet à circuler. Je m'allume. Nazareth, la Galilée. Je me demande à quoi ça ressemble. J'irai peut-être un jour.

« En attendant, méditons ! »

Une autre ligne et me voilà à Nazareth : « Le père Lacasse. Il n'est plus de son temps. Son magnétophone, ses exercices vieux de quatre cents ans. Il faudrait faire les choses autrement. Moi et lui, on va faire de grandes choses. Il faut changer les méthodes. Il faut entrer dans la modernité. Moi, j'organise des voyages. Lui, il prêche des retraites. On va faire équipe. Lui et moi. Nazareth, il faut en convenir, ça fait pitié dans une chambre beige et orange en banlieue de Québec.»

Je m'anime. Je m'excite. J'ai de brillantes idées: «On va faire un voyage-retraite. Nazareth. C'est ce qu'il faut faire. Quand on va méditer sur Nazareth, on sera à Nazareth, pas à Québec.»

J'imagine le père Lacasse, les larmes aux yeux, dans la maison de Marie à Nazareth. Il nous parle. Il aime tellement Marie. Une fois, je l'ai vu pleurer pendant qu'il lui chantait un cantique.

Il est touchant, le père Lacasse, lorsqu'il parle de la fuite en Égypte. Marie et le bébé dans la nuit. Eh bien, on va y aller en Égypte. On va marcher sur les traces de la Sainte Famille. Quelle expérience spirituelle! Et j'imagine l'apothéose à Jérusalem sur les marches du Temple. Je suis ébloui par cette idée et par l'expérience inouïe que pourront vivre les retraitants. Nous approcherons Dieu de si près qu'il ne pourra rien nous refuser. On va se battre pour assister à nos retraites.

J'ai fait provision de feuilles et mes doigts repartent, activés par la poudre que j'inhale jusqu'à tard dans la nuit. J'ai terminé le plan du voyage le plus extraordinaire qui soit. Un cadeau inspiré par Dieu pour le père Lacasse, son plus fidèle serviteur. Un cadeau qui va transformer les âmes qu'il va guider vers nous.

J'en ai tellement pris, dans l'excitation du voyage, que je sens mon cœur battre comme s'il allait exploser. Tant pis! Il faut que je finisse cette histoire. Je tiens mon cœur d'une main pour ne pas qu'il s'arrête et j'écris de l'autre main.

Je suis épuisé. Le sac est vide et le cahier est rempli jusqu'au bord. Je suis terrifié en constatant que mes provisions sont épuisées. Je ne peux pas aller voler le père Lacasse en pleine nuit. Il va falloir que je m'accroche, que je serre les dents. Demain, la retraite continue.

J'essaie de me coucher. Je tremble sous les couvertures. Le sommeil me fuit. Il ne faut pas que j'éteigne les lumières. Si je ferme les yeux, je tombe dans un gouffre sans fond et le cœur me manque. Le temps passe. Il fait presque jour. Mes dents se desserrent. La fatigue m'emporte.

Chapitre 5

Une cloche sonne quelque part. Je ne sais plus si elle sonne dans mon rêve ou si elle vient de l'interrompre. Est-ce le matin? Est-ce le soir? J'ouvre péniblement les yeux. Il me semble que je viens tout juste de m'endormir. Je regarde autour de moi. Le cadran marque six heures. Les souvenirs me reviennent. Le voyage-retraite. La cocaïne. Ma chambre sent la mauvaise haleine et l'absence d'oxygène. Sur le bureau, dansent les feuilles éparses, témoins des fausses méditations de mes fausses retraites. Partir serait un suicide et me lever une épreuve redoutable.

Quel jour est-on? Mercredi. J'avais imaginé cette semaine comme une oasis au milieu de mon désert.

«Mon Dieu, où est-ce qu'on s'en va, toi et moi?»

Je regarde la porte. J'ai l'impression qu'elle s'ouvre sur un nouveau cauchemar. J'avance la tête dans l'embrasure. Un long corridor qui s'allonge à l'infini. Le reflet de la pâle lumière de l'hiver, la même qu'à ma fenêtre, fait briller les petites pierres roses et brunes du plancher gris. Je me demande si je pourrai me rendre jusqu'à l'ascenseur. J'y suis. Je pèse sur le bouton. Un grondement qui m'effraie se rapproche. J'ai peur. J'abandonne l'ascenseur et je prends l'escalier. Tout est silencieux. Me suis-je trompé d'heure, d'étage, d'adresse, de planète? L'escalier s'engouffre vers des profondeurs que je n'ose affronter.

Une autre lumière s'allume. J'entends un bruit dans l'escalier. Je fais un effort surhumain pour me redresser. Il faut que j'aie l'air normal. L'effort que je fais me donne l'impression d'aller mieux. Un autre retraitant passe près de moi. Il me regarde avec un sourire. Nous sommes sur la même planète. Je respire plus à l'aise.

«Il triche! Il n'a pas le droit de me regarder. Qu'est-ce qu'il fait du silence des yeux?»

Mais son regard me fait du bien. Je me retrouve. Je lui emboîte le pas, silencieusement, en essayant de faire les mêmes gestes, au même moment. Un pas devant l'autre. Ma main glisse sur la rampe avec un chuintement qui me rappelle le pensionnat. Il ne faut pas que je le perde de vue, sinon, je suis perdu.

Nous voilà devant deux grandes portes de bois verni. Je reconnais ces portes. De l'autre côté, un autel, une lumière dorée, et les clignotements de l'éternelle lampe du sanctuaire. Mon enfance, je connais bien cet endroit. Combien de millions de prières et de promesses faites à Dieu? Le refuge des pécheurs, le consolateur des affligés. Je sais que de l'autre côté, personne ne me demandera plus rien. Je vois les bancs bien rangés et j'entends le bruit des burettes qu'on prépare. J'entends les aubes, les surplis et les chasubles qui s'envolent en chuchotant lorsque le prêtre monte à l'autel.

La messe débute et se termine dans la même demi-torpeur où il me semble que j'ai vécu depuis quelques années.

« Qu'est-ce que je fais ici ? »

La réponse est brutale :

« Il n'y a pas d'autres endroits où tu peux aller mon vieux. *The end of the road ! Deo Gratias !* Prie, médite ou crève ! Quel aura été mon geste le plus héroïque ? Débarrasser les autres de ma présence. L'église sera pleine à craquer et ils me remercieront. »

Je suis à genoux, la tête entre les mains et mes genoux font pénitence sur le bois rugueux. Quelqu'un s'agenouille à côté de moi. Il sent la soutane noire et le père Lacasse. J'ai peur qu'il me parle et que je n'aie pas la force de lui répondre, de lui mentir. Je me rends compte qu'il ne me parle pas. Il vient prier avec nous. Sa voix résonne sans briser le silence. Elle s'y glisse doucement et le rend encore plus apaisant :

> — Mon Dieu, dans le silence de ce jour naissant,
> Je viens te demander la paix, la sagesse et la force.
> Aujourd'hui, je veux regarder le monde avec des yeux remplis d'amour.
> Être compréhensif, doux et sage.
> Voir au-delà des apparences
> Tes enfants comme tu les vois toi-même
> Et ainsi, ne voir que le bien en chacun.

Garde ma langue de toute malveillance.
Que seules les paroles qui bénissent demeu-
rent dans mon esprit.
Que je sois bienveillant et si joyeux,
Que tous ceux qui m'approchent sentent ta
présence[1].

J'aimais bien cette prière et je répétais les
paroles du père Lacasse comme un automate qui
a perdu la capacité de parler par lui-même, mais
qui ne supporte plus son propre silence. Quand il
se tut, je me tus aussi. Lorsqu'il se leva, je me levai
avec les autres et pris ma place parmi le troupeau.
Il faut que je reste dans le rang, sinon je ne retrou-
verai jamais la cafétéria. Aujourd'hui, même son,
autre saint. Au menu, œufs pochés à la saint.

Après le déjeuner, nous repartons et dérou-
lons le film à l'envers jusqu'en haut de l'escalier où
je m'arrête, perplexe et perdu. Chacun prend une
direction différente et sans m'en rendre compte, je
suis la robe noire devant moi. Je me retrouve dans
la chambre du père Lacasse. Il ferme la porte, sans
dire un mot, comme s'il savait que je le suivais.

— Eh bien, mon ami. Comment ça va?
Assieds-toi! me dit-il en m'indiquant la chaise
devant lui. Tu es bien silencieux. C'est aujour-
d'hui qu'on doit se voir. Es-tu prêt pour ta confession générale?

J'avais une confession à faire, mais je ne savais
pas si elle serait générale. Ma voix s'était abaissée
de plusieurs octaves lorsque je lui dis:

---

1. *Source inconnue.*

— Père Lacasse, je suis venu dans votre chambre hier et je vous ai volé de la cocaïne.

Il y avait de la colère dans ses yeux. C'était la première fois que je voyais de la colère chez lui. J'étais peiné avec une petite pointe de joie. Peiné de l'avoir mis en colère, heureux de le sentir humain.

— Ça ne peut plus continuer! me dit-il avec sévérité. Le démon est habile et il est après toi. Il ne peut pas supporter que des personnes laissent le monde pour chercher Dieu. Il utilise toutes les ruses. Il fausse ta pensée. Il obscurcit ton jugement. Il est prêt à tout pour te sortir d'ici et te ramener à l'extérieur où il pourra mieux te contrôler.

Sa voix s'adoucit:

— Aujourd'hui, tu vas suivre scrupuleusement les consignes de saint Ignace, de minute en minute, sans déroger. Je vais prier pour toi et je te demande de prier pour moi. Demain matin, je vais dire ma messe spécialement pour toi.

Je me sentais heureux. Heureux d'avoir dit la vérité et d'avoir mis le compteur à zéro avec lui. Je supportais mal de lui mentir et de perturber la quiétude de la retraite. Je repartis pour ma chambre plus léger et je m'agenouillai près de mon lit, la tête sur le matelas. Malgré ma bonne volonté et une bonne dose de grâce de Dieu fraîchement renouvelée, l'image de la cocaïne dans la chambre du père Lacasse dansait encore devant mes yeux. Je sautai sur mes pieds et j'enjambai les longs corridors et les escaliers pour finalement entrer à nouveau sans frapper dans la chambre du père Lacasse.

Il était agenouillé, un chapelet entre les doigts. Il se retourna et avant qu'il ait pu ouvrir la bouche, je lui dis :

— Père Lacasse, je ne pourrai jamais faire la retraite tant qu'il y aura de la cocaïne ici. C'est impossible. Je ne peux pas non plus me résoudre à la jeter. Elle m'a coûté quatre mille dollars et en plus, je suis endetté jusqu'au cou. Je connais quelqu'un qui pourrait la racheter et après, je pourrais continuer la retraite en paix.

Le père Lacasse réfléchissait. Il finit par dire :

— Est-ce que tu penses que c'est la meilleure solution.

— Je n'en vois pas d'autres, lui répondis-je.

— Dans quelques minutes, je donnerai les instructions pour la prochaine méditation et après, j'irai te chercher et tu pourras téléphoner.

— Merci, répondis-je, en reprenant la direction de ma chambre.

Qui allais-je appeler ? Quelqu'un qui a du *cash* et qui pourra me payer tout de suite. Sinon, *adieu* la cocaïne et *adieu* l'argent. Il est facile de vendre une once de cocaïne. Se faire payer, c'est autre chose.

« Gabriel ? Non c'est un ami et il est aussi mal en point que moi. Luc ? C'est un *crosseur* ! Tout le quartier latin va le savoir ! Fournier, peut-être Fournier. Il a du *cash* et il est d'affaires. Si je lui fais un bon prix pour de la cocaïne de cette qualité, il va l'acheter. C'est lui que j'appellerai. Ce n'est pas un lève-tôt. Si j'ai de la chance, il sera peut-être encore à la maison. »

Quelques coups discrets à la porte me font sursauter. Le père Lacasse est là. Sans introduction, il me dit:

— On va prendre quelques minutes pour demander à Dieu qu'il nous éclaire.

Nous voilà à genoux, encore une fois, à demander la protection du ciel. Quelques minutes de prière et nous repartons. Le père Lacasse marche en avant et je le suis en essayant de ne pas faire de bruit.

— Je vais demander à la révérende de nous laisser utiliser un téléphone, me dit-il en arrivant au parloir.

Je connais le numéro par cœur. Je connais par cœur le numéro de tous les *pushers*. Je signale. La sonnerie se fait insistante. Mon cœur bat à tout rompre. Une voix endormie me répond:

— Fournier, excuse-moi de te réveiller.

— Ça ne fait rien. Il fallait que je me lève de toute façon.

— Écoute, lui dis-je. J'ai un marché à te proposer. Direct de la Colombie.

— Pourquoi tu vends? D'habitude tu achètes.

— Je te raconterai tout ça plus tard. Je suis prêt à te faire un prix. Mais il faut que tu viennes tout de suite. Je ne peux pas attendre.

— Combien?

— Deux mille cinq cents. Ça vaut le double. Un peu moins d'une once. Pas coupée. La meilleure qualité que tu puisses trouver.

— Laisse-moi quelques minutes. Je te rappelle.

— D'accord, mais tu dois faire vite.

— Ne t'inquiète pas, je te rappelle.

Je raccroche après lui avoir donné le numéro du monastère. Le père Lacasse est derrière moi et je sais que je lui fais vivre une expérience pénible. Je lui raconte ce que Fournier m'a dit, mais il a tout entendu. On est là tous les deux, les yeux fixés sur le vieux téléphone noir à cadran. On dirait qu'il est vivant, qu'il palpite, qu'il réfléchit lui aussi avant de nous donner une réponse.

La sonnerie nous surprend et nous sursautons tous les deux :

— Émile ?

— Oui, c'est moi.

— OK. J'achète, si c'est comme tu m'as dit. Où est-ce qu'on peut se rencontrer ?

— Je suis à Charlesbourg. Je te donne l'adresse, 5283, 82e rue. C'est une maison de religieuses.

— Quoi ? Une maison de religieuses. Qu'est-ce que tu fais là ?

Je sentais de l'inquiétude dans sa voix :

— Non, non, ne t'inquiète pas, je suis venu me reposer pour quelques jours. Mais ce n'est pas facile de se reposer avec une once de *coke*. J'ai décidé que c'était assez pour cette semaine.

— D'accord, me dit-il d'une voix incertaine en raccrochant.

Et l'attente recommence. Moi debout à côté du téléphone et le père Lacasse qui fait les cent pas.

Nous étions dans un long corridor qui s'ouvrait à un bout sur l'entrée principale du monastère et se fermait à l'autre bout sur une statue de la Vierge, grandeur plus que nature, souriante. J'avais l'impression qu'elle suivait la scène avec intérêt. J'étais près des larges portes doubles de l'entrée dont les vitraux laissaient filtrer une lumière jaune et verte qui éclairait la salle d'attente d'une multitude de faisceaux poussiéreux. Quelques fauteuils y étaient alignés. Dans un coin, une petite table, où trônait le vieux téléphone à cadran.

Je tournais en rond nerveusement et le père Lacasse arpentait le corridor, la tête penchée, les yeux fermés. Il s'approchait de moi puis repartait vers la Vierge. Je pouvais apercevoir le chapelet qu'il égrenait dans son dos. De chaque côté du corridor, la même lumière verte et dorée éclairait le plancher brillant qui murmurait sous les pas traînants du père Lacasse. Un halo de lumière l'éclairait et on ne savait plus si elle venait de lui ou des vitraux qui perçaient la noirceur du corridor. Je le voyais comme dans un rêve venir vers moi en grandissant et s'en retourner, s'arrêter quelques secondes devant la Vierge, puis revenir à nouveau. Un immense silence régnait dans le monastère. Il priait pour moi.

Lorsqu'il s'approcha de moi, je lui dis :

— Père Lacasse, le sac.

Il mit la main dans la poche du veston d'où j'avais soutiré quelques grammes la veille et me tendit le sachet sans dire un mot avant de reprendre sa marche en direction de la Vierge. Pendant ce temps, mes yeux demeuraient rivés sur la porte d'entrée qui s'ouvrit tout à coup en grinçant, laissant passer Fournier et un courant d'air glacial. Le temps et le bruissement des pas du père Lacasse s'étaient arrêtés.

— Viens par ici, lui dis-je, en me dirigeant vers un des fauteuils de la salle d'attente.

Il regardait autour de lui, incertain, mais reprit vite sa contenance. Fournier demeurait semblable à lui-même. Les affaires sont les affaires. Il sortit une petite balance portative et je sortis le sachet. Il le pesa. Le père Lacasse avait repris sa marche.

L'aiguille de la balance se montra satisfaite et il sortit une liasse de billets que je mis dans ma poche sans les compter.

— Je te fais confiance, me dit-il en mettant sa main sur la poche où le sac avait disparu.

— Moi aussi, lui répondis-je en touchant celle où je venais de mettre son argent.

Il allait me poser une question, mais je l'arrêtai d'un signe de la main en lui disant :

— Je t'expliquerai plus tard.

Il jeta un regard au père Lacasse qui continuait sa promenade et il ressortit à la hâte, comme si la grâce l'avait frappé. La porte se referma dans un bruit sec. Le père Lacasse s'arrêta. Moi aussi.

Nous nous sommes regardés sans dire un mot. Si nous nous étions laissés aller, je ne sais pas si nous aurions ri ou pleuré. La Vierge à l'autre bout du corridor avait le sourire aux lèvres en nous voyant repartir vers la chapelle.

J'aurais dû me sentir soulagé, mais je ne l'étais pas. L'obsession s'accrochait à moi comme une sangsue tenace. Au fond de ma poche, je pouvais sentir le petit paquet de poudre que j'avais réussi à soutirer entre le moment où le père Lacasse m'avait remis le sachet et celui où je l'avais remis à Fournier pour la pesée.

Mes agissements étaient tellement extrêmes que je ne pouvais plus m'en vouloir pour quelque chose d'aussi évident que le contrôle total qu'exerçait cette drogue sur moi. J'étais peiné de mon impuissance jusqu'au suicide et je revoyais les larmes et la stupéfaction dans les yeux de Catherine lorsque je lui avais dit pour la première fois que je prenais de la cocaïne. J'éprouvais un terrible sentiment de trahison envers le père Lacasse qui m'avait toujours enveloppé de sa protection divine. Pire encore, au lieu de méditer, je préparais soigneusement ma prochaine communion sous forme de poudre blanche. Ses effluves se marieraient bientôt à l'hostie que j'avais dévotement avalée le matin dans cette chambre où Dieu et diable respiraient le même air.

« Rien ne peut plus m'arrêter. Aujourd'hui, je communie sous les deux espèces ! »

J'enlèvai soigneusement mon pantalon pour ne rien perdre. J'en avais prélevé beaucoup moins que ce que je croyais, mais suffisamment pour retrouver mes énergies. Mes yeux s'éclairaient et je retrouvais l'état de grâce. C'était à s'y tromper soi-même. Je pensai à Lucifer avec un sourire. Ça devait être terrible pour lui, cette absence de défi. J'en avais assez de lutter :

« C'est fini, mon vieux. J'abdique. Je dépose les armes. La bataille est terminée. Il n'y a plus d'ennemi. »

Je repris mon crayon en sachant que j'allais remplir des feuilles et des feuilles de mots inutiles qui s'allongeraient les uns à côté des autres. Ils formeraient de jolis couples sans avenir. Encore quelques lignes et il n'y aurait plus rien sur le bureau. Je m'en voulais de ne pas en avoir pris davantage.

Je me levai calmement. Je repris le corridor, la tête haute. Je descendis les escaliers sans peur et je marchai jusqu'à l'entrée. Je me donnai la permission de prendre le téléphone et je signalai un numéro que cet appareil connaissait déjà.

— Fournier, c'est Émile. J'ai besoin de toi. Apporte-moi quelques grammes de ce que je t'ai vendu ce matin. Je sais qu'il est tard, mais c'est vraiment urgent. Je t'attends, même adresse que ce matin.

Je m'installai, silencieux dans la pénombre. La Vierge s'était endormie à l'autre bout du corridor. J'attendis. Il n'y avait plus personne ici, ni Dieu, ni diable, ni combat.

Chapitre 6

« Fournier va arriver. Il n'habite pas très loin. J'espère qu'il ne va pas changer d'idée. Mais non ! Fournier sait comment se sentent ses clients à cette heure de la nuit. Il va venir. Un client, c'est un client. »

Combien de fois, dans ces moments, ai-je eu l'idée de ramasser tout l'argent que je pouvais trouver, de sauter dans le premier avion pour l'Amérique du Sud et là-bas, aller me noyer dans un océan de poudre blanche sans avoir peur d'en manquer avant de mourir.

Une lumière. Derrière les rideaux orange, deux phares mouvants inondent le monastère. Le messie arrive ! J'ouvre la première porte, puis la deuxième. Il ne faut pas faire de bruit. J'attends entre les deux portes, grelottant. Il entre, je le laisse passer. Il regarde autour de lui, aux aguets. Il fouille dans la poche de son manteau et me remet deux petits sachets.

— Combien ? lui dis-je.

— Je te fais un prix, deux cents dollars.

Je suis incapable de marchander. Une seule idée, me retrouver dans ma chambre au plus tôt. Il m'aurait dit cinq cents dollars et j'aurais payé sans hésiter. Il me redonne un peu de ma cocaïne. Je lui redonne un peu de son argent.

Je n'ai rien à dire et il repart sans un mot. Deux fois dans un monastère dans la même journée, c'est trop pour lui. Je referme la porte et je reprends le chemin en sens inverse. Je suis effrayé par le bruit de mes propres pas. Je vois la porte de ma chambre, tout au bout du corridor. J'entre sans bruit et je tourne le verrou avec encore moins de bruit.

Sans attendre, je vide une partie du sachet sur le bureau et je redonne de la voile à mes énergies. Par chance, il reste encore plusieurs pages dans mon cahier. Je prends un crayon et je commence, comme toujours au début, à écrire lentement et lisiblement. Mes lettres sont bien formées. Il est important de bien former les lettres. Si quelqu'un me lisait, il dirait :

« Quelle belle écriture ! J'aimerais bien écrire comme lui. Regardez comme ses lettres sont bien tournées, agréables à lire et à regarder. »

Mais après quelques phrases, l'esthétisme fout le camp. Les idées et les projets affluent. Ils envahissent ma pensée et détruisent la forme. Il faut que l'écriture suive les pensées et les pensées vont très vite. Il ne faut pas les perdre. Les pensées sont précieuses. Mieux vaut les écrire. Demain j'en aurai besoin :

• Il faut que j'enregistre de nouvelles cassettes pour le père Lacasse. Les siennes font pitié à entendre.

- Je dois aussi lui demander comment il verrait la maison de retraite idéale. On pourrait peut-être la construire.

- Il ne faut pas que j'oublie ma méditation de l'après-midi. Je dois m'abandonner à Dieu avec une confiance totale, sans discuter. Il faut que je le laisse conduire. Si c'est moi qui tiens le volant, les risques d'accident sont très élevés.

- Je devrais demander au père Lacasse d'enregistrer une de ses retraites. Il ne faut pas que ça se perde. Je pourrais peut-être apprendre à les donner un jour.

- Le voyage-retraite. Sept jours de silence, sur les lieux mêmes où le Christ a vécu. Il faut que j'en parle avec le père Lacasse.

- Je me suis mis en colère contre Isabelle quand je l'ai vue fumer pour la première fois. Elle avait douze ans et elle était belle comme un ange. Ça m'a rendu fou. Je la voyais devenir comme moi, toussotant et crachotant. Je ne pouvais pas le supporter. Je l'ai engueulée.

- J'ai oublié d'acheter un ballon pour la piscine avant de partir. Je l'avais promis aux enfants.

- Après la retraite, je m'achèterai une chaise berçante.

- Je me demande où j'ai mis la carte de garantie de la sableuse. Maudite sableuse, toujours brisée.

- Pour le voyage en Égypte, il faudrait apporter un magnétophone. Je pourrais en profiter pour enregistrer la retraite. En fait, pour enregistrer la *retraite des retraites*.

- Payer l'école des enfants.

- Il faudrait que je donne quelque chose au père Lacasse avec l'argent qu'il me reste de la vente de cocaïne à Fournier.

- On dirait que la cocaïne entre dans ma tête par le nez et repousse les idées vers la sortie. Elle me donne l'impression d'être intelligent.

- La cocaïne que Fournier m'a apportée, ce n'est pas celle que je lui ai vendue. J'en ai assez pris pour voir la différence. Maudit Fournier! Il a coupé ma propre *coke* et me l'a revendue en disant qu'il me faisait un spécial. Je lui pardonne. Après tout, je suis en retraite. Maudit Fournier! *Hostie de crosseur*! Me revendre ma *coke* coupée en plein dans l'entrée d'un monastère.

Des listes comme celle-ci, j'en ai fait des centaines. J'en fais chaque fois que je prends de la cocaïne. Au matin, je suis incapable de faire quoi que ce soit et je les cache pour ne plus les voir. La fois suivante, je recommence.

Je m'épuise et les deux petits sachets aussi. Un dernier coup de narine et ce sera la fin. Je devrai passer par le calvaire avant de m'endormir, avant de trouver la paix. Pour la première fois depuis mon arrivée, je sais que c'est fini. Je le sens bien. Il ne restera que deux jours pour me refaire un visage avant la sortie.

« Est-ce que Dieu et le père Lacasse en auront assez de deux jours pour me réparer ? »

Mon cadran me regarde comme un cyclope. Il est six heures trente du matin. Qu'est-ce que je donnerais pour rester couché ? Il en faudra de la grâce pour passer à travers cette journée. Je n'ai pas envie de rappeler Fournier. Il doit y avoir une dose limite après tout. J'ai mon quota. Est-ce la grâce de Dieu ou la peur de ce que Catherine pourra lire dans mes yeux et sur mon visage défait lorsqu'elle viendra me chercher ? Quatre nuits perdues, trente-deux heures de sommeil en moins. Si je les ajoute à toutes les autres que j'ai perdues dans ma vie, je ferais bien d'avoir de bonnes explications à fournir lorsque je me présenterai devant le Père éternel.

Je me lève et je me dirige vers la chapelle. Les portes de chêne me disent *bonjour* et s'ouvrent toutes grandes à mon approche. Ces portes furent de bien beaux arbres.

Mon coin m'attend. Il y a encore un espace qui m'appartient ici, où je peux m'asseoir sans déranger. Le père Lacasse entre. Il a l'air mieux lui aussi. Je me surprends à suivre cette messe, à m'abandonner à la quiétude qui règne dans la chapelle. Il me semble que Dieu me serre dans ses bras. Un peu d'amour. J'en ai besoin. Où étais-je tout ce temps ?

Je me surprends à écouter l'histoire de sainte Thérèse et à oublier le son du magnétophone. Encore une heure avant les premières instructions de la journée. Je cours à ma chambre. Je m'enfouis avec délices sous les couvertures et je m'abandonne sans crainte au sommeil. Qu'il est bon de s'endormir sans peur. Dans une heure, mon énergie aura regagné un peu de ce qu'elle a perdu.

Je suis à l'heure aux instructions du père Lacasse. Le cyclope m'a réveillé. Je m'installe à ma place, presque joyeux. La voix frêle du père Lacasse s'élève dans le silence du matin :

— Deux amours ont bâti deux cités : l'amour de Dieu au mépris de soi et l'amour de soi au mépris de Dieu.

Il est capable de nous parler de Dieu avec la naïveté d'un enfant. Il s'anime au son des évangiles et sa foi nous émerveille.

C'est l'heure de la méditation. Aujourd'hui, je médite sous les couvertures et je m'endors avec l'écho des deux amours de saint Ignace. Je dors comme un bébé. Lorsque je me lève, je prends une feuille vierge et j'écris : la méditation d'aujourd'hui m'a rappelé une parole que le père Lacasse répète souvent : « On ne peut s'attendre à ce que Dieu nous confie de grandes choses avant de lui avoir montré notre fidélité dans les petites. »

Chapitre 7

C'est l'heure du dîner et je mange avec appétit au son de l'apaisante histoire de sainte Thérèse. À la fin du repas, le père Lacasse coupe le magnétophone et en passant près de moi, il me dit:

— Viens me voir quand tu auras terminé ton repas.

Moi qui pensais me cacher encore une heure sous les couvertures. C'est foutu! Comme je le connais, il va vouloir que je reprenne le temps perdu, que je prépare ma confession générale et mon *Plan de vie*. Tout ça, en plus des exercices et des méditations quotidiennes. Le père Lacasse ne fait pas de demi-retraite. Il va travailler et me faire travailler jour et nuit au besoin, jusqu'à ce que nous ayons rattrapé le temps perdu.

« Il ne faut pas perdre les fruits de la retraite », me dira-t-il.

Je finis mon repas. Au dessert, du jello qui me rappelle le collège. Je n'y trouve aucun plaisir. Pourtant, je me souviens combien j'aimais le jello au pensionnat. Je devrai ajouter ça dans ma confession générale:

«Jeudi midi. Jello laissé sur la table, inachevé, alors que des enfants meurent de faim un peu partout dans le monde. *Amen*!»

Je me rends à la chambre du père Lacasse. Je ne suis pas tout à fait remis de mes nuits. Pas facile d'aider le Christ à sauver le monde! Je ne me sens pas l'énergie qu'il faut pour retourner fouiller ma vie et mes vieilles confessions déjà pardonnées.

Je me suis toujours demandé comment le père Lacasse en était venu à se consacrer aux retraites de saint Ignace. Je sais que pendant une dizaine d'années, il a passé ses hivers à visiter les bûcherons. À pied ou en traîneau, il apportait Dieu et la confession là où on en était privé. Dix ou quinze hivers à confesser des hommes qui invoquaient Dieu et le ciel, à longueur de journée. Comment est-il passé de *confesseur de bûcherons* à directeur spirituel des Exercices de saint Ignace? Il faudra que je lui demande un jour.

Je frappe à sa porte et j'entends ses souliers glisser en chuchotant sur le plancher. Du plus loin que je me souvienne, j'ai toujours reconnu le père Lacasse au bruit de ses pas. Il s'est brisé une jambe en glissant sur un trottoir. Il n'a plus jamais remarché normalement par la suite.

— Assieds-toi. Comment ça va aujourd'hui? ajouta-t-il en me scrutant de ses yeux inquiets.

— Bien. Encore un peu fatigué, mais je me sens mieux.

— Il nous reste beaucoup de travail à faire.

J'aimais bien ce *nous* et cette façon qu'il avait de me présenter les choses et de me faire sentir que je n'étais pas seul. Mais une autre partie de mon cerveau, celle qui aurait bien aimé retourner se coucher se révoltait à l'idée de reprendre le temps perdu : «*Fuck* ce que je n'ai pas fait. Je n'ai pas le goût de me faire chier avec mon passé. C'est déjà bien assez d'avoir eu à le vivre.»

— Il nous reste la confession et le *Plan de vie*. Pour ta confession, tu vas retourner jusqu'à la dernière retraite que nous avons faite. Il ne sera pas nécessaire d'aller plus loin. On se reverra demain avant-midi. Demain, la messe est à onze heures Ce sera la dernière de la retraite. Il faut que tu puisses te confesser avant, dit-il en me remettant une feuille pour me guider dans les méandres d'une conscience régulièrement altérée.

Je retourne à ma chambre, accablé comme doit l'être un pécheur. Dieu, je ne sais plus si je dois l'envoyer chier ou le remercier de m'accueillir encore. Je m'étends sur mon lit et j'étends le bras pour reprendre la feuille du père Lacasse sur le bureau. Tout au centre, une phrase attire mon attention :

Les fautes contre moi-même, les fautes contre les autres et les fautes contre Dieu.

Je ferme les yeux en laissant tomber la feuille. Je ne sais trop pourquoi, je me mets à pleurer comme un enfant : «D'où me viennent ces larmes qui déferlent comme un torrent, comme une vague qui racle le fond de mon âme ? J'ai l'impression de ne pas appartenir à cette terre. Je ne suis pas chez moi ici scandent mes sanglots. Je veux retourner chez moi».

Mais, je ne sais pas où c'est chez moi. Je dois continuer. Je n'ai pas d'autre choix que la foi du père Lacasse. Je n'ai pas d'autre choix que la route qu'il me propose. Son ciel est peut-être ma patrie.

«Mon Dieu que j'aimerais en être aussi certain que lui», me dis-je avant de m'endormir comme les enfants fatigués d'avoir trop pleuré sans être réconfortés.

Je me réveillai juste à temps pour rattraper les autres retraitants à la salle des écorchés vivants. Le père Lacasse nous donna ses dernières instructions de la journée avant de nous renvoyer à nos péchés.

J'attendis que tout le monde ait quitté la salle avant de m'approcher :

— Est-ce que je peux vous parler quelques minutes ? lui demandai-je.

— Suis-moi, on parlera dans ma chambre, me répondit-il.

En marchant en silence, je me disais que le père Lacasse n'avait jamais eu d'autre lieu que sa chambre pour recevoir les moribonds spirituels qui s'y succédaient, trois cent soixante-cinq jours par année. Je ne me souviens pas l'avoir entendu se plaindre. Il n'avait même pas un petit bureau, un espace qui pouvait distinguer son travail de sa vie personnelle. En fait, il n'en avait jamais eu de vie personnelle. Il ne réclamait pas d'espace ni de temps pour lui-même. Sa vie ne lui appartenait pas depuis longtemps.

— Père Lacasse, même si j'ai perdu du temps cette semaine, j'ai eu une idée pour vos retraites. En vous écoutant parler de Bethléem, de Nazareth et de tous ces lieux où Jésus a vécu, je me disais que ce serait formidable de se retrouver aux endroits mêmes où ces événements se sont produits. Imaginez une retraite qui se déroulerait en Israël, au Sinaï ou ailleurs sur les traces du Christ, qui permettrait de revivre sa passion au Jardin des Oliviers, de monter avec lui au Golgotha. Vous donneriez la retraite et moi, j'organiserais le voyage. Qu'est-ce que vous penseriez d'un voyage-retraite ?

Il avait l'air perplexe. Je savais que je jouais sur ses cordes sensibles et qu'il était capable de se transporter et d'imaginer une retraite sur les lieux mêmes où l'évangile s'était écrit. Le fait que ma présence, à elle seule, puisse constituer une menace au projet ne m'avait même pas effleuré l'esprit. Après un moment d'hésitation, il me répondit :

— Je ne devrais pas permettre qu'on sorte ainsi de la retraite. On ne doit pas se laisser distraire, même par des choses qui peuvent mériter notre attention. Je pense que je t'aime trop. Je pense que je ne suis pas assez ferme avec toi.

J'étais ému et je sentais qu'un lien très spécial nous unissait. J'étais peut-être le fils qu'il n'avait pas eu et lui, le père qui m'avait manqué. Il lui ressemblait beaucoup et il portait le même prénom.

— D'accord, père Lacasse. On reparlera de ce voyage après la retraite. Ah oui, j'oubliais, je voulais vous donner cet argent pour vos œuvres. Sans vous, il ne resterait plus rien. Je lui tendis une liasse de billets qui sentait encore la cocaïne et la main gauche de Fournier.

Il me répéta :

— On ne devrait pas se laisser distraire de la retraite. Garde ça pour le moment et on en reparlera plus tard. Tu as une confession à préparer.

Je ressortis de sa chambre, triste et abattu. Il fallait toujours que je trouve une façon de reprendre les catastrophes à mon avantage. Le diable du père Lacasse était à mes trousses et me poussait à lui présenter des tentations déguisées en projets spirituels. J'avais honte et en même temps, je l'admirais d'avoir maintenu le cap sur la retraite et refusé de se laisser distraire.

Cinq pas en arrière ou cinq pas en avant, je ne suis jamais où je devrais être. Les autres retraitants ont l'air de baigner dans l'air purifié des confessions réussies. Moi, je me demande encore si mes fautes sont pardonnables. Je retrouve ma chambre et pour être fidèle à moi-même, je commence à écrire ma confession au lieu de me plonger dans la méditation prescrite. Je reprends la feuille que le père Lacasse m'a donnée:

« Les *fautes contre moi-même* : Ça ne devrait pas être trop compliqué. J'ai perdu mon temps et celui que les autres m'ont donné. J'ai tué mon âme et je ne sais plus qui je suis. J'ai brisé mon cœur en le faisant battre à un rythme qui n'est pas le sien. J'ai encombré mes poumons d'un air irrespirable et ma fille a commencé à respirer le même air que son papa. Et quoi encore... la cocaïne. Ah oui la cocaïne, je devrais abandonner cette cochonnerie pour toujours... si j'en suis capable.

« Les *fautes contre les autres* : Je peux certainement en trouver toute une liste. J'ai miné la confiance de mes amis. J'ai plongé le père Lacasse dans un monde qui lui est étranger. Ceux qui m'ont aimé ne savent plus ce que c'est que l'amour. Ils pensent qu'ils se sont trompés, qu'il n'existe pas vraiment.

« Les *fautes contre Dieu :* C'est plus difficile. Dieu n'existe pas et s'il existe, c'est un imbécile. Si je m'écoutais, je lui dresserais la liste de ses fautes contre moi. Mais, ce n'est pas l'objectif de cette confession et sa *liste*, je la lui ai déjà présentée à plusieurs reprises. »

Quand je me suis couché ce soir-là, ma confession était presque terminée. J'allais m'en tirer. J'allais gagner à ce petit jeu avec la vie et avec moi-même. Je rentrerais chez moi avec l'assurance d'avoir acheté la paix. Tous croiraient que la tempête s'était enfin calmée, que Dieu avait retrouvé sa place dans mon âme tourmentée.

Enfin le droit chemin, le sommeil tranquille, les responsabilités partagées. « Je fais le lavage et toi le repassage. Bonne nuit chérie ! Bonjour les enfants, votre père a compris ! Merci mon Dieu, ton amour m'a servi ! »

J'ai dormi paisiblement cette nuit-là, avec la certitude que Catherine me pardonnerait et que le père Lacasse demeurerait mon ami. Au réveil, il ne restait plus que la dernière journée de la retraite. Encore quelques bricoles, une bonne confession, une communion sincère, un petit bonjour aux autres retraitants, tout joyeux de pouvoir laisser leur tas chez les petites sœurs de Charlesbourg, et nous allions ré-émerger, en commençant par la tourelle, comme un sous-marin qui revient des profondeurs.

Le père Lacasse m'attend. Il a hâte que je sois libéré de mes péchés, que Dieu reprenne possession de son mouton égaré, que le veau bien gras soit tué pour fêter le retour de celui qui, finalement, n'était jamais vraiment parti !

J'ai remis mes fautes au père Lacasse, en attendant qu'elles soient lavées dans la grande lessiveuse éternelle. Je m'entendis lui répéter les formules qui dormaient quelque part dans les tiroirs de mon enfance. Elles ressuscitaient du passé pour permettre le grand ménage de mon âme :

— Pardonnez-moi, mon père, parce que j'ai péché…

Enfin, le dernier droit, la ligne d'arrivée, il ne faut pas flancher, quelques péchés, un acte de contrition et on y est. J'entends la formule magique :

— Tes péchés te sont pardonnés. Va en paix !

Je sens les mains du père Lacasse sur ma tête :

— Je te bénis, au nom du Père, du Fils et du Saint-Esprit. Que Dieu te garde et te protège à jamais, *mon ami*…

Je recommence à pleurer ! Il y a peut-être un peu de vérité dans tout ça. Je laisse à mon âme la permission de se sentir légère pour quelques instants. Elle aime ça. Moi aussi.

— Je dois me préparer pour la messe, me dit le père Lacasse. Aujourd'hui, c'est toi qui vas servir.

Je recule. J'ai peur ! Un peu de grâce, mais de grâce, pas trop.

— Tu as déjà servi la messe, me dit-il. C'est comme la bicyclette, ça ne s'oublie pas.

Je me sens comme un jeune premier. J'ai le trac ! Oui, j'ai déjà servi des centaines de messes, des messes de curés, de vicaires, d'évêques, de missionnaires qui apportaient la facture des petits nègres qu'ils avaient baptisés. Je vais servir la messe à nouveau. Je suis fier et un peu triste à la fois. Il y a longtemps qu'on ne me fait plus confiance. Il faut dire que la messe, ce n'est pas trop risqué.

J'ai servi la messe ce jour-là. Le calice, les burettes, la patène et toute la liturgie. J'étais heureux. J'ai ouvert la bouche et tiré la langue. J'ai fermé les yeux et il a déposé une hostie que j'ai avalée avec grand bonheur. Une hostie sur une âme purifiée, j'avais oublié ce plaisir. Il me restait encore beaucoup de travail à faire sur mon *Plan de vie*, mais le père Lacasse avait accepté que je le termine à la maison et que j'aille lui présenter par la suite.

Le dernier repas était le premier où nous avions le droit de parler. Dans notre âme, cette sensation étrange d'être devenu intime avec des personnes dont on ne savait rien, avec lesquelles aucune parole n'avait été échangée. Ils étaient tous là, autour du père Lacasse. Paul, encore renfrogné dans sa barbe blanche, mais dont le visage s'était graduellement illuminé. Jeanne, qui avait l'air d'une ménagère égarée venue en retraite avec son tablier. Elle était plus calme et ses gestes moins saccadés. Les traits anguleux de son visage s'étaient adoucis. Je l'aurais presque prise comme mère. Je ne lui ai jamais parlé, mais en la regardant, j'ai l'impression que son histoire défile devant mes yeux. Je vois un fils homosexuel qu'elle n'a jamais pu accepter. Elle se refuse à l'aimer, comme un châtiment qu'elle s'inflige à elle-même. Sans même m'en rendre compte, je lui dis:

— N'aie pas peur pour ton fils. Dieu en prendra soin. Cesse de te retenir. Aime-le comme tu en as envie!

Elle me regarde d'un air étrange et me répond :

— Je te souhaite bonne chance avec ta drogue.

Elle aussi avait pu lire en moi. Je me sentais tout près d'eux et je comprenais que l'expérience spirituelle crée une sorte d'osmose des âmes où les expériences deviennent communes et partagées. Cette semaine, nous avions souffert de nos propres tourments et de ceux des autres. Nous avions porté leur fardeau et leur joie avait allégé nos souffrances. Luc, Sébastien, Benoît, mes autres amis silencieux, je n'ai pas besoin de phrases pour vous aimer, pas plus que je n'avais besoin de parler de son fils à Marie-Jeanne. Nous savons tous.

Une petite voix intime résonne dans la salle. Catherine est là quelque part. Elle parle avec le père Lacasse. Je le sais et j'ai peur. Elle semble fatiguée. Elle a eu une semaine difficile. Elle sent trop. Elle n'a pas de bouclier. Elle n'a pas de protection. Elle a fait la retraite elle aussi, mais elle ne saura jamais si c'est la mienne, celle de Paul ou celle de Marie-Jeanne qu'elle a faite.

Elle laisse le père Lacasse et s'approche :

— Tu as l'air fatigué, me dit-elle.

— Un peu ! lui répondis-je. J'ai eu la grippe et j'ai mal dormi.

Elle ne m'embrasse pas. Elle ne prend pas mon bras. Elle sait que cette retraite ne fut pas comme les autres. Nous partons en silence. Ce soir, nous dormirons ensemble. Je n'aurai pas besoin de me faire tout petit. Je la prendrai dans mes bras. Elle me donnera un peu d'amour. Cette nuit, elle ne se réveillera pas.

Chapitre 8

Je suis à la maison. Je reconnais la chambre. Il fait grand jour et je m'étire sous les couvertures, joyeux de ne pas avoir à me lever, joyeux de reprendre le contrôle de mon horaire. Je me lève, encore chancelant. Je ne suis pas totalement remis de ma dernière galère-retraite. Catherine lit paisiblement son journal. Je me retrouve. Ça sent bon le café. Le père Lacasse est reparti avec les cassettes de sainte Thérèse et des autres saints qui lui font la conversation. J'ai l'impression de revenir d'un long voyage.

Catherine aimerait bien que je lui parle de la retraite. Elle se demande si la grâce m'a suffisamment transformé pour qu'elle puisse me faire confiance à nouveau. Je ne le sais même pas moi-même. Elle a besoin que son univers s'apaise. Je la prends dans mes bras. Ce n'est pas le grand abandon, mais plutôt une nouvelle détente, tissée avec les brins d'espoir de la retraite. Je respire un peu mieux. Je me suis faufilé entre les obus. La bataille est terminée, mais la paix demeure fragile.

On parle de choses et d'autres. On se réapprivoise. Nous ne sommes pas encore prêts à nous attaquer au travail herculéen que nécessitera la reconstruction de nos amours. La *thérapie-réalité* peut bien attendre quelques siècles encore.

— J'en ai pour quelques heures, lui dis-je. Je dois terminer mon *Plan de vie* et le remettre au père Lacasse.

Je vis immédiatement que de nouveaux soup-çons l'attaquaient massivement. Quand elle est inquiète et nerveuse, elle se transforme en procu-reur redoutable. Elle pose des questions jusqu'à ce qu'elle débusque une vérité qui la satisfasse. Elle veut devenir avocate. C'est avec moi qu'elle aura appris à questionner et à percer les défenses des plus habiles menteurs.

— Tu n'as pas fini ton *Plan de vie*? me questionne-t-elle d'une voix où pointe l'inquié-tude.

— J'avais tellement de péchés qu'il m'a fallu au moins deux jours de plus pour préparer ma confession, lui répondis-je d'une voix enjouée.

Je savais que c'était une bonne façon de lui dire que j'avais fait le grand nettoyage.

— Non, non, me dit-elle, réponds-moi sérieu-sement!

— En plus de préparer ma confession, j'ai manqué deux avant-midi à cause de la grippe. C'est la vérité. Il a fallu que je remonte jusqu'à ma dernière retraite. En six ans, il s'en passe des choses.

Sa voix revint à la normale et elle sourit. Le danger étant passé, je m'installai dans le bureau et me remis à mon *Plan de vie*, mais l'ambiance n'y était plus. Je relus mes notes et les recommanda-tions du petit livre de saint Ignace jusqu'à ce que

j'aie retrouvé l'état d'esprit favorable. Je m'attaquai ensuite à la liste hétéroclite qui avait jailli des
derniers grammes que Fournier m'avait vendus et
où se retrouvaient pêle-mêle mes bonnes résolutions pour l'avenir et la garantie de la sableuse.
Tout était là. Il s'agissait d'y mettre de l'ordre. J'ai
repris l'écriture et refait une plan précis, propre,
équilibré et presque réalisable :

1. Pour *remettre de l'ordre dans ma vie*, il me
faudrait travailler sans relâche jusqu'à ce que la
cocaïne soit éliminée de mes pensées. Aucune
autre action d'importance ne devait être entreprise tant que ce problème n'était pas réglé. Il faudrait aussi que je maintienne le contact avec le
père Lacasse régulièrement. Seul, je n'étais pas en
très bonne compagnie.

2. Pour *assurer mon union intime avec Dieu*,
j'allais prier matin et soir. Je placerais une prière
que j'aimais dans la salle de bains et une autre
dans la voiture pour ne pas oublier.

3. Pour *pratiquer les vertus*, je ne voyais qu'une
seule façon. Essayer l'humilité. Une vertu impopu-
laire et désagréable à pratiquer.

4. Pour me mettre au *service de Dieu*, je résolus de le faire connaître à mes enfants, tout en faisant bien attention de ne pas les forcer. Il faudrait
beaucoup de diplomatie. Le messager n'était pas
très crédible. Je repensai au voyage-retraite. Voilà
une autre façon de se mettre au service de Dieu.

Malgré le sentiment tenace que tout ce qui
avait été conçu sous l'effet de la cocaïne était

truffé de pièges, il serait infiniment plus agréable de s'évader aux confins de la planète que de trouver un moyen de mettre le mot *Dieu* sur les lèvres de mes adolescents.

Fier de moi, je sautai dans la voiture pour me rendre chez le père Lacasse. Je remarquai que Catherine me laissait prendre la voiture sans protestation. Il n'en était pas ainsi avant la retraite. Chaque fois que je me dirigeais vers la voiture, la panique s'installait dans la maison. Souvent, par le passé, ces sorties marquaient le début d'une période de consommation intense. Même lorsque je partais avec les meilleures intentions du monde, il m'arrivait de revenir plusieurs jours plus tard.

Je sonnai à la porte du 14, rue Dauphine. Je me retrouvai à nouveau plongé dans l'ambiance feutrée de la Maison des jésuites. À gauche en entrant, un petit carreau où la tête d'un jésuite qui semblait vissé à même le comptoir posait la même question depuis plusieurs décennies :

— Vous avez rendez-vous ?

Une colère soudaine qui remontait de loin me donnait envie de le frapper. J'eus toute la difficulté du monde à retenir les mots qui voulaient sortir malgré moi : « Ça fait des années que je viens ici, l'épais ! Je n'ai jamais demandé quelqu'un d'autre que le père Lacasse. Tu devrais le savoir. Penses-tu que je viens voir le père Brébeuf ? »

Je fus surpris de cette explosion que j'avais du mal à contrôler. « Tout doux sur les émotions, mon brave ! Me dis-je. Tu es supposé baigner dans la paix de Dieu. » Les dents serrées, je prononçai le nom du père Lacasse à contrecœur. À bien y penser, je devrais peut-être ajouter quelques lignes additionnelles à mon *Plan de vie* sur le contrôle des émotions.

Je continuai sur la gauche vers la salle d'attente. Les murs étaient couverts de toiles des saints hommes qui avaient jadis peuplé la Compagnie de Jésus. Tout au fond, saint Ignace et le père Brébeuf, sombres et sévères. Leurs yeux vous scrutaient de leur passé lointain et ils donnaient l'impression de voir les secrets que vous n'aviez pas envie de montrer. À gauche, une photo récente du pape tranchait avec les portraits antiques et les rideaux décolorés. Une énorme table chinoise, vestige de missions passées occupait le centre de la pièce et tout autour, des fauteuils aussi verts que les draperies, ornaient les hautes fenêtres.

Je savais exactement combien de temps le père Lacasse mettait pour venir de sa chambre jusqu'au parloir. Dans quelques secondes, la porte de l'ascenseur allait s'ouvrir et je le verrais apparaître au bout du corridor. Le père Lacasse me recevait au grand salon. J'en avais toujours éprouvé une certaine fierté puisqu'il recevait habituellement ses visiteurs à l'entrée du parloir, dans de minuscules cubicules qui ressemblaient à des toilettes sans bol.

— Est-ce que le retour à la maison s'est bien passé? me dit-il en s'assoyant.

— Oui, ça va. J'ai pu me reposer. Et vous, vous n'êtes pas trop fatigué?

— Non, me répondit-il. Je suis encore jeune. Il faut en profiter. Bientôt, j'aurai l'éternité pour me reposer. Tu m'as apporté ton *Plan de vie*?

— Oui lui répondis-je, en lui remettant trois feuilles bien propres et bien remplies.

Il les prit et commença à lire en laissant échapper un petit *hum hum* de temps en temps, qu'il mélangeait avec quelques *bien, bien,* encourageants.

— C'est très bien, ajouta-t-il après l'avoir parcouru pendant de longues minutes. Tu as bien travaillé. Je vais prendre le temps de le regarder plus en détail. Reviens me voir demain matin. Je dirai ma messe pour toi et les autres retraitants. On pourra se revoir après.

— D'accord. À demain, ajoutai-je en lui tendant la main.

Je repris le chemin de la sortie et ne pus m'empêcher de jeter un regard pas très sympathique au demi-jésuite de la réception. Une fois dans la rue, je sentis la proximité du quartier latin qui m'attirait comme un aimant. Combien de fois étais-je venu voir le père Lacasse, le cœur rempli de bonnes intentions pour me retrouver dans les pires trous du quartier latin, dans un état qui n'avait rien à voir avec mes espérances du matin?

Chapitre 9

Après deux ou trois cafés bien rangés qui tentaient timidement de remplacer les stimulants interdits, je me rendis à la petite chapelle des jésuites. Les jours à venir m'effrayaient : « Pourrais-je tenir le coup ? Je me sentais bien aujourd'hui, mais qu'arriverait-il demain ? »

Je repensais au père Lacasse qui m'avait dit : « Demain, je dirai ma messe pour toi et les autres retraitants. »

Il priait pour nous et pour moi tout spécialement. J'avais toujours été persuadé que sa prière m'enveloppait d'un voile de protection divine sous lequel rien ne pouvait m'arriver. Quand j'y repense, il n'y a pas beaucoup de cadeaux plus beaux que celui-là.

Je me mis à prier moi aussi. À prier pour qu'il vive longtemps et qu'il continue de prier pour nous tous. Un calcul bien égoïste en apparence, mais un jour, nous pourrions peut-être essayer de chausser ses souliers et de prier pour les autres à notre tour. La présence du père Lacasse dans ma vie était devenue une des rares certitudes à laquelle je continuais de m'accrocher, parfois désespérément.

La messe se poursuivait. Quelques prières et quelques rêveries et nous voilà à l'*Ite missa es*. Le père Lacasse se retira *chasuble* et revint *soutane* quelques minutes plus tard en me disant :

— Viens déjeuner avec moi. Après on parlera de ton *Plan de vie*.

C'était peut-être le secret de la longévité. Il mangeait comme un oiseau et n'oubliait jamais la prière : « Mon Dieu bénissez ce repas et donnez du pain à ceux qui n'en ont pas », murmurait-il avant chaque repas. Nous avons parlé de choses et d'autres et il m'a donné des nouvelles des autres retraitants.

Après le repas, nous sommes montés à sa chambre. Nous devions parcourir un long corridor où apparaissait, à intervalles réguliers, des petites plaquettes en bronze fixées sur les portes des autres Jésuites qui vivaient dans cette maison.

Sa chambre avait toujours été un fouillis indescriptible. Dans tous les coins et sur le bureau, des monceaux de papiers et de livres plus ou moins rangés. Un crucifix, quelques saints, un prie-Dieu et dans un coin, un petit lit de fer confirmait de façon évidente que le sommeil n'était pas son sport préféré.

Il se retrouvait sans peine dans ce désordre qui sentait l'Évangile, la prière et l'encre sèche. Il devait parfois fouiller quelques minutes, mais il retrouvait toujours le papier qu'il voulait me donner ou le livre qu'il aurait aimé me voir lire. Un nombre impressionnant de lettres étaient éparpillées un peu partout. Il n'y avait aucun caprice dans cette chambre, à l'exception d'une vieille chaise berçante que j'aimais bien.

Le père Lacasse avait mes feuilles à la main. Il me dit :

— Tu as bien travaillé. C'est un bon plan de vie. Peut-être trop ambitieux. Beaucoup de retraitants font l'erreur de trop entreprendre. Ils veulent régler le désordre de toute une vie en sept jours de retraite. Par la suite, ils sont déçus et surpris de ne pas pouvoir suivre leur plan comme ils l'avaient prévu et ils laissent tout tomber. Tu as été bien inspiré de mettre la cocaïne en premier. Quand on arrache une grosse branche, beaucoup de petites branches sont arrachées en même temps. Je pense que si tu réussis à te débarrasser de la drogue, beaucoup d'autres problèmes disparaîtront de ta vie. Elle ne partira pas sans résistance. Pas avec ce que j'ai vu pendant la retraite.

Le service de Dieu et les autres éléments de ton *Plan de vie* sont d'excellents moyens d'y parvenir, mais je vais te demander d'aller un peu plus loin. Dire que tu vas cesser n'est pas suffisant. Il faut définir des moyens concrets pour y parvenir et chaque jour, il faut examiner sa conduite et s'assurer qu'on maintient le cap sur les résolutions qui ont été prises. Continue de travailler sur cette partie de ton plan et on va en reparler. Je dois aller à Trois-Rivières cette semaine, dit-il après un moment d'hésitation As-tu le temps de m'y conduire ?

— Oui. Je pense que oui.

— As-tu repensé au voyage-retraite ? C'est un très beau projet. Savais-tu que j'ai un bon ami jésuite en Égypte. Le père Paquin. Il a passé sa vie en Égypte.

—Non, je n'y ai pas repensé. Il me faudrait davantage d'information sur l'Égypte et Israël avant de prendre une décision finale. Il faut avoir une idée des tarifs aériens, du nombre minimum de passagers qu'on doit réunir, etc. Laissez-moi trouver ces renseignements et je vous en reparlerai bientôt.

Je me remis au travail, difficilement. Je traînais de la patte et j'avais toutes les difficultés du monde à exécuter les tâches les plus simples. Le père Lacasse écrivit au père Paquin et la réponse ne se fit pas attendre. Il serait ravi de revoir son vieil ami et il était prêt à nous donner toute l'aide dont nous aurions besoin en Égypte.

Je me remis à visiter les agences avec lesquelles j'avais déjà travaillé et je rédigeai une première tentative de programme. Pendant ce temps, le père Lacasse élaborait la liste des lieux incontournables où nous devions nous arrêter. Certaines portions du voyage prenaient forme, d'autres demeuraient dans le brouillard. Le travail avançait, mais mon inefficacité était exemplaire. Je ne ressentais plus l'intérêt fébrile qui m'avait consumé lorsque j'avais pensé à ce voyage dans la tourmente des nuits de la retraite. Si j'avais eu le courage de dire *non* au père Lacasse, le voyage-retraite se serait retrouvé dans le tiroir bien garni des projets mort-nés. Contre toute attente, après quelques semaines de recherche, une agence se montra intéressée et me mit en contact avec la compagnie Swiss Air qui effectuait une liaison Montréal/Zurich/Le Caire.

Le père Lacasse était enchanté et moi, je me sentais de plus en plus déprimé. L'automne était à nos portes et les feuilles autour de la maison étaient surprises de ne pas avoir été ramassées. Les autres demeures étaient déjà habillées en hiver et la nôtre semblait avoir passé son tour. Je ne consommais plus de cocaïne, mais la vie me semblait lourde et dépourvue d'intérêt.

Chapitre 10

Le temps des Fêtes arriva. Cette année, je serais un père attentif et je consacrerais mes temps libres à l'organisation d'un magnifique Noël en famille. Le restaurant serait fermé le 24 et le 25 décembre. On en profiterait pour y célébrer Noël et les deux familles pourraient être invitées, la mienne et celle de Catherine. Quelques amis pourraient même se joindre à la fête. En tout, une cinquantaine de personnes fêteraient Noël avec nous.

J'avais demandé au père Lacasse de célébrer la *messe de minuit* au restaurant et il avait finalement accepté après quelques jours de réflexion. Il faut connaître cet endroit et le père Lacasse pour avoir une idée du dilemme qui avait dû être le sien. C'était à la fois un restaurant et un bar-spectacle où, la nuit venue, une foule joyeuse s'entassait, chantait et dansait, le tout bien arrosé, jusqu'aux petites heures du matin. Il n'était pas rare d'y voir des centaines de personnes danser sur les tables en claquant des mains au son des *et Glou, et Glou, et Glou...* Célébrer la messe à cet endroit relevait d'une anomalie qu'il avait probablement résolue par quelques heures de prières.

Tout était prêt et le 24 décembre arriva. Je me rendis très tôt au restaurant pour mettre les cadeaux sous l'arbre, faire chauffer les fours et préparer la messe. Au beau milieu de la soirée, sans avertissement, je me suis retrouvé avec un téléphone entre les mains qui, sans même que j'intervienne, avait déjà signalé le numéro de Fournier. L'organisateur de la fête disparut, en pleine nuit de Noël, alors que tout le monde arrivait, les bras chargés de victuailles et de cadeaux en lançant des *joyeux Noël*. Rien de plus terrible ne pouvait m'arriver cette nuit-là. Pourtant, aucun réflexe ne se déclencha pour éviter la catastrophe et je roulai comme un fou jusque chez Fournier.

Aussitôt entré, aussitôt sorti, aussitôt le nez dans le sac. J'avais acheté un seul gramme. Stationné sur le bord de la rue, je commençais à ressentir les effets de la cocaïne. Ceux-ci calmaient la panique qu'aurait dû m'inspirer mon absence d'un Noël en famille que j'avais organisé et qui avait déjà commencé sans moi.

Je revins à temps pour la messe et pour rassurer Catherine. Pour expliquer mon absence, j'inventai une histoire qu'elle ne crut qu'à moitié. Elle avait toujours reconnu les effets de la cocaïne sur moi, mais ce jour-là elle en fut incapable. Il lui était impossible de croire que j'avais pu en reprendre, comme ça, le soir de Noël, au milieu d'une fête de famille à laquelle elle avait pensé toute l'année.

J'étais au milieu de tous ces gens, donnant le change à ceux qui savaient que j'avais fait une retraite et que j'avais repris ma vie en main. Ils ne pouvaient s'imaginer que celui qui les recevait avait fait un petit saut chez Fournier et avait déjà reçu son cadeau de Noël. Un cadeau qu'il avait dû se procurer lui-même, étant bien certain de ne pas le retrouver sous l'arbre après la messe du père Lacasse.

J'avais sélectionné des chants de Noël et l'estrade des artistes de passage était devenue l'autel d'un soir. Je chantai *Les anges dans nos campagnes* et les autres cantiques de mon enfance, repris en chœur par ma mère, mes frères, mes enfants et tous les autres qui savouraient la douceur de ces retrouvailles en famille dont j'étais le seul à connaître le secret. Sur l'estrade déguisée en autel, le père Lacasse, les bras en croix, lançait des *Orémus* dans toutes les directions et nos familles avaient remplacé les clients fous qui hier encore dansaient sur les tables en chantant *Dans les prisons de Londres*.

Cette salle qui avait tout vu accueillait maintenant le père Lacasse qui venait de mettre sur ma langue une petite hostie. Tout le monde se souhaitait *la paix du Christ* en se donnant l'accolade. Malgré mon état, je me sentais bien et j'avais la certitude que j'avais bien fait ce que j'avais fait. Ce lieu avait grand besoin d'un peu d'amour de Dieu et des bénédictions du père Lacasse. Et c'est probablement ce qu'il avait pensé en acceptant mon invitation.

Je parlai avec chaque personne ce soir-là. Je me sentais plein d'amour et d'empathie, et malgré une certaine fébrilité, la soirée ne fut pas trop catastrophique. Heureusement, je n'avais pas suffisamment de cocaïne pour continuer sur ma lancée et je retournai à la maison avec les autres. Les douleurs de la descente furent compensées par la fascination des enfants qui s'amusèrent avec leurs cadeaux jusqu'au petit matin.

Le lendemain, comme chaque année, nous partîmes pour la campagne et même si l'inquiétude ébranlait la maison chaque fois que je me levais pour aller faire des courses au village, aucun autre accrochage ne vint perturber la période des fêtes.

Chapitre 11

Des arrangements avaient été conclus avec l'agence de voyage et Swiss Air et dans quelques semaines, je partirais pour l'Égypte et Israël où je devais compléter les préparatifs en vue du voyage-retraite. Elle ne me le disait pas directement, mais je sentais que Catherine ne voyait pas mon départ d'un bon œil. Elle était inquiète. Elle ne doutait pas du voyage, elle doutait de l'organisateur. Quant à moi, je ne voulais pas reconnaître que ma condition était incompatible avec les responsabilités que comportaient un tel voyage. Comble de malheurs bien mérités, l'état de mes finances ne s'était pas amélioré et je n'avais pas le courage d'avouer au père Lacasse que l'argent me manquait pour le voyage. Je ne voulais rien demander à Catherine et je ne pouvais pas non plus compter sur une avance du restaurant. Toutes les issues m'étaient fermées. Il me restait ma carte de crédit et quelques dollars. Je décidai de partir quand même en me disant que la carte de crédit suffirait et qu'une fois mal pris, je pourrais toujours appeler Catherine ou l'un de mes associés. Ils ne me laisseraient pas tomber.

Au beau milieu du mois de février, fumant cigarette après cigarette, à peine capable de contenir mes obsessions pour la cocaïne, j'attendais l'appel pour l'embarquement du vol Swiss Air à destination de Zurich et Le Caire.

Parti de Montréal en plein hiver, je ressentis mon premier choc à la sortie de l'aéroport. Il faisait chaud et la végétation était presque inexistante. Un nuage de poussière flottait dans l'air, rendant le ciel et la ville de la même couleur que le désert. Le soleil avait peine à filtrer à travers ce brouillard et donnait au paysage un aspect mystérieux et effrayant à la fois. J'étais fatigué du voyage et de la vie et n'avais d'autre désir que de trouver un bon lit où je pourrais me laisser aller au sommeil et à l'oubli.

Une meute multicolore tournoyait autour des nouveaux arrivants et leur proposait autobus, taxis, limousines, hôtels, excursions et statuettes authentiques. On vendait de tout et dans toutes les langues. Je me méfiais de ces vendeurs et en même temps, je me sentais prêt à écouter le premier venu qui me ferait une offre raisonnable pour me conduire en ville.

Je demandai à un jeune Arabe qui s'était adressé à moi en français de me trouver un taxi et un hôtel fiable, pas trop cher. Il inscrivit un nom sur un bout de papier et fit signe à un taxi de s'approcher. La voiture s'engagea dans le décor jaune désert et malgré la fatigue, je ne pus m'empêcher d'être fasciné par le trafic insensé du Caire. Il nous a fallu presque deux heures avant d'atteindre le centre-ville.

L'hôtel était décent et la course pas trop exor-
bitante. Il y avait plus de vingt-quatre heures que
j'avais quitté Montréal. Je m'effondrai sur le lit et
j'eus à peine le temps d'examiner ma chambre
avant de sombrer dans un profond sommeil.
Lorsque j'ouvris les yeux pour la première fois, ma
montre marquait six heures du matin. Je n'avais
plus sommeil et je me décidai à sortir pour observer les environs. Le brouillard s'était apaisé et un
soleil radieux allait se lever. Je demeurai quelques
instants sur les marches de l'hôtel, hésitant entre
la gauche et la droite. Je n'avais aucune idée de
l'endroit où je me trouvais et le nom des rues écrit
en arabe ajoutait à la confusion.

La ville me fascinait et m'effrayait à la fois.
Après une promenade hésitante d'une trentaine
de minutes, je retournai à ma chambre et me rendormis aussitôt. Le soleil se couchait lorsque je
m'éveillai à nouveau. J'avais dormi presque toute
la journée et me demandais, sans plaisir, ce que
j'allais bien pouvoir faire de cette soirée. J'avais
faim, mais une sorte de lassitude me paralysait et je
n'avais aucune envie de sortir. Je descendis au restaurant de l'hôtel et commandai une bière, puis
une autre. Je pris un repas léger et remontai à ma
chambre après avoir demandé qu'on m'y apporte
quelques bières additionnelles que j'avalai avant
de retomber dans un demi-sommeil qui se confon-
dait avec le brouillard sablonneux du Caire.

Deux jours s'étaient écoulés depuis mon arrivée. Je ne pouvais plus attendre. Il fallait que je
me rende à l'agence et que je finalise l'horaire et
les autres détails du voyage. Après, je partirais

pour Miniêh, plus au sud, à la rencontre du père Paquin.

Je finis par découvrir la direction de l'agence. Elle n'était pas trop éloignée et je décidai de m'y rendre à pied. Marcher au Caire est une expérience unique. Le trafic est omniprésent et l'air empeste le *fuel*. Cette odeur se mélange à la poussière, à la chaleur et à celle de la foule qui déambule bruyamment.

Le bureau de l'agence était sombre, toutes lumières éteintes. Je n'avais pas téléphoné ni pris de rendez-vous avant de partir et j'ai dû attendre de longues minutes avant de pouvoir rencontrer quelqu'un. Un représentant finit par se pointer. Il n'était pas particulièrement sympathique, mais il fallait bien discuter du projet. Il avait été prévenu par Swiss Air et avait reçu une ébauche de notre itinéraire. Il n'entrevoyait pas trop de problèmes avec le programme proposé. Il me prévint des difficultés possibles que nous pourrions rencontrer pour nous rendre en Israël à cause des relations tendues entre les deux pays. Nous laisserions cette partie du voyage en suspens pour le moment et ferions les ajustements plus tard.

J'aurais dû lui demander de me fournir un guide et de me faire visiter Le Caire, mais je n'avais qu'une envie, retourner à ma chambre. Je n'avais pas pris plus de trente minutes pour discuter du voyage et j'étais reparti avec sa carte d'affaires en promettant de lui confirmer l'itinéraire dès mon retour à Montréal. J'avais pourtant l'habitude d'organiser des voyages, mais aujourd'hui, je voyais tout ça comme une montagne plus haute que le Sinaï où je devais me rendre après avoir rencontré le père Paquin.

En sueur, je fus soulagé de revoir l'hôtel où je m'engouffrai, heureux de retrouver l'air climatisé et la quiétude de ma chambre. Je repris ma place sous les couvertures et le reste de la journée se passa entre la chambre, le restaurant et la bière. Je ne remis pas le nez dehors.

Au matin, je quittais Le Caire à destination de Minîêh où j'arrivai plusieurs heures plus tard. Le train était bondé et d'une lenteur infinie. J'avais l'impression d'être isolé dans un autre siècle avec des hommes et des femmes qui lisaient leur journal à l'envers et dont le langage n'avait aucune correspondance dans mon esprit.

Le père Paquin m'attendait. Un homme grand et maigre, au crâne dégarni. Il avait le même âge que le père Lacasse et il était sympathique sans être chaleureux. C'était un personnage connu en Égypte. Pendant de nombreuses années, il avait été le supérieur d'un collège renommé du Caire où toute l'aristocratie égyptienne avait étudié. La communauté au grand complet m'attendait. Il y avait bien longtemps qu'on ne m'avait pas accueilli ainsi. Ils voulaient tous avoir des nouvelles du Québec et ils se sont longuement informés du père Lacasse et des autres confrères de la communauté.

Je me sentais bien chez eux et en sécurité. Une douzaine de jésuites de douze nationalités différentes vivaient dans cette maison. Il y avait un Soudanais, un Belge, un Canadien, un Égyptien, un Américain, un Brésilien et je ne me rappelle plus avec certitude du pays d'origine des quatre autres. J'étais fasciné par l'infinie variété de leurs conversations et par la richesse de leur culture et de leurs propos.

À la fin du repas, le père Paquin m'annonça que des étudiants du collège qu'il dirigeait me feraient visiter la campagne égyptienne. On se rendrait à Deir el-Boukarah, le couvent de la Poulie, un monastère qui avait été construit au IVe siècle à même un rocher. Pour y accéder, on devait s'installer dans une sorte de panier qui était remonté jusqu'au couvent au moyen d'une corde et d'une poulie. Cet endroit avait été construit en dehors du temps et bien que très peu peuplé aujourd'hui, plusieurs prêtres coptes y vivaient encore. Nous fûmes reçus par un moine qui nous fit visiter son église, richement décorée et encore ornée d'icônes anciennes.

Le lendemain, je pus explorer les environs, naviguer sur le Nil en felouque, et visiter quelques villages et les maisons de ceux qui avaient eu la chance de se rendre à La Mecque. Lorsqu'un musulman se rend dans la ville sainte, il peint, souvent naïvement, l'histoire de son voyage sur les murs de sa maison. Ces pèlerinages décorent joliment les villages.

J'appréciais la tranquillité de l'endroit, loin de l'animation du Caire et je prenais conscience de la tension qui m'habitait constamment. La température était magnifique et me faisait oublier mes finances précaires. Je devrais bientôt affronter cette situation, malgré le regard des jeunes Égyptiens qui m'accompagnaient et qui, je le voyais bien, croyaient que les dollars coulaient de mes poches comme l'eau du Nil.

Depuis mon arrivée, on m'avait servi à quelques reprises un breuvage d'une riche couleur rouge sombre et d'un goût aussi délicat que délicieux. Cette tisane s'appelait le *carcadé*. C'est une infusion à base d'hibiscus, provenant d'une plante originaire du Soudan. Le carcadé avait réveillé le restaurateur en moi, et quelques heures seulement après ma première gorgée, je me voyais déjà l'importateur exclusif du carcadé pour l'Amérique tout entière.

Je me rendis vite compte qu'il serait trop coûteux d'exporter cette plante qui ne pesait pas lourd, mais qui prenait beaucoup d'espace, sans compter que l'exportation des aliments était soumis à toutes sortes de restrictions.

Je ne m'avouai pas vaincu pour autant. Je fus frappé, en pleine nuit, par une idée que je trouvais lumineuse. Je me levai et me rendis à la cuisine. Après quelques minutes, ayant repéré ce que je cherchais, me voilà en train de sortir les chaudrons et d'allumer les brûleurs. Je venais de transformer la cuisine des jésuites en laboratoire. Mon idée, tenter de faire bouillir le carcadé jusqu'à ce que j'obtienne un liquide si concentré, que quelques gouttes suffiraient pour concocter une tisane aussi délicieuse que celle que j'avais dégustée dans la campagne égyptienne.

Mon cerveau s'échauffait et la cuisine des jésuites en faisait autant alors que je laissais tomber dans l'eau bouillante le paquet de carcadé que je m'étais procuré au marché. Lorsque je me retournai pour prendre une louche sur le comptoir, un jésuite en robe de nuit me regardait de ses yeux incrédules.

J'étais mal à l'aise d'avoir été pris en flagrant délit de concoction de potion magique en pleine nuit, dans la cuisine des jésuites, sans avoir demandé la permission. Je tentai de lui expliquer :

— Mon père, je ne dormais pas et j'ai eu une idée. Comme je dois repartir demain et que je ne voulais réveiller personne, j'ai pris sur moi d'utiliser la cuisine. Je pense avoir trouvé une solution pour exporter un réduit de carcadé qui ne prendrait pas trop d'espace et qui pourrait être transporté d'une façon hygiénique et rentable.

Ses yeux hagards témoignaient davantage de son incrédulité que de son intérêt pour le projet. J'étais l'invité du supérieur de la communauté et mon statut me sauva probablement de ses réprimandes. Il retourna se coucher sans dire un mot.

Mon génie ne fut pas reconnu sur-le-champ, mais le fond du chaudron s'était tout de même coloré d'une riche couleur pourpre. L'heure de goûter avait sonné. Le cœur battant au beau milieu de la nuit, je fis infuser une tasse de la façon habituelle et une autre en y versant quelques gouttes de mon nouveau concentré. Anxieux de connaître le résultat, je m'installai fébrilement pour la grande dégustation.

Mille millions de sabords et de petites momies ! Identique ! Le goût était identique. Un grand projet et un grand marchand étaient nés, et tout ça, sans cocaïne. Je suis retourné me coucher aussi fier de mon concentré de carcadé que Mendel de ses petits pois.

Lorsque je fis mon apparition dans la salle à manger le lendemain, tous les regards étaient tournés vers moi. Il n'y avait aucun doute, l'histoire du carcadé avait fait le tour de la communauté. Je dus m'expliquer à nouveau et je leur annonçai que s'ils voulaient bien me garder une autre journée, j'allais poursuivre mes expériences et leur faire goûter mon nouvel élixir. Pour faire passer le carcadé, j'allais aussi assister à la messe et terminer la lecture de la biographie du padre Pio que j'avais dénichée dans les rayons de la bibliothèque. Lorsque j'étais tout jeune, mon père nous avait souvent parlé du padre Pio et je voulais terminer cette lecture avant de repartir.

Après le déjeuner, je me rendis au marché et j'investis une partie de mon maigre capital dans l'achat de plusieurs kilos de carcadé et je me remis au fourneau, avec la permission du père Paquin cette fois, persuadé que je venais d'inventer la nouvelle cabane à sucre de l'Orient. À la fin de la journée, j'étais parvenu à produire un litre de concentré de carcadé et tout en surveillant mon nouveau laboratoire, j'avais presque terminé la lecture de la vie du padre Pio. J'étais impressionné par son histoire et par sa vie. Dix ans après sa mort, sept millions de visiteurs se rendaient à San Giovanni Rotondo chaque année. Un jour, quelqu'un lui avait dit:

— Mon père, je ne crois pas en Dieu!

Sans hésiter, le padre Pio avait répondu:

— Oui, mais Dieu, lui, il croit en toi.

Chapitre 12

Le lendemain, je repris le chemin du Caire et de la réalité. Après trois jours à Minîêh, le carcadé n'avait plus de secrets pour moi, mais l'organisation du voyage n'avait pas progressé au-delà des précieux conseils que m'avait donnés le père Paquin. Le voyage fut aussi long qu'à l'aller et lorsque j'arrivai au Caire ce soir-là, j'eus le plaisir d'apprendre que je devais quitter l'hôtel dès le lendemain. On n'avait pu obtenir d'autorisation additionnelle sur ma carte de crédit.

J'essayai d'appeler Catherine au téléphone, mais elle était absente. Finalement, je pus rejoindre le gérant du restaurant. Je lui expliquai ma situation et lui demandai de régler ma carte de crédit en lui disant que je m'arrangerais avec mes associés au retour.

La réponse ne se fit pas attendre:

— J'ai reçu l'ordre de ne rien payer et de ne pas envoyer d'argent. Je regrette, me répondit-il, mal à l'aise.

Je me laissai tomber sur le lit et commandai quelques bières. Qu'est-ce que je pouvais faire? Appeler le père Lacasse. Il n'en était pas question. Appeler Catherine à nouveau, je connaissais déjà la réponse. Je l'avais cherché, mais j'étais tout de même attristé qu'on me laisse à l'autre bout du monde sans plus de cérémonie. Après tout, je n'étais pas à Drummondville, j'étais en Égypte. Il y a tout de même une différence!

Mon vol de retour partait de Tel Aviv et j'étais encore au Caire. Il fallait donc que je me rende en Israël en passant par la Jordanie avant de pouvoir rentrer à Montréal, sans compter que je n'avais pas fait le quart du travail que je devais faire. Comme si j'avais encore des chances d'y trouver un trésor oublié, je vidai mes poches sur le lit et comptai ce qui me restait. Vingt dollars et un peu de monnaie. Sur la table de nuit, un litre de concentré de carcadé me regardait en plein dans les yeux.

Je n'avais plus le choix. Ma décision était prise. J'avais juste ce qu'il fallait pour prendre un taxi et me rendre à l'aéroport: «Demain matin, je prends un taxi pour l'aéroport et j'essaie de faire changer mon billet pour retourner à Zurich sans passer par Tel Aviv. Je raconterai que je dois rentrer d'urgence à Montréal. Habituellement, les compagnies aériennes sont conciliantes pour les organisateurs qui voyagent aux frais de la compagnie.»

Je n'ai pas très bien dormi cette nuit-là. Aussitôt levé, je pris un taxi à destination de l'aéroport. Après avoir payé, il me restait deux dollars. Je me rendis directement au comptoir de Swiss Air et je racontai mon histoire. Pas de problème, ils étaient prêts à m'accommoder. Je serais sur la liste d'attente. Il y avait tout de même un problème de taille, il n'y avait aucun vol avant treize heures trente le lendemain.

Même si j'ai défilé intérieurement la liste de tous les objets sacrés que je connaissais, il en manquait encore quelques-uns pour exprimer la colère impuissante que je ressentais. Je laissai mes bagages au comptoir de Swiss Air et décidai d'explorer l'aéroport à la recherche d'un coin tranquille. J'avais encore vingt-six heures à passer ici. Si j'étais chanceux, je pourrais étirer mes deux dollars sans mourir de faim. Quant aux cigarettes, mon paquet était presque vide.

Je parcourus l'aéroport en tous sens comme les itinérants qui cherchent un coin pour coucher et une poubelle pour manger. Il n'y avait rien, pas d'endroit tranquille, impossible de s'asseoir confortablement et encore moins de se coucher. Que des chaises dures fixées au plancher. Pas moyen de les déplacer. On devait s'asseoir bien droit ou se coucher par terre à même le plancher.

Je n'avais rien d'autre que mon sac pour appuyer ma tête. Je n'avais même pas un livre pour oublier le temps, la faim et l'envie de fumer. Pire, les journaux que je trouvais, oubliés sur une chaise ou dans un coin, étaient en arabe. Les journaux français, je ne pouvais plus me les payer. Je l'avais mon voyage-retraite : mon propre silence, l'abstinence de tabac, le jeûne et la privation de sommeil.

Le père Lacasse dirait que le bon Dieu voulait éprouver ma foi. Eh bien, c'était fait !

Après quelques minutes d'exploration, j'aperçus de lourdes tentures qui dissimulaient une ouverture où des hommes entraient et sortaient presque continuellement. Je m'approchai et je jetai un coup d'œil. Des tapis, plusieurs tapis étaient étendus les uns sur les autres. Pas de chaises, pas de meubles. J'étais dans une petite mosquée à l'usage des voyageurs. Quelques personnes semblaient prier. Elles n'avaient pas l'air si mal. J'étais certain que parmi ces pieux disciples de Mahomet, certains étaient endormis, bien installés, le cul en l'air et la tête sur le tapis. C'était tout de même mieux que les chaises droites de l'aéroport.

Je dois l'avouer, j'avais une maudite envie de me convertir à Mahomet. Je n'avais plus rien à fumer et mes deux dollars avaient à peine suffi pour me payer un petit beignet et un mauvais café. Je n'en pouvais plus.

J'enlevai doucement mes souliers pour ne pas attirer l'attention et je m'installai un peu à l'écart, en essayant d'imiter ceux qui s'y trouvaient déjà, la tête sur le tapis et le derrière pointé vers le ciel. Je me suis endormi en remerciant Mahomet, le seul qui avait accepté de m'accueillir. J'ai médité ma vie et celle des *trous du cul* qui m'avaient abandonné ici. Je me sentais de plus en plus malade et fiévreux.

Après vingt-six heures d'attente, partagées entre les chaises droites et la mosquée, je m'installais avec bonheur à bord du vol Swiss Air à destination de Zurich. J'étais tout près de l'extase, bien enfoncé dans le confort de mon siège. Dans quelques heures, on nous servirait un repas chaud. Il y aurait du café à volonté.

« Dieu existe et les enfoirés aussi ! »

En arrivant à Zurich, je savais déjà que je devrais passer une partie de la soirée et une autre nuit à l'aéroport. Au moins, je n'étais plus au Caire, j'avais mangé pour deux et j'avais bien dormi dans l'avion. Même si je me sentais encore fiévreux, c'était le bonheur.

Avant de partir à la recherche d'un coin tranquille, je me rendis au comptoir de Swiss Air pour confirmer le vol du lendemain. En regardant mon billet, la dame au comptoir me dit:

— Il n'y a pas de correspondance à destination de Montréal aujourd'hui, vous avez droit à une nuit à l'hôtel aux frais de Swiss Air.

Je pris mon air *c'est bien normal* et je la remerciai. Elle me remit deux coupons de taxi et fit quelques appels pour me réserver une chambre, en spécifiant mon nom et en ajoutant:

— Monsieur a droit au souper et au petit déjeuner.

Je dus me retenir pour ne pas sauter par-dessus le comptoir et la serrer dans mes bras. Je me sentais comme quelqu'un qui vient de gagner le gros lot d'un billet oublié depuis longtemps au fond de ses poches. Je ne pouvais croire que ma prière de la mosquée avait été exaucée: «Mahomet, me voilà! Désormais, tu pourras compter sur moi.»

Quelques minutes plus tard, je débarquais à l'hôtel et me retrouvais dans une chambre belle et moderne. Je regardai la salle de bains, me demandant si j'étais encore sur terre. Je me suis longuement prélassé sous la douche chaude avant de demander qu'on m'apporte le repas. Je n'avais

pas éprouvé autant de plaisir depuis bien longtemps. Je me sentais comme un roi et un sourire
béat s'était figé sur mon visage malgré la fièvre
qui ne semblait plus vouloir me quitter.

Je me couchai nu et heureux de me sentir
enfin propre dans des draps propres. Je me cares-
sai abondamment et me vautrai dans mon propre
sperme, en remerciant Mahomet et Swiss Air. Je
m'endormis devant le téléviseur, fiévreux et
inquiet malgré le confort de ma chambre.

Demain j'allais rentrer chez nous, moitié loup,
moitié chien battu. *Moitié loup* parce que j'aurais
bien aimé étrangler ceux qui n'en avaient rien à
foutre que je crève au Caire et *moitié chien battu*,
parce que je n'avais pas pu trouver une seule personne pour me dire: «Tu peux compter sur moi,
Émile. D'ici quelques heures, tu auras ce qu'il te
faut.»

Une telle personne n'existait plus.

Je ne pouvais compter que sur Mahomet et
sur moi-même. Je n'avais pas vu les pyramides. Je
n'avais pas vu la Vallée des rois et Thèbes était
demeurée dans le guide touristique que je n'avais
pas ouvert. Je n'avais vu que la poussière du
Caire, la couleur du carcadé et la foi du padre Pio.
Le voyage-retraite battait de l'aile et on m'avait
fait cadeau d'un authentique virus égyptien.

Chapitre 13

Je me réveille heureux de réaliser que j'ai bien dormi dans un bon lit à l'hôtel. Je me prélasse sous les couvertures et me fais monter un petit déjeuner à la chambre avec un grand pot de café et un journal. J'aimerais bien que mes associés me voient, royalement installé dans un hôtel cinq étoiles. Un joyeux *finger* à leur intention m'aurait fait le plus grand bien.

À mesure que je regarde les aiguilles de ma montre s'avancer vers Montréal, la réalité fond sur moi comme une mauvaise marée. Je devrai faire face à Catherine et à mes associés qui ont donné l'ordre de ne pas m'envoyer d'argent. Il me faudra fournir au père Lacasse un compte-rendu de l'avancement des préparatifs. Il ne me reste que quelques heures pour concocter une histoire plausible de demi-vérités et de vrais mensonges pour expliquer mon retour prématuré.

Voilà ce que je dirai: «J'ai été obligé de revenir plus tôt que prévu. Je me sentais de plus en plus malade et il aurait été compliqué de me faire soigner au Caire. De toute façon, j'avais presque terminé l'organisation du voyage et l'agence avait les choses bien en main. Il s'agissait simplement de préciser les activités qui relevaient d'elle et celles qui seraient organisées directement par nous avec la collaboration du père Paquin.

J'aurais préféré être torturé plutôt que de me présenter devant Catherine et mes associés avec un visage en forme d'échec et la mine basse de celui à qui on ne peut rien dire d'autre que : « On te l'avait bien dit de ne pas y aller. »

Lorsque le transporteur se posa à Dorval, mon niveau de confiance dans la logique de mes explications était suffisamment élevé pour que je puisse marcher la tête haute. J'avais mentalement transformé mon voyage inutile en économie de temps et d'énergie qui m'avait permis de rentrer plus tôt que prévu. Après tout, qui pourrait me reprocher d'avoir économisé temps et argent et d'être préoccupé par ma santé.

Je pris un taxi et je rentrai directement chez moi. J'eus quelques battements de cœur plus rapides qu'à l'habitude lorsque j'ouvris la porte de la maison. Il n'y avait personne et la fanfare demeura silencieuse. Je n'en fus point offusqué, étant déjà convaincu que mon arrivée n'avait rien de triomphal.

Je laissai un mot sur la table et je ressortis aussitôt. J'y avais écrit :

« Je suis à l'hôpital. Je reviendrai aussitôt que possible. »

Après quelques heures d'attente à l'urgence, je pus enfin voir un médecin, qui déclara à ma grande satisfaction : « Pneumonie ! repos et antibiotiques pendant dix jours. »

Ce diagnostic arrivait à point et justifiait mon retour hâtif. On ne frapperait pas sur un malade et je n'étais pas pressé de guérir. Je glissai une pièce dans le téléphone de l'urgence et je signalai le numéro de la maison. La voix inquiète de Catherine me répondit :

— Où es-tu ? Qu'est-ce qui t'es arrivé ?

Je lui racontai brièvement l'histoire que j'avais inventée en terminant par la vérité :

— Je ne me sentais pas bien et je me suis rendu à l'urgence de l'hôpital. J'ai attrapé une pneumonie en Égypte.

Elle vint me chercher à l'hôpital et nous sommes rentrés à la maison. Elle se faisait encore quelques soucis pour moi. J'en étais réconforté. Lorsqu'elle mentionna mon appel au gérant du restaurant, je lui répondis que je craignais de manquer d'argent pour me faire soigner dans un hôpital du Caire.

Elle ne demanda pas d'explications additionnelles et le sujet fut clos. Je me couchai, envahi par une grande fatigue, une fièvre persistante et tout le poids émotif du mauvais voyage qui venait de se terminer.

Au matin, après ma meilleure nuit depuis des lunes, je me sentais infiniment mieux. Les antibiotiques avaient fait leur travail et la fièvre avait diminué. Je défis mes bagages et tout au fond, je retrouvai ma bouteille de carcadé que les difficultés de la fin du voyage m'avaient presque fait oublier. J'avais l'impression qu'il avait perdu une partie du charme qui lui venait du soleil et de l'Égypte. Je le plaçai tout de même bien en vue à la cuisine. Au moment opportun, j'organiserais la dégustation que j'avais anticipée dans la cuisine des jésuites à Minîêh.

Le lendemain, je me rendis au 14, rue Dauphine où le père Lacasse m'attendait, tout joyeux à l'idée d'avoir des nouvelles du voyage et de ses confrères.

— Viens t'asseoir, je suis content de te voir. Tu as l'air fatigué, ajouta-t-il.

J'ai attrapé une pneumonie en Égypte et je dois prendre des antibiotiques.

— Raconte-moi ton voyage.

Je repris les répliques que j'avais déjà pratiquées avec Catherine. Ici et là, il m'arrêtait pour me demander des explications additionnelles. Lorsqu'il fut question de Minîêh, je lui remis la lettre du père Paquin, en espérant qu'il n'avait pas été trop volubile sur la question de la cuisine et du carcadé. Je lui expliquai que certaines parties du voyage demeuraient à confirmer et que le père Paquin m'avait promis d'écrire aux coptes du couvent de Sainte-Catherine au Sinaï où nous devions passer quelques jours en silence.

Ce jour-là, je pris la décision de faire ce voyage malgré toutes les difficultés qui pourraient se présenter. Les yeux du père Lacasse me rappelaient ceux de mon père qui aurait tellement aimé voir Rome et le Vatican avant de mourir.

Le voyage débuterait par une première journée de retraite à la Maison des jésuites à Saint-Jérôme, question de se remettre spirituellement en forme avant le départ. Elle se poursuivrait à Minîêh, après une brève visite du Caire et des pyramides. Deux autres journées de silence plongeraient les retraitants en plein Ancien Testament, tout près de l'endroit où Moïse avait reçu les Tables de la Loi. Pour compléter la retraite, deux autres jours étaient prévus en Terre Sainte et un dernier à Rome. Le père Lacasse vouait une fidélité et une admiration sans bornes au chef de l'Église et plusieurs de ses ex-retraitants étudiaient à Rome en vue de devenir prêtre. Cette étape lui était très chère.

Au milieu du mois de mai, notre dépliant fut posté à nos futurs retraitants et les réponses ne se firent pas attendre. Rapidement, plusieurs réservations furent confirmées. Je ne savais plus lequel des deux sentiments prédominait, l'appréhension ou la satisfaction. Il n'était plus possible de reculer.

Chapitre 14

Peu de temps après mon retour d'Égypte, je reçus un appel d'un individu que j'avais côtoyé à quelques reprises. Nous nous sommes donné rendez-vous. Il me raconta qu'il arrivait d'Amérique du Sud et qu'il aurait aimé que je revende une partie de la cocaïne qu'il avait rapportée. Il devait repartir rapidement et si j'acceptais, je pourrais le payer à son retour. J'acceptai le marché, me disant que mes finances en avaient bien besoin et avec la certitude que tout cela n'avait rien d'anormal. J'étais à peine conscient que quelques petits démons oubliés avaient survécu à la retraite et attendaient l'occasion de se manifester à nouveau.

«Émile, me dirent-ils à l'oreille, tu ne peux pas t'engager à payer trois mille dollars pour une once de cocaïne sans même y avoir goûté. Qu'est-ce qui se passera si elle est de mauvaise qualité, ou si elle a déjà été coupée au maximum?»

Je me laissai convaincre par mes propres arguments et je demandai à faire un essai avant de conclure le marché. Il n'y fit aucune objection et je m'exécutai avec la certitude d'agir en professionnel.

«Misère et désespoir, me voilà reparti», me dis-je, aussitôt que j'eus la certitude qu'il était trop tard pour que je puisse faire volte-face.

La folie s'emparait de moi et j'acceptai rapidement le marché pour que le vendeur disparaisse au plus vite. Aussitôt seul, je m'empressai d'inhaler une bonne quantité de cocaïne afin de compléter les contrôles de qualité du produit. Je prélevai cinq ou six grammes de commission que je remplaçai immédiatement par du lactose, une poudre blanche inodore et sans saveur couramment utilisée pour couper la cocaïne et augmenter les profits. J'aurais dû y penser avant. Voilà une bonne façon de consommer sans déséquilibrer son budget.

Les premières heures furent exaltantes comme toujours. Un feu d'artifice où mon intelligence, redevenue supérieure, fonctionnait à toute vapeur, éblouie par la compréhension soudaine des nuances et des mystères de l'existence. Mon empathie avait fait un bond formidable et je trouvais de l'intérêt pour tout ce qui respirait sur cette planète. Je me souviens d'avoir été fasciné par le travail du caissier d'un dépanneur qui, finalement, dut me dire qu'il ne pouvait pas me parler plus longtemps, vu qu'une longue file de clients attendaient impatiemment que cesse mon soudain intérêt pour le genre humain.

«Pauvre lui, il ne sait pas ce qu'il a manqué, me dis-je. Tans pis pour lui, je devrai aller déverser mes perles ailleurs.»

À mesure que le temps passait, l'excitation disparaissait et ne subsistait plus que l'ampleur de la catastrophe que je venais de déclencher.

J'étais perdu. Les cinq grammes que j'avais préle-
vés avaient disparu et je ne pouvais plus m'arrêter. Il fallait que je rentre à la maison et que je
renouvelle mes provisions.

Le sous-sol avait été transformé en chambres
à louer pour les étudiants de l'université, à deux
pas de chez nous. Une entrée indépendante
permettait d'y accéder sans passer par la maison.
Une des chambres n'était pas occupée et je l'utilisais comme refuge sans que personne ne s'en
aperçoive. Cette fois-là, j'y avais caché la cocaïne
que je devais revendre. Après avoir stationné la
voiture un peu plus loin, je pénétrai chez moi sans
bruit, comme un voleur. Sans attendre, j'en repris
suffisamment pour chasser les horreurs de la
descente et je m'étendis sur le lit en me fustigeant
de ma propre stupidité :

« J'aurais dû en prélever davantage au départ.
Maintenant, je dois consommer la cocaïne dans
laquelle j'ai moi-même ajouté du lactose. »

Le monde tournoyait autour de moi et juste
au-dessus, se trouvait la chambre d'Isabelle. Je
souhaitais qu'elle dorme paisiblement sans penser à son père, si proche et si lointain à la fois. Plus
à gauche, celle de François et de Guillaume et la
nôtre, où Catherine était couchée. Elle ne dormait
pas. J'en étais certain. Elle ne dormait jamais. Elle
devait être morte d'inquiétude. J'étais parti avec
la voiture.

Est-ce que je reviendrais ? Est-ce que j'étais
mort ou vivant ? Elle ne pouvait vivre autre chose
que l'attente, terrible d'impuissance et de solitude. Ma mort l'aurait soulagée. Au moins, elle

aurait su où j'étais. Même cette paix ultime lui était refusée alors que j'étais perdu, juste en dessous, incapable de tendre cette main qui ne pouvait plus donner de réconfort.

Je demeurai ainsi allongé, jusqu'à ce que cette position devienne insupportable. Il n'est pas possible de prendre de la cocaïne et de rester immobile. Il faut bouger. Il faut s'activer au rythme fulgurant des pensées qui fusent de partout. Après six ou huit heures de cette stimulation intolérable, le corps n'en peut plus. Une fatigue immense vous terrasse tandis que les pensées continuent de s'agiter. Le cœur bat à sortir de la poitrine, les dents se serrent et la peur s'installe.

Je ne peux plus m'arrêter et si je continue, j'ai l'impression que je vais mourir. J'aimerais que quelqu'un soit près de moi et m'aide à passer ce moment tragique qui n'en finit plus, entre la dernière ligne et le sommeil. Mais il n'y a personne.

Je me souviens d'avoir parcouru les rues pendant la nuit et d'avoir offert à des inconnus de les reconduire, juste pour ne pas être seul. Il fallait que je trouve quelqu'un. La solitude ne pouvait plus être supportée et la pensée de rentrer à la maison dans cet état était encore plus insupportable.

Je parvins à m'asseoir et une autre ligne enveloppa mon désespoir dans un manteau d'agitation. La pensée de Catherine et des enfants juste au-dessus m'attirait et me remplissait de tristesse. J'avais l'impression que s'ils avaient pu se laisser aller à leurs pulsions, ils m'auraient frappé comme le font les foules déchaînées qui perdent tout contrôle et qui, dans un moment de rage meurtrière, se déchaînent sur quelqu'un pour soulager leur trop-plein de frustration impuissante.

Peut-être était-ce seulement ma culpabilité qui réclamait sa punition. J'ouvris les yeux pour me sortir de ces sombres pensées. Devant moi, au bout du lit, la porte de la garde-robe était entrebâillée, comme si une bouche vorace voulait m'avaler. Je me levai péniblement. J'attrapai la poignée et j'ouvris toute grande la porte pour faire disparaître cette tache noire qui m'effrayait. Pris d'une folie soudaine, je me mis à la recherche de quelque chose pour écrire, n'importe quoi. Je m'emparai d'un gros feutre noir qui dormait sur la table de nuit. J'entrai dans l'armoire et je me mis à écrire directement sur les murs:

« *Hier, j'ai acheté une once de coke, trois mille dollars. Je devais la revendre avec profits et payer quelques-unes de mes dettes. Il est quatre heures du matin. Je n'ai rien vendu et j'ai consommé toute la nuit. Je ne sais pas quand je pourrai m'arrêter.* »

Je refermai la porte et je me laissai tomber sur le lit, la tête entre les mains. Après quelques instants, je me relevai et repris le crayon. Sur la porte de la garde-robe, en grosses lettres noires, j'écrivis: *L'armoire aux menteries.*

Je refermai le crayon et le rangeai. Je ressortis doucement sans faire de bruit et retournai à l'auto. J'étais décidé. J'allais me tuer. Il n'y avait pas d'autre choix. Je n'avais jamais été suicidaire, mais il fallait que je débarrasse les autres de ma présence. Il n'y avait pas d'autres moyens.

Je m'engageai sur l'autoroute et me mis à la recherche de quelque chose de solide où je

pourrais m'écraser. Catherine recevrait les assurances — double indemnité pour mort acciden-
telle. J'examinai les piliers des viaducs les uns
après les autres. Je ne parvenais pas à trouver ce
qu'il me fallait. Trop loin de la route, ou protégé
par un remblai. S'il fallait que je ne meure pas et
qu'en plus, je sois blessé ou infirme. Ce serait pire
que tout.

Tout cela avait duré quinze ou trente minutes,
pas plus. C'était trop risqué et j'étais trop terrassé
par la fatigue pour penser à d'autres méthodes. Je
m'arrêtai à une halte routière qui venait d'apparaître devant moi. Je m'étendis sur la banquette
arrière, les dents serrées, bien décidé à passer à
travers l'agonie qui me séparait du sommeil.

Je ne pouvais même plus me permettre le
réconfort de la messe du père Lacasse au petit
jour. Le voyage-retraite m'avait privé de ce refuge.
Je ne pouvais lui laisser savoir que la cocaïne avait
repris le dessus sur saint Ignace.

Quand je m'éveillai, le soleil était déjà haut.
Ma montre marquait dix heures. J'étais effrayé à la
pensée de rentrer à la maison. Je pris le chemin du
retour et comme je l'avais fait bien des fois, je
contournai la maison jusqu'à un petit rond-point
qui se trouvait tout près de chez nous. Je stoppai
la voiture. De là, je pouvais voir la maison sans
courir le risque de me faire remarquer. Je demeu-
rais parfois des heures à regarder la porte de la
maison et à imaginer ce qui se passait à l'intérieur.
J'essayais de trouver une histoire plausible à
raconter et j'inventais inutilement scénarios sur
scénarios pour me sécuriser. Je cherchai l'histoire

qui ne ferait pas mal, ni à moi ni à Catherine, ni aux enfants. Futile tentation. Une telle histoire n'existait pas.

Lorsque je me décidais à rentrer, je me stationnais brusquement pour que Catherine se rende compte que je venais d'arriver. Au début, elle avait montré de la colère, mais cette période était passée. Maintenant, elle demeurait silencieuse. Lorsque j'essayais de l'approcher, elle me repoussait. J'étais tellement épuisé que je pouvais à peine garder les yeux ouverts. Je me contraignais à demeurer debout et à faire des choses que j'aurais dû faire depuis longtemps : le ménage, l'entretien, les réparations, n'importe quoi. Il fallait que je tienne le coup. Je ne pouvais ni m'asseoir ni me coucher. Le rituel ne le permettait pas. Je devais faire des efforts surhumains pour finir la journée et gagner le droit au sommeil, à l'oubli. Je ressentais le besoin de payer cette dette que j'avais contractée, en me punissant. Catherine ne supportait pas que je dorme après une nuit de galère, après lui avoir volé la sienne. À mesure que la journée avançait, elle avait pitié de moi et elle s'apaisait.

Fournier, en bon samaritain, revint à la rescousse et acheta ce qui restait pour deux mille dollars. Je savais que je ne pourrais supporter longtemps d'avoir de la cocaïne dans la maison sans en reprendre et Fournier profitait de mes faiblesses. Je fonctionnais à l'inverse du marché. J'achetais haut et je vendais bas. Je me faisais doublement baiser sans trop m'offusquer. Je le savais depuis longtemps, mes comportements n'avaient rien de rationnel.

Bien sûr, Catherine m'a demandé comment tout cela m'avait coûté

— Rien du tout, lui avais-je répondu. J'ai rencontré un type que je n'avais pas vu depuis longtemps. Il arrivait de la Colombie. On a passé une partie de la nuit ensemble et je me suis endormi chez lui.

Dans ma tête je me suis dit : « Il ne faut pas que j'oublie d'inscrire celle-là dans *L'armoire aux menteries.* »

« Je devais trois mille dollars pour une once de cocaïne qui m'avait été avancée. J'en ai sniffé pour mille dollars et j'ai vendu le reste à Fournier pour deux mille. J'ai caché à Catherine que je dois encore mille dollars à Légaré. »

Elle m'avait seulement demandé :

— Comment s'appelle-t-il ?

Je lui avais répondu la vérité :

— Légaré, Christian Légaré. Il est déjà venu ici à quelques reprises.

Je ne me rappelle plus ce qu'elle avait répondu, mais elle avait retenu son nom. Quelques jours plus tard, il recevait la visite de la GRC. Heureusement, les policiers n'avaient rien trouvé. Légaré m'avait téléphoné tout de suite après :

— J'ai eu de la visite. C'est toi qui as fait ça. Tu étais le seul à savoir, m'apostropha-t-il sans préambule.

— Non, je n'ai rien fait du tout, lui répondis-je. Tu es peut-être suivi depuis longtemps ?

— En as-tu parlé à quelqu'un ? ajouta-t-il plus calmement.

— Oui, peut-être. Je l'ai peut-être mentionné à quelques personnes.

Il raccrocha sans salutations. Je venais de comprendre la question de Catherine. Lorsqu'elle arriva à la maison ce jour-là, je lui posai la question. J'étais en colère et elle aussi. Elle me dit, en criant :

— Tes maudits *pushers*, je vais tous les faire arrêter les uns après les autres.

Plus tard, elle me raconta ce qui s'était passé. Elle s'était rendue à la police et elle leur avait dit que je prenais de la cocaïne. Elle leur avait aussi parlé de Légaré.

Les policiers lui avaient demandé :

— Qu'est-ce que vous voulez qu'on lui fasse à votre mari ? Qu'on l'arrête ? Qu'on l'emprisonne ?

— Je veux seulement qu'il arrête d'en prendre, avait-elle répondu en pleurant.

Pendant les mois qui suivirent, je devins extrêmement prudent et même un peu paranoïaque. Après cet épisode, je voyais des policiers partout et je n'osais plus utiliser le téléphone de la maison.

La vie alternait ainsi entre de bonnes périodes et des dérapes plus ou moins longues et violentes où je perdais tout contrôle. Le plus terrible pour moi et pour les autres, c'était de ne jamais savoir quand se produirait le prochain épisode. Je n'ai retenu qu'une seule phrase de Fournier au cours de toutes ces années et je ne l'ai jamais oubliée. Un jour, comme s'il était une sommité en la matière, je lui avais demandé :

— D'après toi, quand sait-on qu'on est devenu un drogué ?

Il m'avait répondu simplement :

— Quand ce n'est plus toi qui *mènes* !

Je l'ai su plus tard. Il avait le même problème que moi et il savait que je ne *menais* plus depuis longtemps. La cocaïne me contrôlait totalement. Ma volonté et mon désir de cesser d'en consommer s'affaissaient lamentablement lorsque l'obsession se présentait.

Chapitre 15

Gabriel était un ami qui, tout comme moi, avait été envoûté par la dame blanche. Il détenait des fonctions importantes au sein du gouvernement. Il devait se montrer prudent lorsqu'il achetait de la cocaïne afin de ne pas être reconnu et que la rumeur de sa consommation n'atteigne pas son milieu de travail. Il avait souvent recours à mes contacts pour s'en procurer et graduellement, il était devenu mon compagnon des nuits sans sommeil. Au petit matin, nous avions souvent partagé nos frayeurs inavouables de retourner à la maison et d'y retrouver la tristesse que provoquaient nos absences répétées.

À la veille de Pâques, je le croisai par hasard dans un centre commercial à proximité du quartier où nous vivions. Tout comme moi, il faisait quelques emplettes de dernière minute et se préparait à célébrer le dîner pascal en famille.

Quelques instants plus tard, malgré nos bonnes résolutions, nous avions tout oublié. Il avait suffi de quelques téléphones pour que les préoccupations pascales soient remplacées par de longues lignes blanches qui s'étiraient sur la table d'un bar sordide du quartier latin. Adieu emplettes, familles et autres futilités, nous avions remis de l'ordre dans nos priorités. Ce n'est qu'au petit matin, avec l'épuisement de nos provisions, que la résurrection imminente du Christ refit surface.

Je voyais déjà la scène. Pâques était arrivé sans moi. Catherine était seule avec les enfants. Comment faire pour affronter cette nouvelle déception ? À mesure que les effets de la cocaïne s'estompaient, je ressentais la lourde chape du désespoir qui s'écrasait sur moi et la réalité se profilait violemment devant mes yeux.

On était loin du réveil matinal à la campagne et de l'eau pascale de mon enfance qu'il fallait cueillir avant l'aube pour qu'elle puisse conserver les miraculeuses propriétés de la résurrection. On était encore plus loin de l'harmonie familiale que m'avait toujours inspirée la fête de Pâques. J'étais disparu de la maison depuis presque vingt-quatre heures, sans prévenir, et maintenant, je n'avais d'autre choix que de faire face à la désolation qui m'attendait.

Comme à l'habitude, je m'installai dans le petit rond-point près de la maison, où j'avais l'habitude de ramasser mon courage avant de faire face à la famille. Il était encore tôt et tout était silencieux alors qu'un soleil radieux se levait, insouciant de mon état.

Lorsque je me décidai à rentrer à la maison, il n'y avait personne. J'examinai chaque pièce, les chambres des enfants, personne. J'ouvris la porte du sous-sol et j'entendis des voix alors que je descendais craintivement les marches une à une. Un mauvais spectacle m'attendait. Un reflux d'égout s'était produit et plusieurs centimètres d'eau recouvraient le plancher. Je m'avançai silencieusement et je jetai un coup œil dans le corridor.

Catherine était là avec les trois enfants. Chacun tenait une tasse à la main qu'il remplissait et versait tour à tour dans une chaudière posée au milieu d'eux. De grosses larmes roulaient sur les joues de Catherine et les enfants se serraient sur elle. Elle n'avait jamais eu le sens pratique. Ils ressemblaient à ces enfants sur la plage qui essaient de transvider l'océan dans une chaudière.

J'étais attristé jusqu'au fond de l'âme par cette vision de ma propre famille et j'étouffais sous la culpabilité. La tête basse, je parvins à dire :

— Va te reposer, je vais m'en occuper !

L'inondation m'avait évité de parler de la cocaïne et d'expliquer ma disparition à la veille de Pâques. Je ne sais pas où j'ai puisé l'énergie, mais je suis parvenu à nettoyer les dégâts et ce n'est qu'en soirée que je pus m'arrêter. Par chance, les chambreurs avaient quitté pour le congé pascal et leurs effets n'avaient pas subi trop de dommages. Même *L'armoire aux menteries* avait été épargnée.

Chapitre 16

Après cet épisode, je fus plusieurs semaines sans consommer. Mes périodes d'abstinence étaient toujours proportionnelles à la gravité des dérapages et à la culpabilité qu'ils engendraient. Cet épisode avait été terrible pour la famille et quelque chose s'était cassé chez Catherine. Elle s'était refermée et elle ne semblait plus réagir comme avant. La fête de Pâques et les autres fêtes avaient toujours été sacrées pour elle. J'avais profané celle-ci et je l'avais laissée seule avec une catastrophe qui était au-dessus de ses forces. Je la sentais s'éloigner, comme une épave à la dérive.

Avec le père Lacasse, elle demeurait le seul ancrage solide qui me rattachait à la vie. Confusément, je sentais que si elle partait, je ne pourrais pas m'en remettre. Je me disais parfois que si c'était le prix à payer, il faudrait peut-être que j'aille jusque-là. Pour ne plus souffrir, elle avait fermé la porte du cœur et j'en étais totalement désemparé.

Quelques jours plus tard, je frappai à la porte du 14, rue Dauphine. Une voix inconnue me répondit. J'avais fini par m'habituer à la voix monocorde du *frère Machin* et j'étais aussi contrarié de son absence que je l'avais été de sa présence. La porte s'ouvrit et une nouvelle tête de jésuite ornait le carreau de la réception :

— Où est le frère de la réception ? demandai-je, comme si je voulais accuser celui-là de l'absence de l'autre.

— Notre frère est décédé le jour du Vendredi saint, entendis-je comme un écho à ma question.

Je ne l'aimais pas beaucoup, mais j'étais attristé de son départ. Il avait fait partie de mes dernières années d'insomnie et il était sécurisant de toujours retrouver la même tête plantée derrière le comptoir, jour après jour, année après année.

Le père Lacasse finit par descendre et nous avons pu faire le point sur le voyage. Neuf personnes avaient déjà réservé leur place. Plusieurs autres avaient demandé des informations et donneraient leur réponse bientôt. Le père Paquin avait eu des nouvelles du monastère de Sainte-Catherine et nous pourrions passer quelques jours au Sinaï. Il était enchanté.

— Comment va ton *Plan de vie* ? me demanda-t-il, redevenant soudainement Jésuite.

— Des hauts et des bas, répondis-je la tête basse.

Dire ça et ne rien dire, c'était la même chose. Au fait, je l'avais presque oublié le maudit *Plan de vie*. J'étais contrarié qu'il me le rappelle et j'avais l'impression qu'un siècle s'était écoulé depuis cette dernière retraite. Il était clair que mon recours à Dieu n'avait rien de préventif. Je finissais par prononcer son nom du bout des lèvres ou je le suppliais de m'aider lorsque j'étais tout près de la catastrophe, la plupart du temps lorsqu'il n'y avait plus rien à faire, à moins d'un miracle en bonne et due forme.

La lumineuse clarté de la retraite s'était éteinte sous des couches de plus en plus épaisses de cocaïne et d'illusions. *L'armoire aux menteries* pouvait raconter l'histoire de ma dérive vers l'obscurité et les yeux de Catherine en disaient plus long que bien des confessions.

— As-tu fait tes Pâques? entendis-je le père Lacasse demander.

Je sortis du brouillard pour lui répondre:

— Non, père Lacasse. Je devais le faire, mais il y a eu une inondation à la maison. J'ai passé la fin de semaine à réparer les dégâts.

— Aimerais-tu te confesser? ajouta-t-il.

— Oui, m'empressai-je de répondre, mais pas aujourd'hui. Je vous appelle d'ici quelques jours, si vous le voulez bien?

— Comme tu voudras, répondit sa voix hésitante.

Je pouvais presque l'entendre penser. Il se demandait s'il pouvait encore compter sur moi pour l'organisation du voyage. Je ne me sentais pas capable d'engager une vraie conversation avec lui et je me levai en disant:

— Ne vous inquiétez pas, père Lacasse, ça va de mieux en mieux.

Avant de partir, je ne pus m'empêcher de lui demander:

— Qu'est-il arrivé au frère de la réception?

— Dieu l'a rappelé à lui, me répondit-il. Il est mort subitement d'un arrêt cardiaque.

«J'espère qu'il ne deviendra pas portier au paradis», me murmura à l'oreille un neurone caustique que la cocaïne n'avait pas encore réussi à détruire.

Je sortis, la tête basse, en sachant que la conversation n'était pas terminée. Je n'avais pas eu le courage de m'ouvrir à lui en croyant faussement que la gravité de mes fautes pourrait le déstabiliser. J'avais l'impression d'être seul et de lutter constamment. Il y avait bien le père Lacasse que j'aimais infiniment, mais ça s'arrêtait là. Je n'avais pas établi de relations avec les autres retraitants et les mailles éparses de mon réseau se limitaient à ma famille, à qui je ne pouvais plus rien demander. Il y avait bien quelques amis, mais ils étaient plus proches de leur première ligne de cocaïne que du bon Dieu.

J'aurais voulu que le soleil commence à briller et que les dégâts causés par des années de mauvais traitements disparaissent magiquement, en quelques instants. Je ne pouvais me faire à l'idée qu'il faudrait rebâtir patiemment et que des mois, peut-être des années seraient nécessaires pour effacer l'ardoise où s'étaient accumulées les dettes sur ma vie et celle des autres. J'aurais voulu que Dieu me prête sa baguette magique et m'évite d'être confronté aux conséquences de mes actes.

Les derniers jours m'avaient éveillé à la réalité de ma condition et je voyais les choses d'une manière plus réaliste. Je n'avais d'autre choix que de m'accrocher au père Lacasse et à mon *Plan de vie*. Tout le reste avait échoué et les alternatives n'existaient pas. Je revins le voir et je me confessai à nouveau, quelques mois seulement après la retraite. Je dus mettre tout mon courage pour lui reparler de la cocaïne, mais j'y parvins.

Le père Lacasse avait toujours placé la confession dans une case à part de sa vie et de son esprit. La confession était quelque chose de sacré entre lui, Dieu et le pécheur. Ça n'allait jamais plus loin. C'était comme confier ses secrets les plus intimes à un ami indéfectible. Ils étaient absous et transformés en grâces par le grand alchimiste céleste. Je recommençai à assister à sa messe au petit matin, mais cette fois, j'y venais pour prier et retrouver l'énergie qui chasse les obsessions.

L'été arriva et les vacances avec la famille se transformèrent en protection à laquelle je m'abandonnais avec joie. Les longues semaines à la campagne oxygénaient un cerveau qui semblait à nouveau fonctionner sur sa propre énergie. Je me sentais mieux et je me disais qu'après tout, la paix était peut-être revenue. J'étais presque joyeux et avec toute cette excitation qui précède les départs, je me sentais revivre.

Chapitre 17

Quinze personnes avaient confirmé leur présence et deux autres allaient s'ajouter sous
peu. Tout était prêt pour le voyage-retraite et dans
quelques jours, ce serait la rencontre avec les passagers avant le grand départ. J'avais préparé une
liste des choses à ne pas oublier et des précautions
à prendre: des chaussures de marche, des vêtements légers, les médicaments habituels, un bon
chandail pour les soirées... Le père Lacasse avait
fait une provision de petits livres de saint Ignace
et nous avions plusieurs caisses de médicaments
et d'objets divers pour les religieuses québécoises
qui travaillaient à l'hôpital de Miniêh.

Les futurs retraitants furent accueillis à la
Maison des jésuites avec du café à peine coloré et
quelques biscuits secs, lançant le signal que la
retraite venait de commencer. Le père Lacasse
serra la main de chaque personne et prit la parole:

— Dieu qui voyez vos enfants qui s'apprêtent
à vous rendre visite, chez vous, sur la terre où
vous êtes né et où vous avez souffert, nous vous
remercions... et il continua ainsi jusqu'à ce qu'il
finisse par se rendre compte que nous avions suffisamment prié.

Je donnai les dernières instructions et une fois ces formalités accomplies, je m'installai pour recueillir les derniers paiements pendant que le père Lacasse discutait avec les voyageurs. L'ambiance était à la joie du départ et la perspective d'une réelle expérience spirituelle animait déjà les rapports entre les passagers. Tout était prêt et la soirée se termina avec la prière, comme elle avait commencé.

La rencontre s'était bien déroulée et je me sentais soulagé. Je repris le chemin de la maison et en refermant la portière de la voiture, ma cigarette m'échappa des mains et se retrouva coincée à l'endroit où le dossier et le siège se rencontrent. À la hâte, j'essayai de la rattraper avant qu'elle ne brûle le tissu. D'un mouvement brusque de la main, je parvins à la décoincer, mais en même temps, un petit sachet transparent sortit de je ne sais où, et se retrouva sur le tapis avec la cigarette encore allumée, les factures, les chèques et l'argent que les passagers m'avaient remis durant la réunion. Mes yeux se sont écarquillés. Ce n'était pas seulement un banal petit sac transparent, mais un sachet ayant déjà contenu de la cocaïne.

Lorsque je consommais dans la voiture, j'avais l'habitude de cacher ma cocaïne à cet endroit et j'y avais probablement oublié un sachet vide. Je ne pus m'empêcher de l'ouvrir! Tout au fond, dans les replis, des traces de poudre blanche étaient encore visibles. J'étais hypnotisé. D'un geste familier, je recueillis la mince couche de poudre et je léchai mon doigt sans même me rendre compte de ce que je faisais.

Il n'y en avait pas suffisamment pour produire un effet, mais ce geste provoqua une décharge électrique qui remonta le long de ma colonne vertébrale et un frisson fit trembler tout mon corps. Sur le plancher au milieu des chèques et de l'argent, la cigarette brûlait encore. Effrayé, je jetai le sachet par la fenêtre et je saisis la cigarette qui avait déjà fait une marque brune au milieu des papiers éparpillés dans la voiture. Lentement, je retrouvai mes esprits et pris une profonde respiration avant de remettre la voiture en marche.

Je repris le chemin de la maison et en remontant la Grande-Allée, je passai tout près de la rue où habitait Légaré, celui chez qui Catherine avait envoyé les représentants de l'État.

« Je ne l'ai pas vu depuis longtemps, me dis-je. Je devrais peut-être faire la paix avec lui. »

Je tournai à droite et je m'engageai dans sa rue. Je m'arrêtai devant la maison. Une faible lumière filtrait à travers les vénitiennes mal fermées. Je coupai le moteur et comme dans un rêve, je remontai le trottoir. Mon bras s'étira et mes doigts touchèrent la sonnerie.

L'entrée s'illumina et une jolie rousse ouvrit la porte. C'était Sylvie, la blonde de Légaré. Je l'avais croisée à quelques reprises, mais je ne la connaissais pas intimement.

— Est-ce que Christian est là, fit la voix qui parlait par ma bouche ?

— Non, mais entre quelques minutes, répondit-elle, souriante.

— Non, je reviendrai. Au fait, est-ce qu'il a quelque chose d'intéressant à proposer ces jours-ci ?

— Peut-être, mais il faudra que tu le rappelles.

J'étais déjà dans la maison. Elle m'invite à m'asseoir.

— Tu veux une tisane? continua-t-elle, d'une voix savoureuse.

J'étais surpris. Je m'attendais à un accueil plus glacial.

— D'accord, mais je repars tout de suite après, répondis-je sans conviction.

— Christian vient tout juste d'arriver de Bolivie. Je ne sais pas s'il voudra encore te vendre. Il n'a pas digéré la visite de la GRC. Il a rapporté de la cocaïne comme on n'en voit pas souvent au Québec, mais il s'est produit un petit problème et il a de la difficulté à la revendre.

— Qu'est-il arrivé?

— Le condom qu'avait avalé celui qui la transportait n'était pas étanche et elle a une odeur désagréable. Attends-moi une minute, je vais te montrer.

Elle se lève et revient avec un sachet qu'elle ouvre et me met sous le nez. Une forte odeur montait du sachet pourtant tout petit. J'avais l'impression d'avoir mis la tête dans le bol de la toilette. Je l'examinai à nouveau. Elle n'avait pas seulement l'odeur, elle avait aussi une coloration brunâtre qui laissait peu de doutes quant à l'endroit où elle avait séjourné.

— Elle est tellement extraordinaire que ça ne me dérange plus, fit-elle en déversant une petite quantité sur la table.

Elle renifle le petit tas de poudre et sans plus de manière elle ajoute:

— Tu veux essayer ?

— Je ne sais pas, fis-je. Je n'en ai pas pris depuis plusieurs semaines et je pars pour l'Égypte dans quelques jours.

— À ton goût, dit-elle en refermant le sachet.

C'était comme si la lumière se retirait de la maison et je tendis la main pour lui faire signe que je voulais bien l'essayer. Elle refit le même manège et avec une seconde d'hésitation, je reniflai la poudre à mon tour. Je ne ressentis rien sur le moment, juste une sorte de paix tranquille qui s'installait. Je me collai au fond du fauteuil sans dire un mot et je fermai les yeux, essayant de savourer ce moment magique et tragique à la fois.

Je sentis comme une brise sur mon visage que j'attribuai à l'effet de la cocaïne, jusqu'à ce que je me rende compte qu'il y avait une bouche derrière la brise. Des lèvres se posèrent sur les miennes. Malgré la douceur du moment, j'étais incapable de répondre à ses avances et je la repoussai douce-ment. À moitié parce qu'elle était la blonde de Légaré et l'autre parce que la cocaïne me montait à la tête au lieu de me descendre entre les deux jambes. Le déroulement des pensées occupait toute la place. J'ouvris les yeux. Elle me regardait avec des yeux brillants. Elle me dit :

— Je t'ai toujours trouvé à mon goût. Christian me tuerait s'il savait ça, continua-t-elle en passant doucement ses doigts élancés à l'endroit où la tête et le cœur devraient se rencontrer.

Je pris sa main dans la mienne et ne pus m'em-pêcher de la serrer quelques secondes de plus sur mon sexe avant de lui dire d'une voix qui se voulait ferme :

— Excuse-moi, je dois partir. Vends-moi quelques grammes. Tu n'as pas besoin de dire à Christian que c'est à moi que tu les as vendus.

L'effet m'avait maintenant atteint et rien d'autre ne m'intéressait à part le sachet qu'elle tenait encore dans les mains.

— D'accord, me dit-elle, mais si tu le rencontres, tu me promets de ne rien dire.

— D'accord, répondis-je.

J'aurais juré n'importe quoi et même si elle avait voulu me violer avant de me remettre le sac, j'aurais consenti sans hésitation.

— Combien en veux-tu ? Je pourrais peut-être te vendre un quart d'once. Mille dollars, ça te va ?

— D'accord, répétais-je, mais tout de suite, je dois partir. Je vais chercher l'argent.

Je retournai à la voiture, ouvris l'enveloppe brune du voyage et j'empruntai mille dollars dans l'argent que les passagers pour l'Égypte m'avaient remis. Je retournai dans la maison et l'argent des retraitants remplaça le sachet dans les douces mains de Sylvie.

Je sortis précipitamment, soulagé et sonné à la fois, comme si j'avais reçu un coup violent. C'est vrai qu'elle était incroyable, cette cocaïne. Ma tête était comme un tourbillon où les visages du père Lacasse, des passagers et de Catherine se mélangeaient en tournoyant. Leurs yeux me regardaient avec douceur et incrédulité, mais je n'en étais pas déstabilisé. Je les contemplais comme si je regardais une scène à l'extérieur de moi. Quelque part, dans un repli de ma conscience, la vérité était étalée, comme à la une d'un journal, mais moi, j'étais devenu un lecteur parmi d'autres.

Sans répugnance, je me remis le nez dans le sac à merde. Il n'y avait pas d'autre chose à faire pour le moment. Je ne pouvais plus rentrer chez moi. Dans les prochaines minutes, Catherine décoderait la signification de mon absence.

Il fallait que je prenne une chambre à l'hôtel. Je ne pouvais traîner dans la voiture toute la nuit. C'était trop risqué avec un quart d'once de cocaïne et le drôle de regard que j'avais. Je savais aussi qu'il fallait que je le fasse dès maintenant, sinon je n'oserais plus me présenter à la réception d'un hôtel de peur que quelqu'un me trouve bizarre et appelle la police.

Il était temps. Je réussis à garder la face et à remplir la fiche. Je me rendis à la chambre d'un pas qui faisait de grands efforts pour ne pas s'emballer. Je m'enfermai précipitamment et tournai les loquets à triples tours. Je m'étendis sur le lit quelques instants, mais j'étais incapable de rester couché sans avoir l'impression de sombrer dans un puits sans fond. La chambre n'était plus qu'une boîte située nulle part. Je devais me lever et ouvrir les rideaux pour retrouver le contact avec le réel.

Je pensai à la voiture. Je l'avais stationnée à l'arrière de l'hôtel. Si Catherine appelait la police et s'ils la retrouvaient ici, ils pourraient entrer directement dans ma chambre. Je serais prisonnier, le quart d'once à la main, prêt à être cueilli. Je remis mon manteau et je ressortis par une porte donnant sur le stationnement pour ne pas passer devant la réception. Je me rendis jusqu'à la voiture. Je la démarrai et la stationnai plusieurs rues plus loin pour que la police ne puisse faire la relation entre l'hôtel et la voiture. Il faisait déjà froid et je grelottais. Je repris la porte par où j'étais passé. Elle s'était refermée et ne pouvait être ouverte de l'extérieur. Je ne pouvais plus entrer. Je devais repasser par la réception. Il fallait avoir l'air *cool* et trouver une bonne raison pour entrer alors que je n'étais jamais sorti. Je fis tout le tour de l'hôtel et repassai devant la réception en disant :

— Je suis sorti chercher quelque chose dans la voiture et la porte s'est refermée, annonçai-je, en me serrant moi-même dans mes bras pour me réchauffer.

À mon grand soulagement, le commis ne semblait manifester aucun intérêt pour mes explications. Je retournai à la chambre et je reniflai à nouveau, directement dans le sac. Le temps des cérémonies était passé.

Les pensées ne pouvaient plus s'arrêter de me questionner :

« J'ai dit à la réception que j'avais été chercher quelque chose à l'auto, mais je n'avais rien dans les mains. Ils vont peut-être se méfier. C'est vrai qu'il est possible que je sois allé chercher quelque chose de petit, un paquet de cigarettes par exemple. J'aurais pu l'avoir mis dans mes poches avant de passer devant la réception. »

Je me suis assis sur le lit la tête entre les mains :

« Si les policiers suivent Légaré, ils m'ont peut-être vu. Ils m'ont peut-être suivi. S'ils entrent ici et trouvent la cocaïne, je suis mûr pour deux ans de tôle. Il faut que je cache le sac. »

Je mis une bonne quantité de cocaïne sur un papier que je repliai et que je cachai sur la plus haute tablette de l'armoire. J'ouvris doucement la porte de la chambre et je ressortis par la porte de service en la bloquant, cette fois-ci, pour ne pas qu'elle se referme. Je me mis à explorer les rues avoisinantes à la recherche d'une cachette sûre. Je finis par trouver un vieux sac en papier brun dans lequel je mis le sachet de cocaïne avant de poursuivre ma promenade. Je scrutai le paysage comme un oiseau qui cherche un nid pour ses petits, jusqu'à ce que je trouve, non loin de l'hôtel, une haie de cèdres dans laquelle je décidai de cacher le sac en papier. Je l'enfouis dans les branches puis je m'éloignai, en essayant de me comporter comme un promeneur, tout en jetant des regards furtifs de temps en temps pour m'assurer qu'il n'était pas trop facilement visible. Satisfait, je repris le chemin de l'hôtel et de ma chambre.

En m'assoyant sur le lit, le dialogue avec moi-même reprit de plus belle :

« S'il fallait que quelqu'un t'ait vu fouiner dans la haie. Peut-être qu'une personne du voisinage regardait par la fenêtre à ce moment-là ? Il se pourrait aussi qu'un autre promeneur voie le sac brun et se dise : « Il y a peut-être quelque chose dans ce sac ? Quelqu'un pourrait m'avoir vu sortir et revenir par la porte de secours. Je dois trouver autre chose. C'est trop risqué. »

Je repris le chemin de la porte de service, je revisitai la haie en rejouant le promeneur et je revins à la chambre. Le sac me brûlait les mains. J'eus une bonne idée! Je défis la plaque de la prise de courant avec une pièce de monnaie et je parvins à dévisser la boîte contenant les fils. Je cachai le sachet derrière le mur et je revissai la boîte à sa place et la plaque par dessus. Satisfait, je retombai sur le lit, épuisé.

La pensée de Catherine me traversa l'esprit, vite remplacée par la paranoïa qui me forçait à me relever.

«Maintenant que j'y repense, les policiers doivent connaître ce genre de cachette. Je ne suis pas policier et j'y ai pensé.»

Maudit que j'étais stupide! Il fallait trouver autre chose.

Dévisse la plaque, dévisse la boîte, sort la *coke* et revisse. Le sachet se retrouve sur le lit et me regarde avec défi. J'examine la chambre encore une fois. Peut-être que quelque chose m'a échappé. Rien, pas une cachette valable. J'ouvre la porte, j'examine le corridor. Au moins dans le corridor, personne ne pourra prouver que c'est à moi.

J'aperçois un extincteur accroché au mur tout près de ma chambre. Je me souviens que mon père vidait l'extincteur chaque année et en remplaçait le contenu. Je l'avais vu faire à plusieurs reprises. J'attrape l'extincteur. Je ne croyais pas que c'était si lourd. Je l'amène dans la chambre. Si je réussis à le vider, je pourrai y mettre la *coke* et le raccrocher dans le corridor. Ça sera parfait.

Même si on y trouve de la cocaïne, on ne pourra jamais prouver qu'elle est à moi.

Je m'installe au-dessus du bain et je le tourne à l'envers pour qu'il puisse se vider. Je sursaute. La pression de l'eau et le jet font un tel bruit en frappant les parois de la baignoire et j'en suis effrayé. Je remets l'extincteur debout et je place une couverture sous la porte qui donne sur le corridor et une autre sous la porte de la salle de bains pour assourdir le bruit. Je recommence à vider l'extincteur. Il me semble qu'il n'en finit plus de se vider.

Enfin, j'y parviens. Le couvercle se dévisse facilement. Je regarde à l'intérieur, c'est encore mouillé. Je l'assèche le mieux possible avec la serviette de l'hôtel. J'essuie soigneusement le sachet pour enlever toutes traces d'empreintes et je l'enveloppe dans du papier journal pour le protéger de l'humidité avant de revisser le couvercle.

Du beau travail !

Maudit, je n'avais pas pensé à l'indicateur de pression. Il marque *empty* maintenant. Si le garde de sécurité s'en rend compte durant sa tournée, il va peut-être le signaler à la réception. Je réussis à enlever la plaque protectrice et en faisant très attention pour ne pas la casser, je tords la petite aiguille jusqu'à ce qu'elle indique *full* à nouveau. Je suis soulagé d'avoir trouvé la solution et je m'apprête à soulever l'extincteur pour le replacer sur le crochet dans le corridor.

On frappe à la porte ! Mon cœur fait un drôle de bruit puis il s'arrête en même temps que ma respiration. Je suis pétrifié.

On frappe à nouveau, plus fort cette fois. Je parviens à me lever.

J'abandonne. Arrêtez-moi! J'en ai assez de toute façon. J'étouffe! J'ouvre la porte et un garde en uniforme se tient dans l'embrasure. L'extincteur repose, accusateur, juste à côté du lit. J'ai presque tendu les mains pour qu'il me passe les menottes. Mais à la place, il me dit doucement:

— Pourquoi avez-vous pris l'extincteur? Il doit rester accroché dans le corridor pour la sécurité de l'hôtel.

Je ne savais pas que je possédais de telles ressources. Je m'entendis répondre:

— Quand j'étais jeune, le feu s'est déclaré pendant la nuit. Je dormais à l'étage et j'ai dû sauter par la fenêtre. Les flammes avaient déjà atteint ma chambre. J'ai eu la jambe fracturée et plusieurs blessures. Depuis ce temps, j'ai des accès de panique incontrôlable quand je ne dors pas au rez-de-chaussée. Je ne parviens pas à dormir sans avoir un extincteur à portée de la main. Je m'excuse. J'aurais dû prévenir la réception.

— OK pour cette nuit, me répond-il en souriant. Maintenant je sais où il est. Bonne nuit!

Quel désastre, je n'étais pas plus avancé maintenant que j'avais l'extincteur dans ma chambre. Je dévissai à nouveau le bouchon et je retirai le sachet avant de remplir l'extincteur sous le robinet de la baignoire. Je remis le couvercle en place et je plaçai l'extincteur près de la porte avant de me rasseoir sur le lit à bout de souffle. Mon cœur s'était remis à battre à tout rompre, moitié à cause de la cocaïne, moitié à cause de la tension incessante des dernières heures.

Le problème n'était pas résolu. Le sachet était encore sur le lit. Le rideau était entrouvert et je me rendis compte que le toit de la partie la plus basse de l'hôtel arrivait juste sous ma fenêtre. Voilà un endroit sûr. La partie de cache-cache reprit de plus belle. J'ouvris la fenêtre, j'enlevai la moustiquaire et je m'engageai sur le toit de l'hôtel. Je me rendis jusqu'à un appareil de climatisation qui faisait un bruit terrifiant et je finis par enterrer le sachet tout près de l'appareil avec le gravier qui recouvrait le toit. Je repris le même chemin et je refermai la fenêtre en examinant soigneusement le toit afin de m'assurer qu'on ne pouvait apercevoir le petit monticule compromettant en regardant par la fenêtre.

Il devait être deux ou trois heures du matin et je ne savais plus que faire. Cette chambre était devenue un enfer et les voix continuaient de me murmurer:

«Quelqu'un aurait pu te voir sur le toit, par hasard, en regardant par la fenêtre d'une autre chambre. Il pourrait avoir prévenu la réception...»

La litanie s'allongeait, sans fin dans mon cerveau perturbé. J'ai donc ouvert à nouveau la fenêtre. Je me suis avancé sur le toit. J'ai ramassé prestement le sachet. J'ai ramassé mes affaires soigneusement. J'ai accroché l'extincteur et j'ai filé par la porte de service jusqu'à la voiture. Quelques minutes plus tard, j'étais à la réception d'un autre hôtel, dans un autre secteur de la ville. J'avais laissé la voiture à quelques rues de là et j'avais réussi à me contenir suffisamment pour pouvoir remplir les formalités d'usage et prendre ma clé.

En montant à la chambre, j'ai rencontré une machine à glace qui me dévisageait avec des yeux qui disaient: «Tu ne peux pas trouver mieux comme cachette.»

Je me suis penché et j'ai caché la cocaïne sous l'appareil après m'être assuré qu'il n'y avait personne et qu'il n'était pas possible de l'apercevoir en marchant dans le corridor. J'ai mis quelques pièces dans la machine et je suis rentré dans ma chambre avec un seau de glace, bien décidé à ne plus en sortir.

Après la folie des dernières heures, je ressentais un calme relatif. Mon cœur et ma respiration recommençaient à fonctionner à peu près normalement. J'avais l'impression d'émerger de l'enfer. Sans attendre, j'inhalai une partie de la cocaïne que j'avais conservée avant de m'étendre sur le lit. Je ne me rendais même plus compte de l'odeur qu'elle dégageait.

Il fallait que je fasse le point. Quelque part dans ma tête, il y avait une catastrophe dont je repoussais l'idée depuis plusieurs heures. Maintenant, je devais regarder. La dernière ligne m'avait redonné du courage, mais je savais que je ne réfléchissais pas normalement. Sur le bureau, à côté de la poudre, se profilait le spectre de l'enveloppe contenant les restes de l'argent des passagers et les autres documents du voyage.

Il avait suffi que mon regard s'y pose pour que la réalité revienne m'attaquer en force. Depuis le début, je voyais ce voyage comme un sous-produit de la cocaïne qui sentait le malheur à plein nez. J'avais entraîné le père Lacasse dans cette aventure pour me faire valoir à ses yeux. Il n'avait pas besoin de mes grands projets ni de vivre la Passion du Christ au Jardin des Oliviers. Il le faisait depuis des années dans le silence des monastères. J'avais le goût de l'éclat, des grands projets tapageurs. Je ne pouvais me résoudre à vivre la tranquille quiétude que Dieu accorde à ceux qui se retirent avec lui dans le silence et le dépouillement.

Il fallait aussi l'avouer, je ne voulais pas voir que je n'avais plus la capacité de prendre la responsabilité d'un groupe et de résoudre les problèmes qui se posent à chaque instant au cours d'un voyage. Je n'avais même pas pu réussir mon propre voyage en Égypte alors que j'étais seul. Je n'aurais jamais pu m'avouer tout ça sans avoir pris de la cocaïne.

J'avais peur! Ce mot n'avait jamais existé pour moi ou je n'avais jamais voulu le prononcer.

Ma décision était prise. Il n'y aurait pas de voyage. J'allais prendre l'argent du voyage et sauter dans le premier avion pour l'Amérique du Sud. J'avais assez de cocaïne pour le voyage. J'envisageais froidement l'idée d'y mourir. Je n'allais pas m'en sortir cette fois. Je sortis du papier à lettres du tiroir et je me mis à écrire:

« *Père Lacasse,*

Je ne sais pas comment vous dire tout ça, mais je ne peux pas faire ce voyage. J'ai repris de la cocaïne après notre réunion d'hier et je ne me sens plus capable de continuer.

J'espère que vous pourrez me pardonner ce que j'ai fait et ce que j'ai pu vous faire vivre

ces derniers temps. Il faut annuler ce voyage.
C'est mieux ainsi. J'ai remis tous les chèques
et les factures à l'agence de voyages. Il en
manque un peu, mais je réglerai ça avec vous.
Il faudra aussi avertir les passagers. Je regrette
de vous laisser tomber de cette façon.

Émile »

Il était six heures du matin au cadran de la
chambre. Je mis la lettre dans une enveloppe qui
se trouvait dans un des tiroirs de la table de nuit
et après l'avoir cachetée soigneusement, j'inscrivis : « À remettre au père Lacasse »

Je pris ensuite l'enveloppe brune. Je retirai
l'argent qui s'y trouvait encore et laissai les
chèques et les autres documents du voyage. Je
l'adressai à l'agence avec le nom de son représentant après avoir ajouté une petite note :

« *Marco,*

Voilà les factures ainsi que les chèques du
voyage. Il n'y aura pas de voyage, le père
Lacasse t'en reparlera.

Émile »

Une fois cette deuxième enveloppe complé-
tée, je repris du papier et j'écrivis en tremblant :

« *Catherine,*

J'ai repris de la cocaïne et j'ai décidé de ne
pas faire le voyage en Égypte. Je suis à l'hôtel

et je suis incapable de rentrer à la maison pour le moment. J'ai averti le père Lacasse et l'agence de voyages.
      Ne t'inquiète pas pour moi!

                                    Émile »

Je ramassai l'enveloppe brune et les deux autres lettres et sortis de l'hôtel. Je me rendis jusqu'à la voiture et je démarrai. Je n'étais pas certain d'être encore capable de conduire. La voiture était comme une bulle où j'étais enfermé. Ce n'est qu'au prix des plus grands efforts que je parvenais à demeurer conscient que j'étais au volant d'une voiture et qu'une voiture était une chose qui se déplace, selon des règles bien précises. J'avais l'impression qu'une partie de moi conduisait presque inconsciemment, par réflexe. Il était sept heures du matin.

L'agence était située dans un centre commercial à quelques kilomètres de l'hôtel. Je me stationnai à proximité et heureusement, même si la plupart des magasins étaient encore fermés, les portes du centre étaient ouvertes. Je longeai le corridor jusqu'à ce que les bureaux de l'agence soient en vue. Ils étaient complètement vitrés et il était facile de m'assurer qu'il n'y avait personne à l'intérieur avant de m'approcher. Sous la porte également vitrée, il y avait un espace assez large pour glisser le courrier. J'y déposai l'enveloppe et soulagé, je retournai à la voiture. Une partie de l'argent du voyage serait en sécurité et les documents que j'avais laissés permettraient de rejoindre les passagers.

Je me rendis sur la rue Dauphine et j'introduisis l'enveloppe à l'intention du père Lacasse dans l'ouverture qui avait été pratiquée dans la porte pour recevoir le courrier. Je redémarrai immédiatement en direction de la maison. Je me stationnai à proximité comme d'habitude. J'avais la mort dans l'âme. J'aurais voulu courir et serrer Catherine et les enfants dans mes bras, les embrasser et leur dire combien je les aimais. Mais je savais qu'ils ne voulaient ni de mes bras ni de mon amour et que les paroles ne suffisaient plus depuis longtemps.

Un homme marchait sur la rue. Il promenait paisiblement son chien. Un saint-bernard qui marchait à ses côtés au rythme de la vie qui s'éveillait. Ils s'arrêtèrent devant la maison et le chien sautillait autour des arbres comme pour jouer un peu avant de revenir se coller contre l'homme qui lui passait affectueusement la main sur la tête et la nuque pour lui montrer combien il était heureux de sa compagnie. Il y avait longtemps que quelqu'un ne m'avait pas caressé la nuque et ne s'était pas collé contre moi, affectueusement, pour me laisser sentir comme on est bien à deux. Soudainement, je me rendis compte que j'aurais voulu être à la place du chien.

Quelle terrible solitude dans ce vide que j'avais créé autour de moi. Qu'est-ce que j'aurais donné pour un peu d'amour ? Juste un brin, juste une goutte qui tombe du cœur et redonne le goût de vivre, quelques heures encore.

Je n'ai pas osé laisser l'enveloppe. J'avais trop peur. Je n'aurais pas pu supporter que quelqu'un me voie dans cet état. J'avais honte, tellement honte que j'aurais accepté qu'on m'attache à l'escalier, même pour plusieurs jours, si on m'avait promis de me reprendre.

Je redémarrai. Ma maison m'était interdite. Je rentrai à l'hôtel et je me couchai sur le lit étourdi, absent, inexistant. J'étais dans un état d'anéantissement tel, que même si j'avais voulu partir pour l'Amérique du Sud, j'aurais été incapable de me rendre à l'aéroport.

Je m'étendis sur le lit et je priai Dieu en m'excusant de le prier seulement quand il n'y avait plus rien à faire. Il n'y avait plus personne, mais lui, il était encore là, au bout de la route des désespérés. Je lui demandai de protéger Catherine, les enfants et le père Lacasse et de me donner un peu d'amour afin que je puisse m'en envelopper et m'endormir.

Je me cachai sous les couvertures, comme un bébé qui veut retourner chez sa mère et je m'endormis comme si je n'allais plus revenir.

Chapitre 18

À mon réveil, on aurait dit qu'un camion m'avait renversé. Il était deux heures de l'après-midi et j'avais à peine dormi quelques heures. J'avais annulé le voyage et j'avais dépensé mille dollars de l'argent des passagers. Je devais rentrer chez moi et faire face à Catherine d'abord et au père Lacasse ensuite. Dans l'état de fatigue et de détresse où j'étais, il fallait que je me débarrasse de la cocaïne au plus vite.

Je parvins à rejoindre Fournier. Après lui avoir donné l'adresse de l'hôtel où je me trouvais, je raccrochai sans ajouter que la cocaïne que je voulais lui vendre sentait la merde à plein nez et que celui qui l'avait transportée y avait déversé ses intestins. Dieu seul savait quelles sortes de bactéries s'y trouvaient encore. Je ne lui dis pas non plus qu'après quelques lignes, tu te mettais à *paranoïer* pendant plusieurs heures et qu'au lieu d'en savourer les effets, tu te mettais à explorer la planète à la recherche d'une cachette sûre qui n'existait pas.

Fournier arriva dans les temps prévus et après avoir fait quelques commentaires sur la couleur de mon teint, il sortit son *kit de pusher* : une balance, une petite bouteille d'eau de javel et une paille en argent. Je n'avais qu'une préoccupation, qu'il achète et qu'il parte. Je commençais à avoir honte, même devant lui. Je savais que s'il l'essayait, il l'achèterait malgré l'odeur. Il était comme moi. Lorsqu'il commençait, il ne pouvait plus s'arrêter. Une belle ligne l'attendait sur le bureau et je lui fis signe d'essayer.

Il prit sa petite paille en argent et se pencha au-dessus du bureau :

— Émile, *tabarnacle*, qu'est-ce que c'est que cette cochonnerie là. Quelqu'un a chié dans le sac, *sacrement*. Tu ne vas pas me faire sniffer ça ?

— Essaie, lui dis-je. On n'en trouve plus du *stock* de cette qualité là. Je suis à peu près certain que tu as mis le nez dans des endroits pires que ça.

Fournier s'exécuta en fermant les yeux comme s'il pouvait ainsi atténuer l'odeur qui se dégageait de la poudre brunâtre. Après avoir inhalé le tout, comme s'il n'en avait pas assez, il essuya ce qui restait avec son doigt et s'en frotta les gencives d'un geste caractéristique. Il s'assit dans le fauteuil, les yeux fermés et se laissa aller à l'attente parfois délicieuse, juste avant que le cerveau commence à brasser du neurone et à claquer des synapses. Après de longues minutes, il finit par ouvrir les yeux.

— Pas mal, fit-il. J'ai bien envie de me torcher avec ton argent avant de te payer, ajouta-t-il, avec son raffinement habituel.

Quand Fournier disait *pas mal*, on pouvait être certain qu'il achèterait. Il mit l'argent sur le coin du bureau et empocha le sachet de cocaïne.

J'étais soulagé et endeuillé à la fois. Je devais rentrer à la maison et répéter les mêmes phrases plates à Catherine pour la énième fois.

Il y avait aussi le père Lacasse qui devait être mort d'inquiétude et de déception. Il y avait les passagers qui avaient perdu leur voyage longuement planifié. Il me faudrait rembourser l'agence de voyage et Swiss Air qui avait payé mon billet pour l'Égypte. J'avais abandonné le navire encore une fois et j'avais laissé Catherine et le père Lacasse avec le naufrage. L'heure de rentrer avait sonné. Je repris la voiture où je l'avais laissée et quelques minutes plus tard, j'étais à la maison.

Catherine était assise au salon. Ses yeux lançaient des éclairs quand elle me vit arriver. Les disques et toutes sortes d'objets étaient éparpillés sur le plancher.

— C'est maintenant que tu arrives, me dit-elle avec des yeux qui en disaient encore plus long que ses paroles.

— Oui, je n'ai pas pu faire autrement.

— Ça fait longtemps que tu ne peux pas faire autrement, rétorqua-t-elle sur le même ton.

— Qu'est-ce qui se passe? Qu'est-ce que tu fais avec mes disques?

— Je les ai vendus. J'ai vendu tout ce que j'ai pu. J'avais besoin d'argent. Tu ne m'as rien laissé et je ne savais même pas si tu allais revenir.

Elle n'avait jamais aimé la musique que j'écoutais. Elle savait qu'elle attaquait quelque chose de précieux en vendant mes disques. Elle m'attaquait directement et je n'avais d'autre choix que de me taire. Mes disques ne m'appartenaient plus. Je n'étais plus un citoyen. On pouvait disposer de mes biens. J'avais violé la vie des autres. On avait gagné le droit de violer la mienne. Je n'avais plus d'arguments pour me défendre. Je ne pouvais que contempler l'image infiniment triste des dernières parcelles de ma valeur personnelle éparpillées sur le plancher avec les quelques disques qui n'avaient pas été vendus.

— J'ai annulé le voyage en Égypte, parvins-je à dire pour soulager la tension qui habitait la même maison que nous.

— Je sais, répondit-elle sèchement, le père Lacasse est venu ce matin. Qu'est-ce qu'on fait maintenant ?

— Qu'est-ce qu'il a dit ? demandai-je, avec l'espoir qu'il n'était pas trop ébranlé par mes agissements et pour éviter de répondre à une question qui n'avait pas de réponse.

— Qu'est que tu veux qu'il dise ? Il a appelé les passagers et leur a expliqué qu'il n'y aurait pas de voyage. Il est venu avec quelqu'un de la Croix-Rouge pour récupérer les caisses que tu devais apporter en Égypte.

Sa réponse ne soulagea pas ma conscience. Elle me remettait devant les yeux l'image des sœurs de l'hôpital délabré de Minîeh, à qui j'avais promis roulettes et médicaments. Une des religieuses m'avait montré le seul lit qu'elles avaient pour déplacer les malades dans l'hôpital.

— Écoutez, m'avait-elle dit, en poussant le lit qui produisit un chahut d'enfer en labourant le plancher, on nous a volé les roulettes et à longueur de journée, nous devons nous éreinter à pousser nos malades dans ce bruit infernal. Trouvez-moi des roulettes et je vous en serai éternellement reconnaissante.

— Pas de problème, ma sœur, avais-je répondu en me penchant pour regarder le type de roulettes que je devrais rapporter. Je vous apporterai ce qu'il faut.

Il y avait aussi ce moine que j'avais rencontré dans la montagne et qui était affligé d'un mal de dos qui le rendait presque invalide. Il avait demandé aux jeunes Égyptiens qui m'accompagnaient de traduire sa demande:

— Au Canada, vous avez des médicaments pour soulager ces douleurs, pourriez-vous m'apporter quelque chose lorsque vous reviendrez me dire bonjour?

— Pas de problème, avais-je répondu. Je vous apporterai ce qu'il faut.

Ces petits cadeaux ne se rendirent jamais en Égypte et mes vaines promesses vinrent alourdir une conscience que le père Lacasse s'efforçait de soulager depuis plusieurs années. J'avais fait le grand ménage pendant la dernière retraite, mais depuis quelques semaines, j'avais mis beaucoup d'efforts pour me reconstruire une belle confession. Parfois je me réconfortais en pensant que j'avais peut-être évité une catastrophe encore plus grande en annulant ce voyage. Je ne le saurai jamais.

La tension diminuait graduellement, mais je ressentais mon abandon du voyage comme une trahison envers le père Lacasse et je repoussais sans cesse ce face à face auquel je ne pouvais plus

me soustraire. Il y avait aussi cette insécurité constante que mes comportements faisaient peser sur
Catherine et sur la famille. Elle continuait de vivre
en sourdine comme une marée toujours prête à
nous envahir. Elle minait nos relations qui avaient
désespérément besoin d'un apaisement qui ne
venait pas. Parfois Catherine se mettait à pleurer et
je ressentais sa peine, profonde et encore plus
insoutenable maintenant qu'elle me refusait le
droit de la consoler. Elle en était venue à avoir
honte de m'aimer encore et s'en voulait d'avoir
besoin d'amour au point d'accepter le mien.

Chapitre 19

Depuis quelque temps, le sujet revenait de plus en plus fréquemment et avec davantage d'insistance. Pour Catherine il n'y avait plus d'autres solutions que le transfert pur et simple de toutes mes actions du restaurant en sa faveur. D'un jour à l'autre, j'étais incapable de prévoir mes agissements. Sans avertissement, je pouvais emprunter des milliers de dollars que je dépensais en cocaïne, en voyages pour m'en procurer ou en chambres d'hôtels pour me cacher. Je pouvais partir avec la caisse, pour Montréal ou pour la Colombie, selon les extrêmes où me poussaient mon obsession pour la cocaïne. Une fois que j'avais inhalé une première ligne, je pouvais vendre mon âme ou celle des autres avec la même facilité.

Nous étions tous persuadés, sans oser le dire, que de nouvelles tempêtes se pointaient déjà à l'horizon. Est-ce qu'elles m'entraîneraient pour une nuit blanche au quartier latin ou pour l'éternité ? Personne n'aurait pu le prédire. Les derniers épisodes avaient fait grimper la température de ma culpabilité à des niveaux inégalés. Je vivais avec la constante impression que le monde irait beaucoup mieux sans moi. Catherine ne dormait plus que d'un œil, tentant de prévoir le prochain épisode à temps pour courir s'abriter.

Rationnellement, je comprenais la justesse de ses propos, mais je ne pouvais me résoudre à céder ainsi ce que j'étais parvenu à construire à force de travail et d'acharnement. Ma valeur personnelle était attachée à la propriété de ce restaurant. Trois choses me retenaient encore à la vie : le restaurant, Catherine et les enfants. Le restaurant encore plus que la famille, puisque je m'identifiais davantage à mes succès en affaires, laissant à Catherine les royaumes incontestés de la famille et de l'amour.

La digue encore fragile qui avait été construite par les exercices de saint Ignace s'était effondrée sous les assauts répétés de la cocaïne. Les vieilles pensées avaient repris leur place comme un malheur familier. Je me couchais le soir en cherchant comment je pourrais me faufiler à travers les mailles de plus en plus serrées du filet qui s'était construit autour de moi. Même si les barreaux n'étaient pas toujours visibles, les regards furtifs, les *comment ça va ?* pleins de sous-entendus, les tours de garde qui ne me permettaient jamais d'être seul, tout cela me donnait l'impression d'être sous haute surveillance.

Sans que j'en sois bien conscient, cette liberté conditionnelle me poussait à m'évader, à guetter le moment propice, et à préparer le prochain épisode qui arriverait sans grande surprise, presque naturellement. Je jouais le bon garçon repenti. Je payais mes dettes morales et monétaires jusqu'à ce que je puisse me dire que j'avais enfin mérité la liberté. On aurait dit que tout ce qui me restait pour ressentir encore quelque fierté me venait de ma capacité à déjouer l'incessante surveillance dont j'étais l'objet.

Tout pouvait déclencher l'avalanche. Une rencontre fortuite, un fond de sachet oublié, quelques dollars qui tombaient du ciel et j'aspirais à pleines narines cette coûteuse liberté. Au milieu de la nuit, à court de cocaïne, je courais d'un fournisseur à l'autre, cherchant celui qui pouvait encore me faire crédit, incapable de cesser d'être libre.

Parfois, n'ayant plus un sou, je m'infiltrais furtivement dans mon propre restaurant et j'empruntais dans la caisse. Je tenais tellement à mon statut d'*honnête citoyen,* que j'y laissais toujours un bout de papier sur lequel j'écrivais le montant de mon nouvel emprunt. Les petits papiers s'accumulaient et le comptable en était venu à ouvrir une nouvelle rubrique dans nos *états mensuels* des revenus et dépenses. Il l'avait baptisée *avance à un actionnaire.* En gros, ce montant correspondait au coût de la cocaïne que j'avais inhalée au cours des derniers mois.

Un jour, vers les cinq heures du matin, à court d'argent, je me rendis au restaurant afin de contracter un nouvel emprunt qui me permettrait de finir ce que j'avais commencé. À mon grand effroi, je me rendis compte que ma clé ne tournait plus dans la serrure. Je me dis qu'elle devait être défectueuse et j'essayai une autre porte : même problème ! Après quelques instants, je réalisai qu'on avait changé les serrures de mon propre restaurant à mon insu. Je dus repartir. Une tristesse infinie m'avait envahi. Je ne pouvais plus entrer à cet endroit qui était devenu plus que ma maison, plus que ma famille. J'avais perdu la clé de mon royaume.

Je ne pouvais même plus entrer chez moi. La honte et la peur de faire face à Catherine dans cet état étaient trop intenses. Je pris la porte de côté, l'entrée des pensionnaires. Elle n'était pas fermée et je pus me rendre à cette chambre clandestine du sous-sol qui était devenue mon refuge. Assis sur le coin du lit, mes yeux regardaient fixement *L'armoire aux menteries*.

Machinalement, je pris le feutre noir sur le coin du bureau. J'ouvris la porte et j'inscrivis :

« *Il y a deux semaines, j'ai vendu la croix en filigrane que j'avais offerte à Catherine. C'était une croix en or magnifique que j'avais ramenée du Sénégal. On l'appelait la Croix du Sud. Catherine ne s'en est pas encore aperçue.*

« *J'ai aussi vendu la bague en or que mes associés et moi avions fait fabriquer sur mesure pour le cinquième anniversaire du restaurant. Je l'ai donnée pour presque rien, juste pour fermer la gueule de mon pusher.*

« *Aujourd'hui, je n'ai même pas pu me voler moi-même.* »

Je refermai la porte et remis le feutre à sa place en me répétant un discours familier :

« Accroche-toi, il faut tenir. La récréation est finie. Quelques heures encore et tu auras le droit de dormir. Ce n'est pas comme si c'était la première fois. Tu sais déjà qu'une minute, c'est comme une éternité et que soixante éternités bout à bout, ça fait une éternité qui n'en finit plus. Après tu dormiras un peu. Tu dormiras du sommeil tourmenté de celui qui devra monter chez lui, juste au-dessus où vivent une femme et trois enfants. Ils dorment eux aussi, mais seulement du sommeil que tu leur as laissé. Tu vas attendre qu'ils se lèvent et plus tard, presque normalement, ils vont te voir arriver par la porte du sous-sol, comme si tu remontais avec le linge oublié dans la sécheuse ou comme si tu t'étais absenté quelques heures pour faire une réparation au sous-sol. Oui, c'est bien ça, tu as fait une réparation au sous-sol. »

« En te voyant, Catherine dirait :

— Ah! Tu es là, toi!

— Oui, je suis là. Je m'étais endormi en bas, dans la chambre qui n'est pas louée.

— Ah! oui. Tu as bien dormi. Je ne t'ai pas entendu. Tu as repris de la cocaïne.

— Oui, mais à peine! J'ai pensé à toi et je suis rentré presque tout de suite.

— Un de tes associés m'a appelée hier. Il m'a dit que tu devais dix-sept mille dollars au restaurant. Ils ont additionné tes petits papiers.

— Dix-sept mille dollars, il doit y avoir une erreur. Je vais appeler le comptable un peu plus tard. J'ai pris quelques avances, mais dix-sept mille, c'est impossible.

— Il va falloir se parler, ça ne peut plus continuer. »

Je m'endormis au milieu de ce dialogue avec moi-même que je construisais pour me sécuriser et faire passer le temps qui me séparait du sommeil.

Chapitre 20

Je me réveillai quelques heures plus tard, la peur au ventre à l'idée de remonter chez moi. Le soleil était déjà haut dans le ciel et le juste monde s'affairait à vivre une vie normale, vie que j'étais venu à détester presque autant que moi-même.

Le récidiviste montait pour recevoir sa sentence et il était attristé de voir que ses juges s'étaient désintéressés de lui au point d'oublier qu'il avait fait des choses terribles.

Ma valeur diminuait. Il y a quelques mois, toute la famille aurait été massée à la fenêtre, morte d'inquiétude à la pensée qu'il m'était peut-être arrivé quelque chose. Aujourd'hui, dans cette maison, on ne remarquait plus ma présence, ni mes absences. D'autres habitudes s'étaient créées, les portes du cœur s'étaient fermées pour ne plus souffrir. J'étais devenu invisible, peu importe que je sois là ou ailleurs. Il ne restait que le père Lacasse qui ne pouvait cesser d'écouter les fautes et de donner l'absolution. C'était son métier. Il en avait fait une carrière. Tant pis pour lui, aujourd'hui il écouterait les miennes.

— Il faut qu'on se parle, dit doucement la voix de Catherine derrière moi.

Je ne pensais pas qu'elle était à la maison et sa voix me fit sursauter. Je n'étais pas habitué à cette douceur. Elle avait cessé de se préoccuper de moi et je ne pouvais plus mesurer ma valeur personnelle à ses colères et à ses reproches.

— Tu dois te protéger et protéger les enfants. On ne peut plus continuer à vivre ainsi. Le comptable a appelé. Tu dois vingt-sept mille dollars au restaurant. Tes associés veulent que tu rembourses cette somme immédiatement.

Cette fois, j'étais au beau milieu de la réalité et je m'écriai :

— Vingt-sept mille dollars, c'est impossible. Je vais aller voir le comptable cet après-midi même. Il y a certainement une erreur.

Et sincèrement, je le croyais.

— Émile, il faut que tu me transfères tes actions. Si tu continues comme ça, bientôt tu auras tout perdu et nous aussi.

Je savais qu'elle avait raison et qu'il y avait bien peu de chances que je devienne un autre homme dans les prochaines semaines. Au fond de moi, il y avait une lumière, une croyance que je pouvais encore m'en sortir, mais je ne savais plus si elle faisait partie de mes illusions ou d'un espoir lointain qui se nourrissait à l'amour de Catherine et aux prières du père Lacasse.

— Il faut que je réfléchisse, lui dis-je la tête basse, incapable de la regarder. Je dois parler avec le père Lacasse. Il faut que je parle à quelqu'un.

Je n'avais pas répondu à sa demande et je lui en voulais d'exiger une telle chose dans la situation intenable où je me trouvais. Elle le voyait comme une protection et moi, comme le sacrifice de la dernière et de la plus importante de mes possessions.

Depuis quelque temps, même la voiture m'était interdite. Cette fois-ci, je savais que je pouvais prendre les clés et que Catherine ne s'objecterait pas. Le père Lacasse était demeuré un passe-partout que personne n'aurait songé à m'interdire. Je me rendis directement chez lui et après quelques minutes d'attente, j'entendis les bruits familiers de l'ascenseur et de ses pas. Il me salua comme à l'habitude :

— Je suis heureux de te revoir, *mon ami* !

J'osais à peine me retourner et le regarder en face. J'avais laissé tomber le voyage-retraite qui était aussi devenu son rêve. Je me sentais encore plus mal de l'entendre m'appeler son ami, moi qui n'avais plus grand-chose à offrir. Je levai les yeux et parvins à soutenir son regard. Il n'y avait ni colère ni rancœur dans les siens.

— Est-ce qu'il y a quelque chose dont tu aimerais me parler ? dit-il doucement.

Je lui avais parlé à quelques reprises depuis notre voyage raté, mais brièvement seulement, pour régler quelques détails techniques. C'était la première fois que j'étais en face de lui, obligé de lever la tête et de le regarder. Il y eut un long silence pendant lequel je fus incapable de dire un seul mot :

— J'avais besoin de parler à quelqu'un.

— Tu as bien fait de venir me voir. On va monter à ma chambre.

Je le suivis en silence, marchant lentement derrière lui jusqu'à sa chambre. Il me fit signe de m'asseoir en me montrant la berceuse qui m'était devenue si familière. Je me rendais compte à quel point la culpabilité que je ressentais avait alourdi ma conscience et avait ajouté une tristesse additionnelle à ma vie.

— Père Lacasse, je ne sais pas quoi vous dire, ni par où commencer. Je n'ai pas été capable de venir vous voir plutôt. Je sais que je vous ai causé toutes sortes de problèmes. Je...

— Ne t'en fais pas trop avec ça. Dieu t'a déjà sûrement pardonné, comment pourrais-je faire autrement? me dit-il en mettant sa main sur la mienne.

J'avais tellement besoin de sentir son pardon que je ne pouvais plus retenir les larmes qui se mélangeaient à la tristesse des demandes de Catherine.

— Père Lacasse, ça ne va pas bien du tout. Je continue à prendre de la cocaïne. J'ai dépensé beaucoup d'argent et je suis incapable de m'arrêter. Quelques jours, quelques semaines et je replonge. Catherine n'en peut plus. Je ne sais pas combien de temps elle pourra continuer à supporter tout cela. Elle veut que je lui donne le restaurant. Je ne sais plus quoi faire.

— Est-ce qu'il y a autre chose?

Je me rendis compte, à sa façon de me questionner, qu'il m'avait entraîné dans une confession subtile. Sans m'objecter, je poursuivis:

— Je dois encore payer mille dollars à l'agence de voyages. J'ai aussi pris de l'argent dans la caisse du restaurant. Il nous reste à peine de quoi vivre. Je mens à tout le monde. Ce mois-ci, je n'ai pas encore payé l'école des enfants.

— Y a-t-il autre chose que tu aimerais ajouter ?

— Je pense que je vous ai tout dit, mentis-je.

Si je m'étais laissé aller, j'aurais mis toute mon existence sur la table jusqu'à ce que ma voix s'éteigne, vidée de tous ses mots.

— Tu peux te sentir en paix. Tes fautes te sont pardonnées, l'entendis-je prononcer simplement. Demain matin, tu vas venir à la messe, à la grande chapelle, à onze heures. Il va falloir que tu trouves un moyen de te débarrasser de cette drogue. Continue à prier le bon Dieu pour qu'il t'éclaire, pour qu'il te montre le chemin ! Prie pour moi aussi.

— Je vais essayer, ajoutai-je sans grande conviction.

Je me sentais soulagé. Je me croyais sincèrement pardonné, moi qui étouffais sous des montagnes de culpabilité. Pour Catherine et mes associés, ce serait autre chose. Ils n'avaient pas le pardon aussi facile que Dieu et le père Lacasse.

— Pour le restaurant, père Lacasse, qu'est-ce que vous en pensez ?

— Le diable est rusé. Il n'abandonnera pas la partie facilement, répondit-il, comme s'il se parlait à lui-même.

Pour lui, la drogue, la cocaïne et le diable, c'était la même chose. Comment pourrait-on appeler autrement ce souffle qui t'agrippe et qui te tire vers le bas, qui te donne des sensations indescriptibles et qui te plonge dans les pires abîmes l'instant d'après, sans que tu puisses réagir.

—J'ai déjà mis la maison à son nom, père Lacasse. Qu'est-ce qui arrivera si après avoir tout mis à son nom, elle me demande de partir ? Je ne sais pas si je pourrai m'en remettre.

—Nous allons prier et demander à Dieu de nous éclairer.

Il se mit à genoux et je fis de même. Il n'y avait pas d'autre chose à faire. Le père Lacasse a demandé à Dieu de m'aider de sa plus belle voix et avec les plus belles phrases qu'il soit possible de prononcer. Si j'avais été Dieu, je l'aurais exaucé sur-le-champ.

Il n'avait pas de rancœur, ou s'il en avait, il l'avait bien maîtrisée. J'aurais aimé une réponse plus claire, mais il me laissait à moi-même et à la prière. J'étais devant une impasse. Si je ne donnais pas mes actions à Catherine, je ne pouvais garantir que je ne consommerais plus. Je la maintenais, elle et les enfants, dans un état d'insécurité insupportable où tout pouvait arriver, à n'importe quel moment. Si je lui donnais mes actions, ma vie ne tiendrait plus qu'à un fil qu'elle pourrait couper quand bon lui semblerait. Le seul fait de penser que je pourrais me retrouver à la rue alors qu'elle garderait la maison et le restaurant me donnait des sueurs froides.

Toute la nuit, je ressassai une partie de ma vie où m'apparaissaient, parfois clairement, parfois en nuances plus subtiles, des impressions sur moi-même, sur Catherine et sur les dernières années que nous venions de passer. Pourquoi en étais-je arrivé là ? Pourquoi la cocaïne m'avait-elle emporté à ce point ?

Les barrières éclataient, les rationalisations s'effondraient et tout au fond m'apparaissait plus clairement une image de moi-même que je n'étais pas certain d'aimer. J'avais constamment été envahi par une culpabilité maladive qui exigeait, à mesure que s'emplissait la marmite aux reproches, des sacrifices de plus en plus douloureux. Nous nous étions habitués, Catherine et moi, à ce cycle: *faute – culpabilité – expiation.* Lorsque la marmite était pleine, nous mettions nos comptes à jour et je remboursais les dettes que j'avais accumulées envers elle, les enfants, les associés et l'humanité tout entière.

Les pénitences étaient à la mesure des fautes qui m'étaient reprochées. Lorsque je rentrais très tard alors que j'avais promis de rentrer tôt, je me rachetais en accomplissant des tâches promises depuis longtemps. J'allais lui chercher des friandises et des journaux et elle restait au lit devant la télévision. Après quelques jours de ce manège et plusieurs manifestations d'amour romantique, j'avais droit à quelques sourires, à quelques douceurs et parfois, un peu de sexe arrivait soudainement, après un dur combat, comme une capitulation.

Je mesurais ma valeur aux reproches qui m'étaient faits et Catherine mesurait mon amour à ce que j'étais prêt à sacrifier pour le conserver. Qu'arriverait-il lorsque je n'aurais plus de monnaie d'échange? L'amour était devenu une notion confuse qui nous poussait encore l'un vers l'autre et allumait de grandes flammes d'espoir et parfois de détresse. Il se nourrissait de nos grandeurs et se consumait dans nos abîmes personnels.

Après de malencontreuses aventures avec d'autres femmes et des épisodes plus difficiles et plus dramatiques encore, j'avais transféré la maison à son nom, comme preuve de ma bonne foi. Aujourd'hui, la gravité des fautes exigeait le grand sacrifice, mon bien le plus précieux. L'ampleur du geste pourrait peut-être créer une onde de choc suffisante pour mettre en branle des forces que j'avais été incapable d'harnacher. Il fallait jouer au phœnix, malgré la rareté des cendres qui me permettraient de renaître.

Pour moi, Catherine avait toujours représenté la perfection. Même ses plus grandes faiblesses me paraissaient des petites taches à peine visibles sur la grande toile sombre de ma petitesse. J'étais presque incapable de lui attribuer de mauvaises intentions et lorsque cela m'arrivait, je m'empressais de les effacer de ma pensée comme si elles étaient le reflet de mes propres défaillances.

Cette nuit-là, lorsque l'idée terrifiante qu'elle pourrait me laisser tomber après avoir repris la maison et le restaurant m'apparaissait, je la chassais avec toute la vigueur de la profanation. «Non, Catherine ne pouvait pas penser comme ça! Moi si, les autres aussi, mais pas Catherine.»

Je savais que je lui donnerais mes actions dans le restaurant. Cette éventualité m'apparaissait maintenant comme inéluctable. Je n'allais pas lui donner par grandeur d'âme, pour sauver la famille ou parce que j'étais devenu incapable d'en assumer la responsabilité. C'était le prix à payer pour empêcher mon univers d'éclater irrémédia-blement. Cette absence de choix me coupait une profonde entaille d'impuissance dans le cœur et elle était la source de ma colère et des larmes que je versais sur moi-même.

La cocaïne ne faisait qu'ajouter à la confusion. Je n'étais plus capable de m'en abstenir ni d'en consommer d'une façon raisonnable. Je ne pouvais comprendre tous les mécanismes qui m'avaient conduit à ces escapades involontaires au pays du plaisir éphémère. Elle s'était nourrie de mes défi-ciences personnelles et avait fait de nos vies une suite de tempêtes imprévisibles qui avaient dévasté nos amours.

Le lendemain, je me rendis au restaurant avec Catherine. Tremblant, j'expliquai à mes associés la raison de ma visite et leur fis part de mon désir de transférer toutes mes actions à Catherine. À ma grande surprise et aussi à mon grand plaisir, ils répondirent, sans hésiter, qu'ils ne voulaient pas de ce transfert. La tentation fut vive d'utiliser leur réponse pour refuser la demande de Catherine, mais elle avait tellement l'air abattu par leur réac-tion que je ne pus m'empêcher de prendre sa défense et de leur parler de ma consommation de cocaïne. Je parvins à les convaincre qu'ils devaient mettre le restaurant à l'abri, qu'ils n'avaient pas vraiment le choix. Je m'entendis leur expliquer que je n'avais pas toujours le contrôle de mes actes et que je pouvais poser des gestes irrépa-rables à n'importe quel moment. En même temps, je sentais une sourde colère qui grondait en moi.

Colère contre mes associés qui ne voyaient rien alors que je vivais tout près d'eux. Colère contre Catherine qui allait hériter de mon bien le plus précieux. Colère contre moi d'en être arrivé là et de ne plus avoir d'autres choix pour me protéger contre moi-même.

Un vieux souvenir me revint à l'esprit. Quelques années auparavant, un de mes bons amis s'était mis à frapper à ma porte, en pleine nuit. Il arrivait dans un état d'intoxication épouvantable, n'osant probablement pas rentrer chez lui. Nous étions devenus son dernier refuge et lorsque j'ouvrais la porte, il répétait toujours la même chose: «Émile, frappe-moi, s'il te plaît, frappe-moi. Je suis un salaud, je suis le dernier des *trous du cul*, frappe-moi!»

Je m'étais toujours demandé comment on pouvait en arriver là et soudainement, je comprenais ce besoin qu'il avait de payer pour ce qu'il avait fait. Il souffrait intensément d'être ce qu'il était. Aujourd'hui, j'avais pris la décision de transférer toutes mes actions à Catherine. Je m'étais frappé moi-même et je m'étais dépossédé de tout ce qui avait fait ma fierté et qui m'avait permis de me sentir quelqu'un. Je ressortis du restaurant le regard fixe, sans dire un mot, et je n'ai pas pu ouvrir la bouche de toute la journée.

Désormais, Catherine recevrait mon salaire, se réunirait avec mes associés et occuperait mon bureau. Un espace que j'adorais, qui dominait le quartier latin et où je pouvais me réfugier lorsque j'en avais besoin. Je ressentais le regard des employés dans mon dos et il me semblait entendre leurs commentaires : « Le patron a été obligé de se faire remplacer par sa femme. Il prend de la cocaïne. Il paraît qu'il a presque flambé tout ce qu'il possédait. »

Je ne pouvais plus aller au restaurant, le seul endroit où je me sentais bien. J'y mangeais presque chaque jour et j'y étais respecté. On me disait bonjour. On était heureux d'être invité à ma table. Je pouvais reconnaître d'un coup d'œil tout ce qui s'y passait : un changement dans l'éclairage, une odeur inhabituelle. Je savais comment créer de l'ambiance et jouer sur les cordes sensibles de la clientèle. J'étais comme un chef d'orchestre. Je connaissais l'histoire de chaque pierre et des escaliers qui montaient jusqu'à mon bureau.

« Tiens, juste ici, un ouvrier s'est blessé en perçant une ouverture dans le plancher. »

Il me fallut plusieurs semaines avant d'oser m'y montrer à nouveau. Finalement, ce fut plus fort que moi. Je jouais celui qui n'était pas affecté et je lançais mes plus beaux saluts à gauche et à droite comme si je revenais de vacances. Un peu plus vite que je l'aurais voulu, je suis monté jusqu'à mon bureau au quatrième étage. Quand j'ouvris la porte, j'aperçus Catherine. Elle était confortablement assise dans mon fauteuil, une main appuyée sur mon bureau et l'autre tenant mon téléphone.

Une sourde colère s'est emparée de moi. Rien ne m'aurait fait plus plaisir que de la lancer par la fenêtre du quatrième, tant je ressentais cette présence comme le dernier affront. Mais je ne le fis pas. Il aurait fallu que je demande la permission de me fâcher. À la place, je lui dis un petit bonjour du bout des lèvres pour ne pas crier et après quelques minutes, je repartis, les dents serrées et la rage au cœur. J'avais besoin d'elle à tel point, qu'au fond de moi, une rancœur voulait s'installer, empoisonnant mes plus belles pensées et ce qui restait de ma capacité de l'aimer.

Chapitre 21

Je n'étais plus personne et je ne pouvais raconter à quiconque ce qui m'était arrivé. J'avais développé des explications cohérentes pour justifier mon absence du restaurant et j'en étais presque venu à croire ce que je racontais. Catherine connaissait mes états d'âme et en public, elle agissait comme si j'étais encore le propriétaire du restaurant. Ce mensonge était pire que la vérité.

Je racontais à qui voulait bien l'entendre que j'avais pris la décision de retourner aux études et que je devais faire quelques cours de rattrapage avant d'être accepté à l'université. Au fond, si mon besoin de justifier mon absence du restaurant n'avait pas été si fort, je ne serais probablement jamais retourné au cégep, ni à l'université.

Ma consommation de cocaïne, même si elle n'avait pas cessé complètement, avait considérablement diminué. J'étais tellement conscient de mon incapacité à contrôler ma consommation, que j'en reprenais seulement lorsque j'avais suffisamment d'argent pour aller jusqu'au bout de mes obsessions ou lorsque Catherine s'absentait assez longtemps pour que rien ne paraisse à son retour. Ces deux conditions étaient rarement réunies.

Je me rappelle certains épisodes où, ne pouvant trouver de cocaïne à Québec, je prenais un taxi jusqu'à l'aéroport, puis un vol jusqu'à Montréal. De l'aéroport de Dorval, je reprenais un taxi pour le centre-ville et j'arpentais les bars jusqu'à ce que j'aie trouvé ce qu'il me fallait. Tout de suite après, je revenais à Québec sans que personne ne se soit rendu compte de mon absence. Voilà une partie de l'explication des vingt-sept mille dollars qui figurait à la rubrique *avance à un actionnaire*.

Dans de tels moments, certains s'écroulent et s'immobilisent, d'autres s'activent sans répit pour ne pas avoir à ressentir ce qui pèse sur eux. J'appartenais à cette deuxième catégorie et je pouvais revisiter les moments difficiles de ma vie en observant les travaux que j'avais entrepris dans la maison ou ailleurs.

«Regardez, juste ici, ce magnifique plancher de tuiles qui couvrent tout le corridor. Je les ai posées une à une lorsque j'ai avoué à Catherine que je prenais de la cocaïne et que je ne pouvais plus m'arrêter.»

Je l'avais assommée net. Elle avait consulté tous les spécialistes qui existaient à l'époque et lu tous les livres qu'elle avait pu trouver sur le sujet. Elle avait consulté un psychiatre qui lui avait raconté, très sérieusement, qu'il fallait quarante-deux jours pour que disparaisse l'habitude de la cocaïne. Il lui avait remis une prescription d'anxiolytiques pour moi et nous avions décidé d'entreprendre ce carême ensemble.

Catherine m'avait acheté un pyjama de soie. Je me souviens encore de la couleur, il était brun, un beau brun chocolat foncé. Elle avait aussi fait la dépense d'une robe de chambre assortie. Je m'en rappelle comme si c'était hier. Elle avait demandé à une de ses amies de veiller sur moi pendant qu'elle travaillait au restaurant. Incapable d'être enfermé à la maison à ne rien faire, j'avais décidé de me mettre à la céramique.

Je dormais et je passais la journée dans mon nouveau pyjama. On avait soin de moi et d'une certaine façon, j'en étais heureux. On me servait le café et les repas. J'étais traité comme un malade et cette appellation reflétait parfaitement ma condition. Après quelques semaines de ce régime, alors que tous étaient fiers du comportement exemplaire du malade, des fissures sont apparues dans l'armure de ma bonne volonté et des plans d'évasion se sont mis à germer comme des bourgeons au printemps.

J'ai commencé par mettre un chandail sous ma robe de chambre et en transportant les caisses de céramique et les outils du garage à la maison, j'ai constitué la *petite trousse d'urgence* du parfait drogué qui croit qu'il devra peut-être s'absenter soudainement. Les souliers et les bas ont suivi. Quant au pantalon, je me suis dit que celui du pyjama ne se ferait pas trop remarquer.

À mesure que les préparatifs avançaient, mon obsession de consommer s'amplifiait. Un beau midi, sans prévenir, je disparus de la maison. À peine étais-je parvenu à me rendre moi-même compte de mon départ.

Cette fois-là, je partis pour le quartier latin avec le vélo de ma fille de quinze ans, mon pyjama brun, le vieux chandail que j'avais enfilé par-dessus et un manteau qui n'avait pas attiré l'attention le jour où il avait disparu de la maison. Malgré l'absence de neige, il faisait un froid d'enfer et je filais vers le quartier latin, à peine conscient de la folie qui s'était emparée de moi et de la bizarrerie de mon accoutrement. Le propriétaire déchu d'un magnifique restaurant du quartier latin avait fière allure en ce jour d'automne.

Après avoir trouvé ce qu'il cherchait, il était revenu à la maison, congelé de l'intérieur et de l'extérieur, mentant sans vergogne pour couvrir sa folie. Ses geôliers l'attendaient en pleurs et ils ne pouvaient croire qu'il avait interrompu le traitement, lui qui avait été si bien traité. Catherine était effondrée au milieu de ses espoirs déçus tandis que son ami, en sanglots, répétait inlassablement: « Je l'ai perdu. Excuse-moi, je l'ai perdu. »

Je parvins à les convaincre que le Saint-Esprit m'avait éclairé avant même que j'arrive au quartier latin. J'avais viré de bord, frappé soudainement par la folie de mon geste et par la vision de ma propre image courant à sa perte sur le vélo rose de ma fille de quinze ans.

Ce jour-là, jamais poseur de tuile ne vécut épisode plus dramatique, étendant colle et coulis jusqu'à une heure avancée de la nuit, sans que jamais ne paraisse la folle lutte qui se déroulait dans sa tête contre l'obsession de sauter à nouveau sur le vélo rose et de reprendre la route du quartier latin.

Au beau milieu de la soirée, incapable de résister plus longtemps, j'avais attaqué la bouteille de DeKuyper qui trônait sur une étagère depuis cinq ans au moins, repoussant les plus grandes soifs par son odeur à décaper les antiquités. L'alcool fit taire les folles voix qui m'appelaient au quartier latin et je parvins à me traîner jusqu'au lit, enveloppé dans les vapeurs de ce breuvage horrible qu'on n'ingurgite qu'en cas d'extrême nécessité.

Cette fois-ci, un plancher de tuile ne pourrait combler le vide béant qu'avait ouvert la perte de mon restaurant. Il en faudrait des énergies et des litres de ces autres horribles breuvages pour me faire oublier celui que je n'étais plus et pour chasser l'obsession des randonnées à vélo vers le quartier latin.

Chapitre 22

Ma consommation d'alcool augmentait et venait se substituer à mon incapacité d'acheter de la cocaïne en quantité suffisante pour apaiser un besoin qui n'avait jamais pu être comblé. Quelqu'un à qui Catherine avait raconté nos déboires m'avait conseillé les Alcooliques anonymes. J'étais encore loin de regarder l'alcool comme un problème qui s'aggravait et je m'y rendis à titre de spectateur. Je me souviens d'avoir entendu un ex-enseignant qui avait vécu des choses horribles à cause de l'alcool. J'avais moralement sympathisé avec ses malheurs sans me sentir concerné par ses propos. La tache qu'avait fait la cocaïne dans ma vie était trop sombre pour être éclairée par les faibles lueurs de mes difficultés avec l'alcool.

Une autre personne m'avait parlé d'un centre de traitement pour les alcooliques à Montréal, où un membre de sa famille avait reçu de l'aide. Une nuit où la cocaïne m'avait à nouveau réclamé, fébrile devant mon sachet vide aux petites heures du matin, je signalai le numéro de cet endroit. Une voix d'homme me répondit et m'assura qu'on pourrait certainement m'aider. Il fallait simplement que j'appelle après neuf heures.

Lorsque je m'éveillai, au beau milieu de l'après-midi, l'idée même du traitement s'était dissipée. Sur le tapis à côté du lit, une longue liste me regardait avec inquiétude.

Lorsque je pense à ma bibliothèque de l'époque, je ne peux qu'être frappé par l'incroyable quantité de bouquins que j'ai déchiffrés les uns après les autres, cherchant dans les méandres les plus étranges une voix qui me conduirait vers la liberté. Je me suis tapé les quelques milliers de pages de *La cosmogonie d'Urantia*, *La numérologie* de Papus, *La cosmogonie des Rose-Croix* et plusieurs autres briques rosicruciennes. J'ai entrepris la *Bagavad gita*, *La relaxation psychosomatique*, *Les merveilleux pouvoirs du subconscient*, *La volonté décuplée*, *Les miracles de la sophrologie…* et j'en passe.

Essoufflé et non comblé, je suis devenu hypnologue et magnétothérapeute. Puis je me suis attaqué à l'auto-hypnose, et le chaman Yvon Yva m'a appris à creuser les transes de l'esprit qui s'envole quand le corps devient de plus en plus lourd. J'ai serré les arbres de la forêt dans mes bras pour prendre racine avec eux et pour que mes branches, comme disait le gourou, s'élancent jusqu'au ciel après s'être profondément ancrées dans les énergies de la terre. On a même essayé d'harmoniser les battements de mon cœur avec le rythme de l'univers pour que je puisse vivre au diapason de la grande énergie universelle. Mais après quelques heures, il avait repris le rythme rapide que lui dictait le nouveau *stock* que Fournier venait de recevoir.

Déçu que ces investissements sur moi-même ne produisent pas de résultats plus tangibles, je décidai de mettre ma science au service des plus lourds. Je décidai que le poids des obèses fondrait sous les assauts de mes suggestions hypnotiques et que cette science qui n'avait pas pu me servir se tournerait vers mon prochain.

Ayant eu quelques succès, je décidai qu'il fallait que je poursuive le travail sur une plus grande échelle si je voulais y trouver les capitaux nécessaires à financer mes vilaines habitudes. Je fis le projet d'ouvrir une maison de santé où je joindrais la puissance de la suggestion hypnotique aux effets anorexigènes de la cocaïne, donnant ainsi naissance à un traitement révolutionnaire qui ferait accourir les obèses de la planète.

Comme pour le voyage en Égypte, mes idées lumineuses ne parvenaient que rarement à maturité. Ma transformation personnelle se perdait dans les abîmes où m'entraînait la cocaïne qui était constamment détournée des obèses au profit de quelqu'un qui n'avait plus que la peau et les os.

Chapitre 23

Le père Lacasse n'était jamais bien loin, mais ma relation avec lui, comme celle que j'entretenais avec tous ceux qui m'entouraient, souffrait de mon incapacité à garantir que les jours à venir seraient différents de ceux que nous avions vécus depuis quelques années.

Mes promesses les plus sincères demeuraient vaines lorsque se présentait la fatale obsession. Ma vie se résumait à préparer, de façon plus ou moins consciente, la prochaine occasion où je pourrais passer une autre journée ou une autre nuit à m'abandonner, corps et âme, à la cocaïne. Malgré tout, le père Lacasse demeurait un ancrage solide qui me gardait amarré à la vie, malgré les espoirs qui s'évanouissaient les uns après les autres.

Il continuait de prier pour moi et malgré les effets mitigés des interventions divines, il conservait un espoir que la plupart qualifiait maintenant de *naïveté*. Je continuais de m'y accrocher et dans les moments les plus sombres, ma voix savait encore répéter le nom de son Dieu.

Il m'appelait régulièrement et je continuais d'être son chauffeur, son secrétaire et son homme à tout faire. J'avais tout mon temps, et même s'il ne m'avait pas encore confié les transactions bancaires de la Compagnie de Jésus, sa confiance me permettait de croire que j'étais encore d'une certaine utilité.

J'avais atteint un degré de désespoir qui m'empêchait d'entrevoir un quelconque horizon et je pensais constamment à un moyen de disparaître afin de soulager les autres du fardeau de mon inutile existence. Pour m'empêcher d'avoir recours à la cocaïne, je m'assommais avec des quantités de plus en plus importantes d'alcool.

La cocaïne déclenchait maintenant des épisodes de paranoïa intense et la peur de mourir ou d'être victime d'une défaillance cardiaque, me poussait à chercher refuge à l'hôpital où je retrouvais un peu de quiétude et de sécurité. J'ai passé des nuits entières à *sniffer* de la cocaïne dans les toilettes des urgences. Lorsqu'on appelait mon nom, parfois je me sauvais sans dire un mot et d'autres fois, j'acceptais de voir un médecin qui finissait invariablement par me donner une prescription d'anxiolytiques pour me calmer et me permettre de rentrer à la maison. Parfois je me couchais dans un parc ou dans la chambre de *L'armoire aux menteries* qui était maintenant couverte d'hiéroglyphes racontant une période de ma vie qui n'avait rien de pharaonesque. Je rentrais seulement lorsque les effets de la cocaïne s'étaient dissipés. Je ne pouvais plus supporter d'être à la maison lorsque j'avais consommé. Et Catherine non plus.

J'étais maigre et décharné et j'oubliais de manger. Je fumais cigarettes sur cigarettes et j'étais régulièrement assailli par des quintes de toux incontrôlables. Lorsque je reprenais de la cocaïne, après quelques lignes, j'étais couvert de sueur et la lumière m'aveuglait à un point tel que je devais me cacher du soleil.

Au cours de l'été 1980, je passai plusieurs semaines à la campagne, tentant avec l'énergie qui me restait de compléter les travaux que j'avais entrepris. Après quelques semaines, je parvins à retrouver une sorte d'équilibre qui, malheureusement, vola en éclats aussitôt qu'il fut confronté aux lumières de la ville.

Personne ne pouvait m'aider. Tout au plus, certaines personnes acceptaient-elles encore de me supporter. J'avais rappelé le centre de traitement et je m'y étais même fait admettre à quelques reprises. Mais lorsque venait le temps de m'y rendre, j'en étais incapable ou je n'en voyais plus la nécessité.

Je savais clairement que j'avais besoin d'aide, mais je ne voyais aucune solution. Les médecins me donnaient des tranquillisants, le psychiatre avait créé de faux espoirs qui avaient duré quarante-deux jours et les Alcooliques anonymes ne savaient que faire des drogués. Seuls Dieu, le père Lacasse et Catherine ne m'avaient pas encore totalement faussé compagnie, mais pour combien de temps?

Au mois de juillet, le père Lacasse me demanda de l'accompagner à Montréal pour quelques jours. Il voulait visiter sa famille et il devait confesser les bénédictines de Sainte-Marthe-sur-le-Lac. Aussitôt, la machine à obsessions se mit en branle avec un enchaînement de pensées qui, comme à l'habitude, me ramena tout droit vers la cocaïne.

Je me voyais déjà à Montréal, seul, sans surveillance pendant deux ou trois jours. Quelle occasion pour moi qui étais presque constamment surveillé. J'oscillai quelques heures entre les *je ne peux pas faire ça* et les *enfin, à moi la liberté*. Ma définition du mot *liberté* ne figurait pas dans le Petit Robert : *Prendre de la cocaïne sans que personne ne vienne m'interrompre et sans avoir besoin de jouer à celui qui n'en a pas pris.*

Je réalisais que chaque fois que je laissais l'escalade des pensées obsessives prendre le contrôle de mon esprit, le résultat était toujours le même. Le numéro de Fournier ou d'un autre *pusher* m'apparaissait soudainement, sans même que j'aie besoin de le chercher. La fébrilité de l'anticipation s'emparait de moi et me faisait perdre toute capacité de lutter autrement qu'en succombant.

Catherine trouva le moyen de tuer mes rêves de liberté en me demandant, quelques heures avant le départ :

— Pourquoi n'amènes-tu pas Guillaume ? Tu pourrais lui faire visiter Montréal.

J'étais à peu près certain qu'elle avait trouvé ce moyen pour me forcer à ne pas prendre de cocaïne. Guillaume avait sept ans à l'époque et elle savait bien que j'éviterais de consommer s'il était du voyage. La récréation était finie avant même d'avoir commencé. Elle avait contré mon escapade en me confiant des responsabilités auxquelles je ne pouvais me soustraire. Nous partîmes, le père

Lacasse en avant à mes côtés et Guillaume qui s'amusait à l'arrière.

Quelques chapelets plus tard, nous arrivions à Saint-Jérôme, à une cinquantaine de kilomètres de Montréal. Le père Lacasse y était né et son frère demeurait encore dans la maison où avaient vécu leurs parents. J'étais curieux de le rencontrer. Je n'avais jamais pu m'imaginer le père Lacasse comme une personne qui avait eu des parents et une enfance comme tout le monde. Pour moi, il avait toujours eu le même âge, comme s'il était venu au monde le premier jour que je l'avais rencontré et qu'il n'avait plus changé depuis.

Nous nous sommes arrêtés devant une petite maison aux fenêtres blanches, propre, bien entretenue, sans autres particularités. Si j'avais eu à imaginer sa maison, je l'aurais imaginée ainsi. Une maison fonctionnelle et sans excès.

Une petite femme un peu ronde nous ouvrit la porte et le salua avec respect, mais sans grande démonstration d'affection. Son frère apparut juste derrière et s'écarta pour nous laisser entrer. Il mesurait certainement un mètre quatre-vingt et nous dépassait tous d'une bonne tête. Contraire-ment à sa femme, plutôt vive, il semblait calme et réservé, n'ouvrant que rarement la bouche. Des images pieuses ornaient les murs et des statues de la Vierge et de saint Joseph trônaient, bien en vue sur les meubles de la maison.

J'avais de la difficulté à imaginer le père Lacasse enfant, courant avec ses frères et sœurs au milieu de ces représentations célestes et je ne pouvais m'empêcher de me demander quelle sorte de vie il avait vécue.

Depuis que nous nous connaissions, il m'avait parlé de ses parents une seule fois. Il m'avait dit :

— Ma mère aurait voulu que nous devenions tous des prêtres ou des religieuses. Elle a presque réussi.

Avoir vu sa maison et son frère me l'avait soudainement rendu plus humain. Après une brève conversation et quelques salutations d'usage, je repartis pour Montréal avec Guillaume, non sans l'avoir assuré que je reviendrais le prendre le lendemain matin. Je ne pouvais faire autrement que de revoir en pensée cette rencontre à laquelle je venais d'assister et je me disais que cet homme n'avait jamais eu de famille. Il avait été donné à Dieu alors qu'il n'était qu'un enfant et maintenant, lorsqu'il revenait à la maison, c'était le prêtre qu'on accueillait avec révérence et non celui qui avait été un fils ou un frère.

Oui, c'est bien ce que j'avais ressenti.

Nous approchions de Montréal et, sans avoir fait de projet précis, je pensais rendre visite à mon frère et peut-être m'y inviter pour la nuit. Guillaume était assis à l'avant avec moi et comme à l'habitude, il babillait constamment, racontant toutes sortes d'histoires qui lui étaient arrivées et s'arrêtant longuement sur les derniers exploits de son équipe de baseball. On n'avait jamais eu besoin de lui tirer les vers du nez. Il aimait parler. Parfois, je l'écoutais attentivement et d'autres fois, il parlait sans s'arrêter, comme s'il se racontait une histoire à lui-même. Je m'étais habitué à ses monologues et j'aimais bien écouter ses histoires constamment renouvelées.

Nous étions immobilisés aux feux de circulation, lorsque le nom d'une rue alluma tout à coup en moi des étincelles qui court-circuitèrent certaines connexions neuronales déjà surchargées. Le cycle interrompu des pensées obsessives se remis en branle. Mon regard était bloqué sur le nom de la rue qui mettait dans le fond de ma gorge un goût de cocaïne fraîchement inhalée.

Esplanade répétaient les impulsions qui fouillaient mes labyrinthes mnésiques à la recherche du nom de ce Fournier montréalais que j'avais déjà visité sur cette rue, un soir d'hiver, à la recherche de la poudre qui rend fou.

Louis! Celui qui demeurait sur cette rue s'appelait Louis, Louis Moreau! Son nom était parvenu à se frayer un chemin jusqu'à mes lèvres. Le retrouver dans l'annuaire, introduire une pièce dans l'appareil de la cabine téléphonique et je n'aurais plus qu'à attendre qu'il me réponde: «Ah oui, Émile! Je me souviens très bien. Oui, je crois que j'ai ce qu'il te faut.»

Et c'est ce qu'il fit. Quelques minutes plus tard, sa porte s'ouvrait pour conclure cet épisode dont l'écriture avait débuté à la seconde même où le père Lacasse avait appelé pour me demander de le conduire à Montréal.

Guillaume, sept ans, le fils que m'avait confié Catherine, conçu tout de suite après ma deuxième retraite de saint Ignace, s'était collé le nez sur l'aquarium de Louis et regardait les poissons tropicaux qui n'avaient d'autres soucis que de lui montrer leurs jolies couleurs. Pendant ce temps, papa se roulait fébrilement un billet pour *sniffer* la longue ligne de cocaïne qu'il avait étendue en pensée sur le bol de toilette deux jours plus tôt à Québec.

Papa continua jusqu'à ce que Guillaume commence à tirer discrètement son pantalon, sans oser dire tout haut qu'il avait hâte de partir. Un hémisphère de mon cerveau voulait prendre ses responsabilités, l'autre poussait ma main jusqu'à ma poche pour se rassurer et vérifier si le sachet que je venais d'acheter y était bien en sécurité.

Je repartis à contrecœur. Une fois dans la voiture, je dis à Guillaume qui était heureux d'être enfin sorti :

— Je suis un peu fatigué. Qu'est-ce que tu dirais si on prenait une chambre à l'hôtel ? On pourrait se faire venir un lunch et regarder tranquillement la télé. Ce serait aussi bien. Il faudra se lever tôt demain pour aller chercher le père Lacasse.

Je fus soulagé qu'il soit d'accord avec ma proposition. De cette façon, j'éviterais de conduire ou de courir des risques inutiles. À l'hôtel, je serais en sécurité et lui aussi. Nous avons pris la première chambre disponible et tandis qu'il mangeait paisiblement devant la télévision, ne semblant pas affecté par mon comportement, je continuais à visiter la salle de bains à intervalles réguliers, gardant bien vivante la flamme que je venais d'allumer.

Guillaume s'endormit tandis que son père, pris d'un accès de fièvre créatrice, couvrait le papier à lettres de l'hôtel des perles qu'il croyait devoir préserver de l'oubli. Je m'arrêtais parfois pour le regarder, rempli d'une tendresse que j'avais rarement exprimée et qui m'arrachait quelques larmes, ne sachant plus vraiment sur qui je les versais.

Il veillait sur moi, endormi comme un ange.

Le manège se poursuivit toute la nuit sans que je puisse m'arrêter, alternant entre les moments d'euphorie où je croyais avoir découvert le secret des pyramides et les angoisses que provoquait le souvenir maintenant lointain du père Lacasse que je devais aller chercher dans quelques heures.

Lorsque Guillaume ouvrit les yeux, frais comme une rose et prêt pour le déjeuner, son papa à l'allure de fleurs séchées se demandait comment il parviendrait à agir normalement pendant toute une autre journée. Il devrait continuer à s'envoyer ligne après ligne, sans quoi il s'écroulerait et devrait laisser tomber le père Lacasse encore une fois. Il devrait aussi aviser sa femme Catherine qu'il serait préférable de venir chercher son fils qui n'était plus en sécurité avec son père congelé.

Je fis un effort surhumain pour redevenir normal. Je sautai sous la douche pour rafraîchir ce corps qui suppliait qu'on le laisse se reposer et je tentai de me rappeler avec précision comment agissent les gens normaux lorsqu'ils se lèvent le matin avec un enfant à s'occuper et un jésuite à accompagner.

La douche m'apaisa et après un petit déjeuner que je ne pus avaler, je repris la route en direction de Saint-Jérôme. Il était encore tôt et une chaude journée s'annonçait. Je suais abondamment et je dus m'arrêter pour acheter des mouchoirs.

Pour moi, tenir un volant n'avait jamais exigé beaucoup d'efforts et je parvins à conduire jusqu'à Saint-Jérôme. L'angoisse me reprit à la pensée que le père Lacasse pourrait peut-être déceler ce que Guillaume ne semblait pas avoir remarqué. Heureusement, j'avais appris à avoir l'air normal extérieurement pendant de longues périodes, même si l'intérieur avait toutes les apparences d'un ouragan de force six.

Sans embrassades ni accolades, le père Lacasse salua son frère et sa femme d'un signe de la main et nous reprîmes la route en direction du monastère des bénédictines.

Plus le jour avançait, plus la chaleur devenait accablante. Mes yeux brûlaient de ne pas avoir été fermés de la nuit et la route devenait interminable à mesure que l'épuisement me gagnait. Je ressentis un immense soulagement lorsque la voiture s'engagea dans l'allée bordée d'érables qui menait au monastère. La tranquillité et la fraîcheur de l'endroit me soulagèrent et la cloche du monastère qui appelait à la prière, m'apporta une quiétude qui contrastait avec la fébrilité de la cocaïne.

Je m'installai confortablement à l'arrière de l'église. Il y régnait une bonne fraîcheur qui me fit oublier la canicule de juillet et après quelques minutes, la lecture de l'épître et le merveilleux chant des bénédictines m'emportèrent dans un sommeil qui ne pouvait plus attendre. Pendant ce temps, Guillaume, qui ne s'était jamais montré très friand d'activités religieuses, jouait dehors avec son gant et la balle qu'il avait presque toujours à portée de la main.

Lorsque je m'éveillai, je ne savais plus où j'étais et il me fallut quelques instants pour retrouver mes esprits. J'eus un moment de panique en pensant à Guillaume que j'avais laissé tout seul. Je me précipitai vers la porte pour me rendre compte qu'il continuait de lancer la balle inlassablement sur le mur pour la rattraper ensuite avec son gant. J'étais soulagé de constater que tout était calme, que Guillaume était en sécurité et que je n'avais pas à reprendre le volant avant plusieurs heures. Il était presque midi et les cloches du monastère se mirent à sonner l'Angélus.

Le père Lacasse apparut à l'entrée du monastère et nous invita à le rejoindre pour le dîner. Nous profitâmes de l'hospitalité des Sœurs dans un petit réfectoire qui accueillait les visiteurs de passage. Un haut-parleur accroché au mur racontait l'histoire de je ne sais quel saint et je me sentis replonger instantanément dans ma dernière retraite et les vieilles cassettes du père Lacasse.

Qu'étaient devenues ma vie et mes résolutions que je croyais si bien ancrées ? J'étais déçu de moi, de Dieu et du père Lacasse. La voix de Guillaume me tira de cette rêverie déprimante :

— Est-ce qu'on s'en va bientôt ? me dit-il de la voix de celui qui trouvait le temps trop long.

— Père Lacasse, quel est le programme ?

— Je dois confesser jusqu'à trois heures et après on pourra repartir si cela te convient ?

— Très bien, répondis-je. On va aller s'amuser au bord du lac et je vous retrouve à trois heures.

Le repas se termina en silence et nous sortîmes alors que le père Lacasse, comme je le connaissais, retournerait prier pour se préparer à la confession des bénédictines.

J'avais toujours été fasciné par les confessions qu'il faisait. Il était ce qu'on appelle un confesseur extraordinaire. C'est ainsi qu'on appelle les prêtres qui sont autorisés à confesser d'autres religieux ou religieuses tels les bénédictines. J'aurais bien aimé qu'il me raconte ce qu'elles pouvaient bien avoir à dire, mais je n'ai jamais osé lui demander, sachant qu'il aurait refusé. Elles avaient peut-être manqué aux vœux qu'elles avaient prononcés ou encore, elles n'avaient pas obéi parfaitement à la mère supérieure. Elles n'avaient pas suffisamment fait pénitence, ou avaient eu des mauvaises pensées ou des mouvements de colère envers les autres. Je ne pouvais que supposer, mais j'aurais bien aimé entendre la confession d'une bénédictine.

Je repartis avec Guillaume. Le petit sachet brûlait encore dans ma poche, mais je n'avais plus le goût d'en reprendre. Je me sentais plus calme et la journée que j'avais tellement appréhendée me faisait moins peur maintenant qu'elle était derrière moi en bonne partie.

Au bord du lac, je m'étendis sous l'ombre bienfaisante des érables tandis que Guillaume joua dans l'eau, ajoutant à l'accalmie qui semblait vouloir se prolonger. Un peu avant trois heures, nous nous sommes remis en route pour le monastère et avons rejoint le père Lacasse qui, contrairement à moi, avait rarement des ratés avec la ponctualité.

Il était déjà dans l'entrée et il nous accueillit en me demandant :

— Aimerais-tu rencontrer la mère supérieure ?

— Bien sûr, répondis-je, poussé par la curiosité de voir de plus près une de ces folles de Dieu, plus encore, la chef des folles de Dieu.

Je m'attendais à voir une vieille sœur à l'allure aussi sévère que la règle de saint Benoît, frappant de sa baguette les jointures des jeunes recrues réfractaires au Saint-Esprit.

Je fus saisi et presque incapable de parler lorsque le père Lacasse me présenta sœur Alberte. Elle se tenait devant moi, préservée par une grille massive qui me rappelait qu'elle était sur un territoire qui nous était interdit. Ses yeux brillaient comme des diamants et son sourire illuminait le parloir. Non seulement n'avait-elle rien de sévère, mais au contraire, elle respirait une douceur et une sérénité qui, par contraste avec ce que j'avais ingéré, me firent croire qu'elle venait d'une autre planète. Elle était non seulement belle comme un ange, elle était lumineuse.

— Voulez-vous vous asseoir ? dit-elle d'une voix presque suave.

Elle parlait, sans accent, un français que je n'aurais pu rattacher à un autre pays que le ciel. Je parvins à détacher mon regard de son visage et à m'asseoir entre Guillaume et le père Lacasse.

Qu'est-ce qui me valait la chance d'être ici avec ces personnes, en dehors du monde, au milieu d'énergies célestes que je pouvais presque palper et qui m'enveloppaient d'une protection que je pouvais ressentir à la légèreté de l'air qui flottait autour de nous ? Je vivais un moment de grâce parfaite et le temps s'était arrêté pour me montrer qu'il y avait encore des endroits où il n'existe pas vraiment. Guillaume était avec nous sans effort. On aurait dit qu'avec le père Lacasse et la mère supérieure, nous étions devenus un bloc solide qu'aucune tempête n'aurait pu bousculer. Tout avait disparu autour de nous, même la grille qui nous séparait.

Je lui demandai :

— Racontez-moi ce que fait une mère supérieure dans un monastère de sœurs cloîtrées.

Mes paroles raisonnaient comme si elles ne s'adressaient plus à ses oreilles, mais flottaient, solides, comme des liens sonores qui nous attachaient ensemble. Elle me répondit en vibrations colorées :

— Les gens croient qu'une mère supérieure donne des ordres et exige, mais ils se trompent. Je suis la mère de ces filles et elles me voient ainsi. Elles me parlent, me confient leurs joies et parfois leur tristesse. Je les aime et elles m'aiment. Nous sommes heureuses d'être ensemble avec Dieu. Nous prions. Nous prions pour la paix, pour que les gens puissent se témoigner le même amour que celui que Dieu nous témoigne inlassablement.

Ses paroles me parvenaient avec force et me touchaient directement au cœur. Sans m'en rendre compte, j'ai mis mon bras autour des épaules de Guillaume et j'avais le sentiment de lui donner une chaleur dont il ne reconnaissait pas encore le besoin.

J'ai oublié la suite de cette conversation colorée, mais ce moment m'est resté, comme une paix dont j'ai pu toucher la substance, même après que la grille soit réapparue pour me montrer qu'il existait des territoires où le tintamarre de notre détresse cesse de résonner à nos oreilles comme un bruit terrifiant. Je me souvenais, comme dans un rêve, de cette première nuit sans sommeil pendant la retraite, où j'avais vu les prières monter vers les clochers sous forme de lumière blanche et rose et grimper vers le ciel. Elles formaient un nuage protecteur qui recouvrait la planète de l'énergie du bien et du beau. C'est ce qu'elles faisaient de leurs prières les petites sœurs. Je le voyais bien.

Je quittai ce lieu avec l'image de son visage qui m'est encore accessible parfois, même si des années se sont écoulées depuis. Mon angoisse avait disparu et je savais maintenant que je rentrerais paisiblement à la maison. J'avais été sauvé du désastre.

Guillaume avait faim et sur la route, nous nous sommes arrêtés pour souper. Pendant le repas, j'ai dû me lever pour me rendre aux toilettes et chemin faisant, ma main s'est accrochée dans le petit sachet dont j'avais presque oublié l'existence. Pendant quelques secondes, une lutte à finir s'engagea avec l'image encore toute fraîche de la mère supérieure, lutte qui se termina par la victoire du sachet.

Je me rendis compte que les effets de la grâce, comme ceux de la cocaïne, diminuent avec le temps et parfois rapidement si la flamme qui les anime cesse d'être entretenue. Pendant les quelques heures qui me séparaient de la maison, la mère supérieure reprit de la vigueur et après avoir laissé le père Lacasse à la Maison des jésuites, au lieu de retourner dans le quartier latin, je rentrai directement à la maison.

Guillaume semblait heureux de son voyage et heureux d'être revenu à la maison. Je n'eus aucune difficulté à convaincre Catherine que j'avais droit à un sommeil bien mérité après avoir pris soin de notre fils pendant deux jours entiers.

Au petit matin, lorsque j'ouvris les yeux, Guillaume dormait entre nous deux. Il ne fallut que quelques minutes pour me rendormir et derrière mes paupières fermées, le visage de sœur Alberte me souriait.

Chapitre 24

Au mois de juillet de la même année, je fus officiellement accepté en communication à l'université. Mon ego, carencé par quelques années d'ingestion d'énormes quantités de cocaïne, en avait éprouvé un vif plaisir. Cette admission venait aussi me rassurer sur le fonctionnement de mon univers neuronal qui, j'en étais persuadé, avait été réduit à néant par les mauvais traitements que je lui avais infligés.

Je ne m'arrêtai pas de consommer pour autant, mais j'étais devenu un cocaïnomane qui allait entrer à l'université, ce qui ajoutait tout de même une certaine respectabilité au personnage. J'étais presque au bout de mes ressources financières et même si mon budget anorexique ne me permettait plus que de rares écarts, je parvenais tout de même à m'échapper à l'occasion.

J'avais fait le calcul qu'en vendant quelques grammes de cocaïne de temps en temps, je pourrais, avec les profits, consommer raisonnablement sans aggraver ma situation. Je ne savais pas que plusieurs cocaïnomanes avaient déjà tenté de résoudre cette mauvaise équation qu'on pourrait appeler, *vendre pour consommer*. Il s'agit de se faire

avancer quelques grammes de cocaïne, de prélever une certaine quantité pour soi-même, comme
le font tous les revendeurs qui consomment, et de
les remplacer par du lactose, ou par une autre
substance semblable. On peut ainsi consommer
quelques grammes sans affecter la quantité qui
doit être revendue pour payer le fournisseur.

Mais pour moi, le véritable problème se
posait ainsi: une fois ces quelques grammes épuisés, je ne pouvais plus m'arrêter. Je prélevais donc
à nouveau quelques grammes que je remplaçais
encore une fois par du lactose. L'épisode se terminait habituellement au petit matin, lorsqu'après
plusieurs nouveaux prélèvements je finisse par
inhaler tout le lactose que j'y avais graduellement
ajouté. En plus d'avoir sniffé plusieurs grammes
de cocaïne et presque autant de grammes de
lactose, je me retrouvais avec une facture de cinq
cents ou de mille dollars, parfois plus, que je
devais rembourser au fournisseur.

Les semaines qui suivaient se passaient invariablement à trouver de l'argent pour payer le
vendeur et ainsi libérer mon crédit pour une
future escapade.

Catherine semblait avoir accepté la situation
et le fait qu'il était fort peu probable que je cesse
de consommer. Son indifférence à ma consommation fut, d'une certaine façon, un dur coup pour
moi. Ne plus sentir la lutte incessante qu'elle avait
menée pour que je cesse de consommer me laissait désemparé. Je n'avais plus rien pour freiner
mes excès et je n'avais fait, par moi-même, que de

timides tentatives qui s'étaient toujours soldées par des échecs.

Le choc fut plus brutal encore lorsque je compris qu'il y avait un autre homme dans sa vie. Elle avait revu un ami d'enfance et il s'était chargé d'apaiser la solitude où l'avait confiné l'amour infini que je portais à *dame cocaïne*. Même si j'avais eu mon lot d'aventures, je n'avais pas la capacité de m'adapter à cette indifférence ni au sourire qu'elle continuait d'afficher malgré les signes de plus en plus évidents de ma déchéance.

J'oscillais entre de terribles épisodes où je consommais jusqu'à en mourir et des moments d'abstinence où je récupérais péniblement de mes excès. Par une nuit encore plus longue que les autres, je me retrouvai au sous-sol des pensionnaires, devant *L'armoire aux menteries* qui me montrait ses entrailles. Les murs étaient remplis, du plancher au plafond, de la plus longue confession de mon existence et je ne pouvais même plus trouver les quelques centimètres dont j'avais tant besoin pour épancher ma tristesse.

L'armoire était pleine !

Je traçai une flèche qui partait des derniers mots que j'avais écrits, qui sortait de l'armoire et qui s'arrêtait en plein centre du plus grand mur de la chambre. Tout au bout de la flèche, sans même m'en rendre compte, j'avais écrit :

« Est-ce que tes enfants sourient en voyant ton visage le matin ? Depuis combien de temps ta femme n'a pas couru se blottir dans tes bras, juste parce qu'elle en avait envie ? Te souviens-tu de la dernière fois qu'on t'a demandé de raconter une histoire ? Est-ce que quelqu'un

t'a appelé aujourd'hui pour te dire qu'il avait envie de parler avec toi ? Il n'y a plus de place dans l'armoire aux menteries. Que fais-tu de ta vie ? »

Je remis le bouchon sur le feutre noir et le posai sur le coin du petit bureau bleu qui, avec le lit, étaient les seuls meubles de cette chambre. Je laissai la porte grande ouverte et je gravis l'escalier qui mène à l'étage des vivants. Il était six heures du matin. Je pris le téléphone et signalai le numéro du centre de traitement :

— Bonjour, répondit une voix devenue familière.

— J'ai déjà appelé quelques fois pour une admission, mais je n'ai pas pu me rendre.

— Je reconnais votre voix. Habituellement, il faut appeler après neuf heures, mais pourquoi ne venez-vous pas aujourd'hui ? Plusieurs résidents terminent leur stage et je suis certain qu'il y aura de la place. Où demeurez-vous ?

— À Québec.

— Vous pourriez peut-être arriver au début de l'après-midi. Laissez-moi votre nom et votre numéro de téléphone. Quelqu'un va vous rappeler un peu plus tard.

— D'accord, j'attendrai son appel.

Je me dirigeai vers la chambre à coucher. Elle était vide à me faire sentir que je n'avais plus de cœur dans la poitrine, vide comme un puits sans eau, comme un lit sans amour.

Je refermai la porte et j'ouvris une à une celles des enfants. Elles étaient aussi vides que la nôtre. Ils étaient tous partis. Sur la table de la cuisine, sur le bureau du corridor, aucun message. Personne n'avait écrit: «À tout à l'heure!» avec un petit cœur et des petits *xxx* qui me disaient «mille milliers de baisers».

Je redescendis au sous-sol et en voyant *L'armoire aux menteries*, j'eus un haut-le-cœur qui me fit presque vomir. La détresse flottait dans l'air, éclairée par la raie poussiéreuse qui s'était frayée un chemin à travers les vénitiennes entrouvertes. Je sentis que j'allais mourir si j'y retournais. Je remontai à l'étage et je m'étendis sur le canapé du salon. Il y avait encore quelques fleurs à la fenêtre et juste à côté, une photo de famille me regardait. Tout le monde était là, Catherine, les enfants et les parents de Catherine. En y regardant de près, on pouvait encore voir sur mon visage les traces d'un œil au beurre noir que le photographe n'avait pas réussi à camoufler complètement.

Je faisais partie d'une ligue de balle molle à l'époque, la ligue Quartier latin. Chaque samedi matin, les équipes s'affrontaient. La plupart des joueurs travaillaient dans un des nombreux bars du quartier latin jusqu'à trois ou quatre heures du matin. Il n'était pas rare qu'une bonne partie de l'équipe se présente sur le terrain, sans avoir dormi, après une nuit de joyeuses libations. J'étais très impliqué dans cette équipe et mon fils François, qui avait douze ou treize ans à l'époque, était devenu le marqueur officiel de la ligue. Il adorait le baseball et en connaissait toutes les règles. Il était très fier de ce travail et j'éprouvais beaucoup de fierté, moi aussi, à le voir tenir tête à des adultes qui faisaient trois fois sa taille.

Ce jour-là, je devais jouer le matin et me rendre tout de suite après chez les parents de Catherine pour une séance officielle de photos où tout le monde devait être présent. Malgré l'importance de l'événement, je m'étais perdu encore une fois et j'avais consommé toute la nuit.

Je décidai de me présenter quand même sur le terrain pour la partie. Mon fils serait là et je ne voulais pas qu'il soit embarrassé par les questions des autres joueurs de l'équipe qui n'auraient pas manqué de s'informer des raisons de mon absence. À mon arrivée, je lui fis un petit signe de la main en passant devant la cabane où il s'installait, à l'arrière du receveur, essayant de voir dans ses yeux s'il s'était rendu compte que je n'avais pas dormi à la maison. J'étais tellement sonné par toute la cocaïne que j'avais absorbée que je n'étais pas certain de tenir le coup jusqu'à la fin du match. Entre chaque manche, je courais aux toilettes et j'inhalais un peu de cocaïne avant de retourner sur le terrain.

Ces précautions furent bien inutiles, puisque je fus incapable de réagir assez rapidement et la première balle qui fut frappée dans ma direction m'atteignit en plein visage. Je fus assommé net et lorsque j'ouvris les yeux, mon visage commençait à ressembler à un pruneau qui aurait muri trop rapidement. Et la journée n'était pas finie. Je devais encore me rendre chez les parents de Catherine et garder ma contenance jusqu'à la fin de la séance de photos.

Épuisé, je m'endormis sur ce joyeux tableau de famille où étaient encore visibles les traces de ma bienveillance paternelle. Je rêvai que j'étais transporté sur un cheval ailé qui s'élevait vers le ciel. Je pouvais tourner à gauche ou à droite, monter ou descendre par une simple pression de la main. Je ressentais un état de liberté totale.

La sonnerie du téléphone vint me chercher au beau milieu de ce sentiment de pur bonheur. J'ouvris péniblement les yeux, frustré de ce brusque retour à la réalité. J'avais l'impression que je venais à peine de m'assoupir. J'avais peur de répondre. J'aurais été incapable d'avancer d'un pas ou de sortir de la maison et encore moins me rendre à Montréal, dans un centre de traitement qui était encore une abstraction aussi abstraite que l'abstraite condition où m'avait plongé la cocaïne depuis quelques années.

Pas encore! Pas aujourd'hui!

Un joyeux tintamarre m'éveilla. Je ne savais plus si on était le soir ou le matin. En ouvrant les yeux, je vis les enfants qui entraient dans la maison suivis de Catherine. Je parvins à me soulever pour leur dire bonjour et, incapable d'ouvrir la bouche, je courus m'enfermer dans la salle de bains. Pendant de longues minutes, je fus étouffé par des sanglots incontrôlables.

J'avais eu tellement peur. Je croyais qu'ils m'avaient tous quitté.

Chapitre 25

Mes relations avec Gabriel s'étaient maintenues, malgré le désastre de la veillée pascale.
Je ressentais constamment une immense solitude
qui s'aggravait encore lorsque je consommais.
Gabriel était devenu un paravent contre cette solitude qui était aussi la sienne. Il était le seul avec qui
je partageais les secrets de ma double vie.

Chaque fois que nous nous rencontrions,
après avoir pris une bière ou deux en y ajoutant
quelques banalités, la conversation prenait invariablement le chemin de nos faiblesses. À cette
époque, la cocaïne était beaucoup plus rare qu'aujourd'hui et nous étions parfois plusieurs jours et
même plusieurs semaines sans pouvoir en trouver.
Notre dialogue évoluait toujours de la même façon
et prenait l'allure d'un rituel qui à peu de choses
près se déroulait ainsi :

— As-tu eu des problèmes la semaine dernière ? Il était plus de cinq heures du matin quand
nous sommes entrés à la maison.

— Non, Catherine a changé. Elle ne dit
presque plus rien. Ça ne va pas très bien à la maison. Elle a rencontré quelqu'un et elle s'absente de
plus en plus souvent sans raison. Côté finances, ça

ne va pas très fort non plus. Je ne sais même plus combien je dois, ni à qui.

— Moi, c'est pareil. J'ai dû emprunter pour régler mes dettes et les deux derniers mois de mon hypothèque. As-tu parlé à Fournier dernièrement? finissait par me demander Gabriel.

— Non, mais j'ai rencontré un gars qui m'a dit qu'un de ses amis lui avait fait essayer quelque chose. Il a dit: « Du *christ* de bon *stock*! »

— L'as-tu essayé?

— Non, il faut que je trouve un moyen d'arrêter cette cochonnerie. Si je commence, je ne suis plus capable de m'arrêter.

— C'est la même chose pour moi et on dirait que ça empire. Le gars que tu as rencontré, est-ce quelqu'un à qui on peut faire confiance?

— Je pense que oui, mais ce n'est pas lui qui a la cocaïne.

— Penses-tu qu'il pourrait nous mettre en contact? On ne sait jamais.

— Je ne sais pas. Il faudrait l'appeler.

— Tu devrais peut-être essayer de le joindre.

— Tu veux en prendre ce soir?

— Non, non, il faut que je rentre.

— Moi aussi, je dois rentrer tôt. Je vais tout de même essayer de l'appeler, comme ça, nous aurons ses coordonnées. On ne sait jamais.

Et chaque fois, le dialogue continuait ainsi jusqu'à ce que nous ayons rejoint quelqu'un qui connaissait quelqu'un, et la suite s'enchaînait comme un scénario bien rodé.

Nous jouions un jeu dont nous connaissions l'issue et nous ne l'aurions jamais joué s'il nous avait conduits ailleurs qu'à la cocaïne. Tous les deux, nous savions que notre consommation n'avait rien de normal et parfois, nous allions jusqu'à dire qu'il faudrait bien arrêter, mais le verbe était encore conjugué au conditionnel.

Nous trouvions parfois des solutions originales à nos problèmes et la créativité n'avait pas encore disparu de nos cerveaux surchauffés. Un jour, quelqu'un que nous connaissions était arrivé au bar en nous faisant signe de le suivre aux toilettes. Il avait sorti de son manteau un énorme sac contenant ce qui ressemblait aux champignons séchés du quartier chinois. Il nous avait dit :

— Avez-vous déjà essayé les champignons magiques ? C'est fantastique.

Gabriel ne perdit pas de temps et je fus surpris de l'entendre dire :

— Combien veux-tu pour tes champignons ?

— Vingt-cinq dollars, répondit-il, si vous prenez le sac au complet.

— On le prend, répondit Gabriel en cherchant l'argent dans ses poches.

Bien installés au bar, nous avons commencé à mâcher les champignons en les humectant de houblon, comme s'il s'agissait de friandises. Une vingtaine de minutes plus tard, malgré leur goût tout à fait déplaisant, nous nous étions mis à rire à gorge déployée, sans trop savoir pourquoi.

— Qu'est-ce qui t'a pris d'acheter ça ? lui dis-je. Tu ne trouves pas qu'on a assez de problèmes avec la *coke* ? ajoutais-je en essayant de garder mon sérieux.

— Mais non, fais le calcul, vingt-cinq dollars! T'as vu la grosseur du sac. Si on pouvait prendre des champignons au lieu de la cocaïne, nos problèmes seraient résolus. C'est pour cela que je les ai achetés. On en prend et si on aime ça, on sera certain de ne pas en manquer et, adieu la cocaïne. Qu'est-ce que tu penses de cette idée?

Son raisonnement avait quelque chose d'intéressant, autant pour notre budget que pour notre santé physique et mentale.

— On peut toujours essayer, répondis-je. On n'a rien à perdre.

Presque au même moment, Fournier arriva comme par hasard, sentant peut-être que ses fidèles clients allaient lui filer entre les doigts.

— Vous avez l'air de vrais malades, dit-il. Qu'est ce que vous avez à rire comme ça?

— Tu devrais essayer ces champignons-là, Fournier. Ça ne coûte presque rien et c'est aussi bon que ta maudite cochonnerie.

— Venez me rejoindre en bas. J'ai quelque chose à vous faire goûter, moi aussi.

Il n'eut pas besoin d'un long discours pour nous convaincre et quelques minutes plus tard, bien installés dans les toilettes du bar, nous nous apprêtions à tester une nouvelle combinaison alimentaire. Fournier a avalé nos champignons et nous avons sniffé sa *coke*. Nous voilà sous le double effet de la cocaïne et des champignons, nous félicitant d'avoir trouvé la combinaison gagnante. L'effet était terrible et notre budget n'avait pas trop souffert de l'aventure. La *coke* était offerte par Fournier et les champignons n'avaient presque rien coûté. Malgré toute notre bonne volonté, notre nouveau traitement à base de champignons n'avait pas produit l'effet escompté et au bout de quelques heures, la cocaïne avait réinvesti son royaume.

Nos rapports avaient toujours évolué autour de la cocaïne, des façons de s'en procurer, chacun cherchant la source inépuisable qui pourrait nous assurer une éternelle sécurité. Malgré l'ampleur du drame qui se jouait dans nos vies, nous avons vécu des situations cocasses qui nous font encore sourire aujourd'hui.

Un jour, après avoir rencontré quelqu'un qui arrivait d'Amérique du Sud, j'appelai Gabriel à son bureau:

— J'ai quelque chose pour nous, lui dis-je avant même de lui dire bonjour. Il paraît que ça vaut la peine, directement du Pérou et on peut avoir un prix spécial si on achète au moins une once à la fois. Je suis prêt à en prendre la moitié. Si tu prends l'autre, j'appelle mon contact et on peut régler ça dès aujourd'hui.

— L'as-tu essayée?

— Non, pas encore, mais je pense qu'il faut acheter avant que quelqu'un y ajoute de la cochonnerie.

Cette fois-là, nous avions probablement passé suffisamment de temps sans consommer pour éviter les préliminaires et nous sommes passés directement aux choses sérieuses. Sans hésiter, il se dit prêt à acheter une demi-once à la condition que le marché puisse se conclure la journée même.

— Laisse-moi vérifier et je te rappelle dans quelques minutes.

Lorsqu'on fait une bonne vie, elle nous le rend bien et le propriétaire de l'once que nous convoitions était à la maison, prêt à conclure la transaction dans les délais.

— Écoute, lui avais-je dit, je suis prêt à acheter une once. Je t'en paie la moitié, deux mille deux cent cinquante dollars immédiatement, et le reste demain. La deuxième moitié est déjà vendue, mais je ne peux pas la livrer avant ce soir.

— T'es certain de pouvoir me régler ça pour demain?

— Aucun problème, c'est comme si c'était fait.

Je repris le téléphone avec un léger tremblement. Il avait accepté les arrangements que je lui avais proposés. C'était le bonheur total! Les problèmes, on les envisagerait plus tard.

— Gabriel, ça va pour ce midi, mais il faut trouver un endroit pour séparer l'once. Chez moi, ce n'est pas possible. Prépare ton argent, je vais monter le chercher et je vais redescendre payer notre ami. C'est aussi bien qu'il ne te voie pas.

— D'accord, je passe à la banque et je serai de retour à mon bureau dans une trentaine de minutes, tout au plus. C'est au onzième étage. Dis à la réceptionniste que tu as rendez-vous avec moi.

Je rappelai mon contact et je lui donnai rendez-vous à la porte de l'édifice où se trouvait le bureau de Gabriel. Je sautai dans la voiture et je me rendis à son bureau. L'ascenseur grimpa jusqu'au onzième étage et quelques minutes plus tard, j'étais introduit dans son bureau.

— Voilà l'argent. Dis à la réceptionniste que tu as oublié quelque chose et que tu reviens tout de suite.

Je repris l'ascenseur et redescendis payer le *pusher* qui attendait à la porte dans sa voiture. Il repartit en me rappelant que je devais payer l'autre demi-once sans faute le lendemain.

Je remontai au onzième et repassai devant la secrétaire avant de retourner dans le bureau de Gabriel.

— Ne fais pas de bruit, fit-il. Nous allons traverser dans l'autre bureau. Il n'y a personne.

Nous nous sommes avancés sur l'épais tapis du corridor qui tuait le son de nos pas et nous sommes arrêtés devant une porte où était écrit : « Monsieur… ministre de la… » Je me suis arrêté net, mais Gabriel m'a rassuré en ajoutant :

— Il n'y a pas de meilleur endroit. Le ministre est à l'extérieur pour plusieurs jours.

Nous avons franchi la porte comme des invités de marque et nous sommes retrouvés dans un vaste espace, meublé d'un magnifique bureau et de plusieurs fauteuils luxueux. Une fenêtre panoramique nous donnait l'impression de dominer toute la ville.

Pour diviser la cocaïne en deux parts égales, nous avons dû approcher la patère tout près du bureau et suspendre la balance au crochet prévu pour le manteau du ministre. Il était rassurant de voir que cet ameublement pouvait, à l'occasion, servir une cause qui nous apparaissait plus noble.

Le bras droit du ministre surveillait de près les oscillations de la balance afin de s'assurer qu'il recevait sa juste part, tandis que je continuais à jouer de la cuillère jusqu'à ce que les deux sachets soient proprement pesés et remis à leurs nouveaux propriétaires. Le succès de l'opération fut une occasion de réjouissances et après avoir soigneusement emballé nos instruments, nous fîmes deux belles lignes, bien allongées sur le bureau, en conclusion d'une transaction bien menée, dans un endroit propre et respectable. À tour de rôle, nous avons nettoyé le bureau du ministre avec de grands reniflements sonores et sommes ressortis en essayant de maîtriser le fou rire qui menaçait d'éclater. Je repris l'ascenseur tandis que Gabriel, bien sustenté par l'apéritif qu'il venait d'inhaler, s'apprêtait à répondre à une nouvelle demande de subvention.

Je m'installai dans un bar du quartier latin et l'après-midi fut un incessant va-et-vient entre le bar et la toilette. La cocaïne que nous avions achetée était puissante et j'étais presque au bord du délire. Des petits mots incohérents s'allumaient dans ma tête comme des lumières qui clignotent par intermittence :

«Sniffe! Sniffe! Sniffe! Petit cœur qui bat, qui se bat. Cerveau électrique. Mouvements fébriles. Petites phrases sèches et sautillantes. Peur de rentrer. Peur de mourir. Peur d'être seul. Peur d'être fou. Petite bière pour se calmer. Pas assez! Petit sachet pour compléter. Je dois partir. Je ne peux pas.

— Gabriel! Gabriel! Viens me chercher. Reste avec moi!

— Non, c'est vrai, tu ne peux pas. Je ne peux plus rester seul. Je suis prêt à tout. Catherine, viens me chercher! Aide-moi! Je veux dormir. Catherine! Je veux mourir.»

Je suis à la maison. Catherine me serre, me réchauffe et me caresse les cheveux. Je serre les dents. Je desserre les points, mes yeux se ferment. Je me laisse mourir, mon cœur s'arrête, quelle paix, quelle tranquillité, je ne savais pas qu'il était si reposant de ne plus pomper son propre sang.

«Il ne faut pas. Tu ne peux pas. Il te faut vivre encore un temps. Tu peux dormir, mais pas mourir.»

Je m'endormis, puis je dormis, dormis, dormis. J'ouvris les yeux, et les refermai.

«Maudite réalité! Dans la maison, aucun bruit. Catherine, les enfants. Merci d'être sortis! Vous êtes gentils de ne pas m'obliger à vous regarder. Pas maintenant. Pas tout de suite.»

Il était onze heures du matin. Je vidai mes poches sur le bureau: quelques sous, quelques grammes que mon corps avait refusés. Heureusement! J'ouvris le sachet, j'étendis une petite ligne sur la table de la cuisine et je reniflai sans plaisir. Je n'avais jamais appelé le centre de traitement sans avoir consommé. Aussitôt l'effet disparu, je changeais d'idée. Aujourd'hui, changement de stratégie:

«J'ai assez de cocaïne pour la journée. Je vais sniffer sans m'arrêter. J'appelle au centre de traitement. Je sniffe encore un peu. Je prends l'autobus et je sniffe jusqu'à Montréal. Je m'arrêterai lorsque la porte du centre de traitement se sera refermée, pas avant.»

J'appelai Gabriel et je lui donnai rendez-vous dans un bar du quartier latin. Avant de partir, je fouillai la maison, mais je ne trouvai que quelques pièces de monnaie. À mon arrivée, il est déjà là, accoudé au bar. À le voir, les dernières vingt-quatre heures avaient été difficiles. Même s'il ne faisait pas très chaud, je suais à grosses gouttes.

— Gabriel, je m'en vais à Montréal dans un centre de traitement. Je suis décidé.

Il me regarde inquiet en me disant, comme si j'étais tombé sur la tête :

— Tu en as repris ce matin.

— Oui, il le fallait.

— Allons faire une petite ligne en bas, après tu me raconteras ce qui t'arrive.

Nous voilà repartis pour les toilettes comme chaque fois. À croire que nous y avions élu domicile. Intimité malsaine, bruits de narines saignantes collées au réservoir. Pousse-toi un peu, c'est mon tour ! Il en faudra des années pour effacer ces images sordides des lambeaux de nos vies accrochés comme des graffitis aux murs des toilettes du quartier latin.

Nous sommes remontés vers le bar et avons commandé une autre bière. Nous avions l'âme triste de ceux qui savent que leurs routes vont se séparer.

— Vas-y ! Je ne sais pas ce qu'ils font dans un centre de traitement, mais j'espère que tu trouveras ce que tu cherches.

Nous nous sommes serré la main et nous nous sommes regardés quelques instants, comme si c'était la dernière fois. J'aurais voulu rester, effrayé par ce plongeon dans l'inconnu, mais il me semblait qu'il n'y avait plus d'autres endroits sur terre où je pouvais aller.

— Gabriel, tu peux me passer de l'argent pour payer l'autobus? Il me reste à peine quelques dollars.

— Je te fais un chèque. Je n'ai pas d'argent sur moi. Change-le ici au bar.

Il me fit un chèque de trente-cinq dollars et décida de venir me reconduire à l'autobus. Il me laissa devant la porte de la gare et lorsque j'ouvris la portière, il avait les larmes aux yeux et j'avais peine à retenir les miennes. Je m'approchai des guichets et demandai un billet pour Montréal. Aller seulement!

J'insérai une pièce dans un des téléphones pendus au mur et je signalai le numéro du centre de traitement.

— Je veux parler aux admissions, dis-je à la personne qui me répondit.

— Un instant, s'il vous plaît.

Une voix de femme me répondit:

— Qu'est-ce que je peux faire pour vous?

— J'ai déjà appelé à quelques reprises et j'avais été admis à votre centre, mais je n'ai pas pu me rendre. Je suis prêt à entrer, mais il faut que ce soit maintenant.

— Je pense qu'on pourrait vous recevoir aujourd'hui. Quel est votre nom?

Je fis un effort pour donner mon nom, comme si c'était la confirmation de la gravité de mes problèmes. J'avais l'impression de briser un secret.

— On vous attend, à quelle heure pensez-vous arriver?

— Je prends l'autobus tout de suite. Je suis à Québec. Dans trois heures tout au plus je serai à Montréal.

En attendant le départ, je retournai aux toilettes encore une fois pour oublier ce que j'étais en train de faire. Il ne fallait plus que je réfléchisse.

Je sautai dans l'autobus et je me calai dans le fond du siège, seul, perdu. Je repris de la cocaïne chaque fois que la réalité reprenait le dessus et que ma volonté fléchissait. Deux heures plus tard, je débarquais à Montréal, à des années-lumière de chez moi. Les taxis étaient alignés le long du trottoir et l'air vibrait de chaleur au-dessus du capot des voitures. Je tournai les talons et me dirigeai vers le bar. Je commandai une bière en me disant :

« Prends-la doucement, c'est peut-être ta dernière. »

La tranquillité du bar et la fraîcheur du liquide m'apportèrent un apaisement dont j'avais grand besoin. En prenant tout mon temps, j'avalai gorgée après gorgée jusqu'à ce que la bouteille soit bien vide. Le garçon s'approcha et m'offrit une autre bière que je refusai. Il me restait à peine de quoi payer la course jusqu'au centre de traitement.

Je sortis du bar et je me dirigeai vers les toilettes. J'entrai dans un cabinet et après avoir essuyé le dessus du réservoir, j'y vidai tout ce qui me restait. Je roulai un de mes derniers billets et j'inhalai avec force pour ne rien perdre. Je passai mon doigt sur toutes les parois du sachet et le léchai jusqu'à ce que toutes traces de cocaïne aient disparu. Le bout du billet que j'avais utilisé était maculé du sang qui s'écoulait de mes narines.

Je sortis du bar et j'ouvris la portière du premier taxi de la longue ligne de voitures qui s'alignaient le long du trottoir.

— Rue Querbes, s'il vous plaît. C'est loin la rue Querbes? demandai-je.

— Non, une quinzaine de minutes tout au plus.

Le taxi se mit en route et quelques instants plus tard, il s'immobilisait devant un édifice à logement qui ne correspondait en rien à l'image que je me faisais d'un centre de traitement. Je payai et je comptai ce qui me restait. Une pièce de vingt-cinq sous et le billet encore enroulé et taché de sang.

Je frappai à la porte du centre et lorsque la porte s'ouvrit, je me rendis compte que je n'avais ni bagage, ni même une brosse à dents. Je ne connaissais rien de cet endroit sinon qu'un artiste bien connu y avait séjourné quelques années auparavant pour ses problèmes d'alcool et que sa vie avait pris un nouveau départ.

Chapitre 26

L'endroit était des plus ordinaires. Quelques bureaux qui ressemblaient à des bureaux, deux portes fermées au bout du corridor, un escalier qui montait vers les autres étages. Est-ce qu'on allait m'attacher sur un lit, me donner des médicaments, me plonger dans l'eau froide ou m'asseoir sur le fauteuil du psychiatre ? À quoi pouvait bien ressembler le traitement d'un adepte de la poudre des Andes ?

Les effets de la cocaïne que j'avais absorbée commençaient à s'estomper et si mes provisions n'avaient pas été épuisées, j'aurais pris mes jambes à mon cou. Je n'avais plus ni cocaïne ni argent et nulle part où aller. Je ne pensais plus qu'au lit où je pourrais m'enfouir sans contraintes et dormir, jour après jour, nuit après nuit, jusqu'à ce que disparaisse cette lourdeur qui pesait sur moi comme une fatigue infinie.

Une infirmière m'accueillit et posa quelques questions sur ma consommation et sur mon état de santé. Je me sentis davantage rassuré lorsqu'elle me dit que je verrais un médecin au cours des prochains jours. Elle me fit un grand plaisir lorsqu'elle referma son dossier et se leva pour appeler Charlie à qui elle demanda de me conduire à ma chambre.

— Où sont vos bagages? me demanda-t-il en arrivant.

— J'ai oublié d'en apporter, répondis-je mal à l'aise. Plus tard, je ferai quelques appels pour qu'on m'envoie des vêtements et des articles de toilette. Est-ce que je peux m'étendre quelques heures? lui demandai-je d'une voix presque suppliante. Je n'ai presque pas dormi la nuit dernière.

— Tu as jusqu'au souper à six heures. Après le souper, je t'expliquerai le fonctionnement de la maison.

Il repartit presque aussitôt et je me laissai tomber sur le lit, non sans constater, avec déception, qu'il y avait un autre lit et d'autres vêtements dans la chambre. Je ne serais pas seul. J'éprouvais un malaise à l'idée de partager ma chambre avec un inconnu.

La fatigue du voyage et l'appréhension causée par ce nouvel univers où je vivrais les prochaines semaines ajoutaient à l'enfer de la descente. Il me fallut presque une heure avant que cessent les images qui défilaient à toute vitesse derrière mes paupières fermées et que mes mâchoires se desserrent. Je n'avais pas prévenu Catherine. Elle s'inquiéterait peut-être lorsqu'elle se rendrait compte que je n'étais pas rentré. J'avais demandé à Gabriel de la rejoindre, mais le ferait-il? Et s'il le faisait, elle se dirait probablement: «Encore une histoire qu'ils ont inventée pour ne pas dire qu'ils ont repris de la cocaïne.» Je l'appellerai plus tard, pour le moment, j'en suis incapable. Elle sera surprise, me dis-je en serrant mon oreiller comme un naufragé.

Lorsque j'ouvris les yeux, la chambre était noire et un cadran lumineux me regardait en me reprochant d'avoir dormi jusqu'à huit heures dix. Il me fallut quelques minutes pour reconnaître l'endroit où j'étais.

Je commençais à dégeler et les yeux à demi fermés dans la pénombre, je me demandais, presque avec horreur, comment j'avais pu me retrouver ici. Moi qui avais rêvé de grandeur et de rencontres avec d'imminents spécialistes qui pourraient m'aider à identifier les racines profondes du mal qui me rongeait, je me retrouvais dans une petite chambre minable pour entreprendre un traitement dont je ne savais strictement rien. J'étais humilié que ma fin ne soit pas plus glorieuse et en même temps, je reconnaissais la justesse de mon raisonnement : « Je ne serais jamais venu jusqu'ici sans consommer avant de m'y rendre. »

On m'avait dit de descendre pour le repas de six heures et il était déjà huit heures. Est-ce qu'on avait essayé de me réveiller ou m'avait-on tout simplement oublié ? De toute façon, je n'avais pas faim. Une seule envie, fumer quelques cigarettes et replonger dans le sommeil.

Je me levai et ouvris lentement la porte. Devant moi, l'escalier sombre descendait vers un monde qui me faisait peur. Je pouvais percevoir des éclats de voix qui montaient jusqu'à moi. Qu'est-ce que je trouverais tout en bas ?

Je descendis lentement, me laissant guider par le bruit qui s'amplifiait à mesure que j'approchais du rez-de-chaussée. J'appréhendais cette première rencontre. Qui étaient ces personnes qui, comme moi, avaient eu besoin de se soûler pour se donner le courage d'entrer en traitement ?

Je parvins au bas de l'escalier et me dirigeai vers la lumière au fond du corridor. Les portes qui étaient fermées lors de mon arrivée étaient maintenant grandes ouvertes. Je m'approchai lentement et me présentai dans l'embrasure de la porte. Il y avait huit ou neuf personnes, dont une femme. Ils étaient assis sur de vieux divans noirs et semblaient engagés dans une joyeuse conversation. L'autre porte donnait sur une petite cuisine et une autre pièce où des tables disposées en rectangle laissaient à peine l'espace nécessaire pour permettre de circuler tout autour.

Les conversations cessèrent presque aussitôt et un homme se leva en me tendant la main :

— Tu viens d'arriver, moi c'est Jean-Pierre. Je suis ici depuis presque trois semaines. Je te souhaite la bienvenue.

Ils se levèrent tous, un à un, et les présentations se poursuivirent jusqu'à ce que le dernier m'ait serré la main. L'accueil apaisa mes craintes et finalement, je ne me sentais pas trop dépaysé. On me montra les lieux et le fonctionnement de la cuisine, puis Charlie apparut et me fit signe de le suivre :

— Je vois que les présentations ont été faites. Viens à mon bureau et tu pourras revenir ici par la suite. Je ne te l'ai pas mentionné tout à l'heure, mais c'est avec moi que tu as parlé au téléphone à quelques reprises. Je suis content que tu sois enfin arrivé, ajouta-t-il.

Il m'expliqua l'horaire, les activités et me parla du personnel :

— Le matin, on se lève à six heures trente et le déjeuner est à sept heures trente. Tu dois faire ton lit avant de descendre.

Il poursuivit :

— Il n'y a pas suffisamment d'espace ici et les repas se prennent à l'extérieur, sauf le déjeuner. Le dîner est à l'Institut des sourds et muets non loin d'ici et le souper au Club VA, un endroit où peuvent se rencontrer les alcooliques abstinents. La thérapie débute à huit heures trente et se termine à onze heures, la même chose dans l'après-midi. En soirée, tous les résidents, c'est comme ça qu'on appelle ceux qui séjournent ici, assistent à des rencontres des Alcooliques anonymes. Le coucher est à vingt-deux heures trente et toutes les activités sont obligatoires.

Vous n'avez pas accès au téléphone. Les livres, revues et journaux autres que ceux que je te remettrai tout à l'heure sont interdits. Il n'y a pas de télévision, sauf la fin de semaine. Un conseiller te sera assigné avec qui tu pourras travailler tout au long de la thérapie. Il y a des travaux à faire durant les temps libres et seules les sorties prévues à l'horaire sont permises. Voilà le programme en résumé. Si tu t'y donnes à fond, tu seras surpris des résultats.

Voilà, c'est à peu près tout. Si tu as besoin de quelque chose, je suis ici jusqu'à huit heures demain matin. D'ici au coucher, tu es libre. Voici quelques livres et du papier que tu pourras utiliser

pour prendre des notes et pour faire tes travaux.
Tu n'auras pas besoin d'autre chose.

Il me remit deux livres et un cahier ligné. L'un
était intitulé *Les Alcooliques anonymes* et l'autre, *Les
12 étapes et les 12 traditions des Alcooliques anonymes*. Je ramassai le tout, déçu que le programme
n'ait pas plus de profondeur et que les livres qu'il
m'avait remis n'aient rien de scientifique.

— Je n'ai pas pu informer ma famille avant de
partir. Je dois aussi leur demander de m'envoyer
mes bagages. Est-ce que je peux appeler à la
maison ?

— Les téléphones sont interdits, mais je peux
appeler à ta place si tu le désires.

— D'accord, répondis-je, en lui donnant le
numéro de la maison et le nom de Catherine.
Dites-lui de m'envoyer des vêtements et un peu
d'argent pour les cigarettes.

— J'appelle tout de suite.

J'étais soulagé qu'il appelle à ma place et je
retournai avec les autres pensionnaires. Une vingtaine de minutes plus tard, Charlie revint et me fit
signe de le suivre.

— J'ai rejoint ta femme. Je n'ai même pas pu la
convaincre que tu étais ici. Elle m'a répondu: «Je
ne vous connais pas, mais vous êtes la deuxième
personne qui appelle aujourd'hui pour me faire
croire qu'il est dans un centre de traitement. Si
vous voulez *triper* et *sniffer*, vous n'avez pas besoin
de me raconter des histoires. Dites-lui que je n'ai
pas d'argent à lui donner et que s'il veut des
vêtements, qu'il vienne les chercher lui-même.»
J'ai essayé de reprendre la parole, mais elle avait

déjà raccroché. Je pense qu'on va attendre à demain et ton conseiller pourra la rappeler. Je ne pense pas qu'on aura beaucoup de succès ce soir. En attendant, je vais te donner une brosse à dents et un rasoir.

Je m'imaginais Catherine qui avait probablement reçu un appel de Gabriel et un autre de Charlie par la suite. Elle était persuadée que je me trouvais dans quelques *trous* comme elle les appelait et qu'en plus, j'avais le culot de la faire appeler par un autre pour avoir de l'argent. Même si elle ne pouvait croire que j'étais dans un centre de traitement, je ressentais une certaine satisfaction en imaginant sa réaction lorsqu'elle saurait que j'y étais réellement. Je retournai au salon et retrouvai cette bande d'éclopés dont je faisais déjà partie sans trop m'en rendre compte :

« Parlez, parlez mes amis que je ne connais pas. Étourdissez-moi de vos paroles, de vos illusions, faites-moi croire à l'impossible. Je suis prêt à tout et même au mensonge pour ne pas sombrer dans le désespoir. »

Les effets de la cocaïne s'étaient dissipés et des attaques massives de réalité me bombardaient sans répit. J'étais à Montréal, sans argent ni bagages, dans un centre de traitement où échouaient ceux qui ne savaient plus où aller. Un homme entra, saoul à ne presque plus pouvoir se tenir debout. Charlie nous le présenta :

— Voici Albert, c'est un nouveau. Il vient d'arriver. Prenez-en soin pendant que je prépare sa chambre.

Albert s'approcha, chancelant et comme les autres, je me lèvai pour lui souhaiter la bienvenue. En s'approchant, il s'écroula à mes pieds et me serra les genoux entre ses bras en sanglotant et en prononçant des paroles incohérentes.

Je le laissai faire, n'osant le repousser, jusqu'à ce que Charlie revienne enfin. La cocaïne m'avait toujours semblé infiniment plus noble et je n'avais jamais voulu reconnaître que ma consommation d'alcool s'était aggravée avec les années. Mes illusions résistaient encore, retranchées dans les contreforts de ma fierté.

Charlie revint pour s'occuper d'Albert et je remontai au troisième à la hâte. Lorsque j'entrai, un homme que je ne connaissais pas était assis sur le lit, juste à côté du mien. Il se présenta :

— Je m'appelle Gérard. Je suis ici depuis une quinzaine de jours.

— Émile, je suis arrivé aujourd'hui.

— Oui, je sais, je t'ai vu tout à l'heure en bas.

Il se coucha, se retourna contre le mur en disant *bonne nuit* de sa voix grave. Ce fut tout ce que j'appris sur lui ce soir-là. Tant mieux, je n'avais pas vraiment le goût d'en écouter davantage.

Je dormis jusqu'au matin et lorsque j'ouvris les yeux, Gérard avait déjà quitté la chambre. J'étais heureux de me retrouver seul. Le cadran marquait six heures trente. Il fallait s'habiller et enfiler mes vieux vêtements qui sentaient encore la gargotte et les nuits blanches.

Je me frottai le visage à l'eau froide tout en examinant mon reflet dans la petite glace de la salle de bains. J'avais l'impression de voir un étranger. Je n'étais plus sous l'effet d'aucune drogue et la réalité n'avait plus de contour précis. Tout ce que j'avais vécu au cours des derniers mois me semblait irréel.

Je repris les escaliers qui plongeaient vers le rez-de-chaussée et l'odeur du café me redonna le sourire. Un nouvel univers se construisait, alimenté par les odeurs familières du matin. Je retrouvai le corridor. À droite, les vieux divans noirs désertés ce matin et à gauche, la cuisine et quelques visages de la veille qui discutaient autour d'un petit déjeuner. Rien n'avait changé. L'animation était passée de droite à gauche, mais j'étais bien au même endroit.

Je n'avais pas le cœur à la réjouissance. Une seule chose m'intéressait dans cette pièce, le café sur lequel je comptais pour tenir debout quelques heures et la cigarette que je voulais emprunter, dussé-je les appeler mes nouveaux amis.

Même si le café et le tabac me remirent partiellement sur pied, j'aurais donné tout ce que je possédais pour quelques heures additionnelles de sommeil. Je ressentais encore une immense fatigue qui me donnait l'impression de transporter l'univers sur mes épaules. Je me demandais pourquoi on ne laissait pas les pauvres alcooliques et drogués que nous étions se plonger à leur guise dans un sommeil dont ils avaient tant besoin. Il aurait été si facile de nous dire :

« Dormez, mes amis, dormez en paix ! Vous êtes libres aujourd'hui. »

Rien n'aurait pu résonner plus doucement aux oreilles de ceux qui ne peuvent plus supporter le fardeau de leur propre existence. Mais cette faveur me semblait si grande que je n'aurais jamais osé la demander. J'avalai un autre café et j'empruntai une autre cigarette avant de demander à quoi ressemblerait la journée. Chacun y est allé de son bout d'horaire :

— À huit heures trente, la thérapie débute, commença quelqu'un sur ma gauche.

— Qu'est-ce que c'est, la thérapie ? demandai-je.

— Un conseiller vient nous parler de l'alcoolisme, des Alcooliques anonymes et de plusieurs autres sujets. Ça se termine vers onze heures. Il y a aussi des périodes de questions. Les conseillers sont tous des alcooliques qui ne consomment plus. Quelques-uns sont intéressants, d'autres sont ennuyants à mourir.

— Ils vont nous parler tout l'avant-midi, répliquai-je sur un ton que j'aurais voulu plus cordial.

— Oui, la thérapie dure tout l'avant-midi. Après, c'est le dîner et elle reprend à treize heures trente.

Je voyais la douceur de mon lit s'éloigner. Une journée qui allait devenir interminable. Quelqu'un m'avait déjà parlé d'un endroit en Europe où on vous anesthésiait pour une période de sept à dix jours. Au réveil, le sevrage était passé et les énergies restaurées, sans que personne n'ait eu à passer des journées entières à écouter et à se torturer les méninges. J'aurais donné tout ce que je possédais pour y être téléporté comme je l'avais vu si souvent dans *Patrouille du cosmos*.

J'avais toujours imaginé me retrouver dans une clinique sophistiquée dotée de toutes les techniques dernier cri et me voilà sur la rue Querbes dans un triplex transformé en centre de traitement. Si j'avais encore quelque estime pour moi-même, c'est ici qu'elle serait anéantie à jamais.

Nous étions une dizaine accoudés aux tables qui étaient disposées tout autour de la pièce. Je passai l'avant-midi à essayer d'écouter ce que le conseiller avait à dire. Il parlait et parlait et sa voix me faisait dériver vers un état de somnolence que je ne pouvais plus maîtriser. À la pause, une dame vint me chercher et m'amena à son bureau:

— Bonjour! me dit-elle, je m'appelle Brigitte. Je serai ta conseillère durant les trois semaines que tu passeras avec nous.

Ces *trois semaines* venaient de tomber comme une sentence à vie et j'avais peine à imaginer que je pourrais subir vingt et un jours de ce régime.

— On va se voir régulièrement, l'entendis-je ajouter, comme si elle croyait me faire un cadeau.

Je m'en voulais d'avoir posé un geste aussi irréfléchi alors que j'étais sous l'influence d'une substance qui faussait mon jugement.

— On m'a dit que vous n'aviez pas de bagages, ajouta-t-elle.

— Oui, je suis parti un peu trop vite et sans prévenir personne, répondis-je en essayant de justifier cet oubli.

— Comment ça va à la maison?

J'avais oublié qu'il y avait un endroit qui s'appelait *la maison*. J'étais loin de cette autre vie qui me semblait faire partie d'un rêve ancien. Je répondis avec un trémolo dans la voix :

— Pas très bien.

Chaque phrase passait mes lèvres péniblement avec toute cette gêne que j'éprouvais à parler de moi à une étrangère. Je n'avais pas le goût de parler, encore moins de parler de moi.

— Charlie m'a dit qu'il a appelé ton épouse et qu'elle ne l'a pas cru lorsqu'il lui a dit que tu étais dans un centre de traitement.

— C'est ce qu'il m'a dit. Je ne suis pas surpris. Ce n'est pas la première fois que je pars pour quelques jours sans avertissement.

— Je vais essayer de l'appeler tout à l'heure. Est-ce que tu as de l'argent ?

— Non, je n'ai ni argent, ni cigarettes.

— Retourne en thérapie et on se reparlera plus tard.

Je n'avais aucun goût de retourner en thérapie. À la place, je remontai les escaliers sans bruit et je courus me cacher sous les couvertures pour oublier ce qu'on venait de me rappeler.

J'avais posé un geste désespéré juste au moment où ma vie allait exploser. Il me restait peut-être une chance de continuer ma vie avec Catherine et la famille et cette chance passait par ce geste ultime. Catherine finirait par se rendre à l'évidence et elle apprécierait l'audace de ma décision. Mais je m'étais aussi piégé moi-même. Partir serait un suicide et la fin de tous les espoirs. Il fallait que je reste jusqu'au bout. Rien de plus facile que de choisir lorsqu'on n'a plus le choix. Enfin une certitude sans équivoque dans l'océan des doutes où je m'étais noyé depuis quelques années.

Je m'endormis en sachant que vingt jours et demi devaient encore s'écouler avant que je puisse repartir d'ici. « Je pourrai peut-être sauver quelques jours. Les cours à l'université débutent le six septembre. Les études, c'est important, Catherine comprendrait... »

Chapitre 27

— Hé, le nouveau ! Réveille ! Tu vas manquer le dîner. L'autobus attend à la porte.

Je me levai trop rapidement et je retombai sur le lit, étourdi par ce brusque réveil.

— Allez, descends. On y va !

Je me relevai à nouveau et je descendis les escaliers, gêné d'avoir à me présenter devant tout le groupe ainsi. Avait-on remarqué que j'avais séché la thérapie ?

Lorsque la porte s'ouvrit, la lumière me frappa avec une telle force que je dus mettre une main devant mes yeux pour ne pas être aveuglé. Un petit autobus attendait devant la porte. Je me rappelle encore la couleur. Il était gris clair et lettré à l'arrière et sur les côtés. On pouvait y lire en grosses lettres violettes précédées d'une tête de hibou : *Maison Querbes*. J'avais l'impression de monter dans le panier à salade.

« Bonne idée de marquer le nom du centre sur l'autobus. Pourquoi pas nos noms, tant qu'à y être ? À quoi pensent-ils, ces gens-là ? »

L'autobus décolla. Je regardai autour de moi et je parvins à trouver quelqu'un à qui je n'avais pas encore emprunté de cigarettes. Quelques minutes plus tard, l'autobus s'arrêta devant un imposant édifice en pierre, rue Saint-Laurent. *Institut des sourds et muets*, pouvait-on lire sur la façade. Voilà une bonne chose de réglée. Ce ne sera pas nécessaire de leur raconter notre histoire à ceux-là.

L'intérieur de l'édifice ressemblait à un monastère. Les corridors cirés brillaient dans la demi-pénombre et le *vert hôpital* était omniprésent. Au sous-sol, une immense cafétéria nous attendait. Soupe claire de pensionnat, bœuf trop cuit de retraite, jello de convalescent et café de prisonnier, tout y était pour que je puisse refaire un tour rapide des épisodes les moins roses de ma vie.

Je suis tout de même parvenu à avaler mon repas avec un certain plaisir et une fois le groupe rassemblé, nous avons repris l'autobus qui s'est à nouveau arrêté aux abords d'un parc. Tous les pensionnaires finirent par s'éparpiller dans la nature et je me suis retrouvé un peu à l'écart, étendu à même le sol sous un orme géant. Quelques minutes de plus et je dormais paisiblement, réchauffé par le soleil et caressé par le vent. Je n'avais pas ressenti un tel bien-être depuis longtemps. Le temps cessait de me presser et l'agitation me quittait, exorcisée par l'odeur de la terre.

— Hé Lévesque! C'est l'heure de partir! Il va falloir te surveiller, sinon on va finir par t'oublier.

Je me levai, presque joyeux de ressentir la vie à nouveau au lieu de cette lourdeur qui me faisait traîner les pieds depuis de longs mois.

Nous refîmes le chemin en sens inverse jusqu'à la Maison Querbes. Tous appelaient cet endroit *la maison*. Nous devions en avoir bien besoin pour l'appeler ainsi. L'après-midi se passa *en thérapie*. C'est ainsi qu'on avait appris à appeler cette activité qui consistait à s'asseoir autour de longues tables disposées en rectangle pendant qu'un conseiller nous parlait de l'alcool, des Alcooliques anonymes et de leur *Mode de vie*. Ils appelaient *Mode de vie* ces douze principes des AA qui devaient guider le retour à la vie des alcooliques déchus que nous étions. Les conseillers ne manquaient pas une occasion de se déclarer eux-mêmes *alcooliques* et de nous raconter une partie de leur vie qui avait précédé leur rencontre avec les Alcooliques anonymes. J'avais déjà eu droit aux dix commandements de Dieu, aux sept commandements de l'Église, aux douze apôtres, et voilà que je me retrouvais avec les douze étapes des Alcooliques anonymes.

Je commençais à comprendre le principe. Tout seul, tu ne peux pas cesser de consommer. Même si tu possèdes toute la volonté du monde pour certaines choses, lorsqu'il s'agit de l'alcool ou de la cocaïne, cette belle volonté devient inutile. Pour demeurer abstinent, tu assistes régulièrement aux rencontres des Alcooliques anonymes, tu essaies de mettre en pratique leur mode de vie et voilà, le tour est joué. Tu te sentiras compris et accepté, les *pareils comme toi* ayant déjà vécu ce que tu es en train de vivre. Ils seront tes nouveaux petits amis, les anciens n'étant plus fréquentables. Il est plus facile, semble-t-il, de rester abstinent avec les alcooliques qui sont devenus anonymes qu'avec ceux qui ne le sont pas encore.

«Bon élève, Émile.» Mais cette simplicité te rebute, n'est-ce pas?

En fait, je ressentais un arrière-goût de: *Tu vas à la messe, tu suis les commandements de Dieu et de l'Église et tu seras sauvé.*

Allais-je me laisser guider par ces aveugles conducteurs d'aveugles et les laisser réduire mes difficultés au simple aveu de ma défaite. La décision était loin d'être acquise.

Un bon matin, un conseiller qui s'appelait Léopold, je me souviens encore de son nom, entreprit de nous exposer les effets de l'alcool et des drogues sur le corps et le cerveau. Il avait lui-même consommé des drogues et je me sentais plus près de lui que des autres conseillers. Il nous parla de neurones, de synapses, d'influx nerveux, de messagers chimiques... Moi qui avais échoué la biologie en dixième année, j'étais fasciné par ces explications concrètes des effets de l'alcool et des drogues. Ce matin-là, au lieu de m'endormir, je redressai la colonne et j'écoutai jusqu'à la fin. Il y avait donc des drogués qui en connaissaient un peu plus que les douze étapes des Alcooliques anonymes et qui étaient capables d'expliquer la relation entre le corps, le cerveau et les substances qu'on ingurgitait. Un brin de confiance venait de naître.

Brigitte était parvenue à parler avec Catherine. J'étais bien dans un centre de traitement et des vêtements étaient finalement arrivés avec des cigarettes et un peu d'argent. Pas trop! Il n'était pas fiable avec l'argent, ce garçon!

J'étais apaisé et je me sentais davantage en sécurité. J'avais accepté la routine et je suivais les activités avec l'attention dont j'étais capable. Chaque fois que je le pouvais, je grimpais jusqu'au troisième et je m'enfouissais sous les couvertures pour m'endormir aussitôt.

J'avais battu tous les records de sommeil depuis l'ouverture de la Maison Querbes. On se relayait pour me réveiller afin que je puisse manger et suivre les activités. J'avais un nouveau surnom. On m'avait baptisé *la marmotte*. Même si je résistais à faire pleinement partie de la *gang* et que la cocaïne me permettait encore de me montrer différent, j'avais partiellement intégré ce régime auquel nous étions tous astreints.

Le soir, c'était la sortie. Chaque soir, un nouveau meeting des AA. Je me surprenais à aimer ces rencontres et cet étalage d'histoires horribles qui ressemblaient parfois à la mienne et qui finissaient invariablement chez les Alcooliques anonymes. Je me sentais différent, mais je devenais capable d'entendre *cocaïne* lorsqu'on disait *alcool*. Finalement, il n'y avait pas tant de différence dans nos comportements obsessifs et cette perte de contrôle qui nous emportait, chaque fois, dans une spirale de plus en plus désespérée.

Je savais que la conseillère appellerait à nouveau Catherine pour l'inviter à une rencontre familiale. Je me torturais à me demander si elle viendrait, malgré l'état de nos relations, et si elle aurait encore cette étincelle dans le regard lorsqu'elle me verrait. Je chercherais un signe, ne fûtce qu'un léger souffle, un tremblement dans la voix, une lueur furtive dans les yeux. J'avais besoin qu'elle m'aime, qu'elle croie encore en moi.

Quelques jours plus tard, Brigitte m'appela pour me dire que Catherine avait refusé de venir à la rencontre.

— Qu'est-ce qu'elle a dit? lui ai-je demandé d'une voix dont le débit avait soudainement perdu de son intensité.

— Elle a dit: « Il n'y a plus rien entre nous. Il doit bien vous en avoir parlé. »

— Nous n'en avons pas encore parlé, lui ai-je répondu.

— Je lui ai demandé si elle savait que l'alcoolisme est une maladie. Elle m'a répondu: « C'est peut-être une maladie, mais moi, je ne suis pas une infirmière. »

Je n'ai pas entendu la fin de l'histoire. J'étais triste à ne plus savoir comment faire *la marmotte* et l'ennui gagnait le groupe qui n'avait plus le plaisir de rire quotidiennement de ma narcolepsie temporaire. À quoi bon continuer si Catherine ne m'aimait plus? Le peu d'amour que j'avais pour moi-même ne suffirait pas à me replacer sur ma propre orbite. Je comptais tellement sur elle et si peu sur moi-même.

Pendant plusieurs jours, la vie redevint aussi lourde qu'avant. Je me laissais porter par l'horaire et les mouvements du groupe, évitant ainsi de trop anticiper un futur qui me terrifiait. J'étais incapable de comprendre ces états d'âme qui prenaient le contrôle de mes pensées et qui m'empêchaient de me retrouver dans mes propres émotions.

Les jours passaient, tous pareils. Malgré un fond triste, ce nouveau régime de vie me reconstruisait de nouvelles énergies: trois repas par jour, un sommeil régulier et l'absence de cocaïne et d'alcool. Je n'avais pas ressenti l'obsession de la cocaïne une seule fois depuis mon arrivée.

Au cours de la deuxième semaine, un événement qui s'annonçait banal provoqua une tempête émotive que je ne pouvais expliquer. Chaque fois que quelqu'un terminait son séjour, la thérapie était écourtée et à tour de rôle nous devions dire un mot pour celui qui quittait la Maison ce jour-là. Chacun y allait d'un mot d'encouragement, disait comment il avait apprécié sa présence, l'amitié qui s'était développée, etc. Ce jour-là, c'était le départ de Gérard, celui avec qui j'avais partagé ma chambre depuis une dizaine de jours.

Je ne me sentais pas affecté par son départ et je m'apprêtais à lui souhaiter bonne chance comme tous les autres. À mesure que mon tour approchait, une émotion de plus en plus forte m'envahissait et lorsque vint le temps de parler, j'en fus incapable. J'éclatai en sanglots, incapable de prononcer un seul mot.

Le conseiller s'approcha et me prit par les épaules alors que mes compagnons de gauche et de droite me serraient affectueusement. Cette solidarité ne fit qu'augmenter le flot des larmes qui ne semblait plus vouloir s'arrêter. En même temps, je voulais me défaire de cette étreinte que je ne pouvais pas supporter. Finalement, je dus me lever et sortir de la pièce. Je remontai jusqu'à ma chambre et je disparus sous les couvertures et les oreillers, jusqu'à ce que la tempête s'apaise.

Je ne pouvais pas comprendre comment le départ de Gérard avait pu m'affecter ainsi. Nous n'avions pas échangé plus de deux ou trois phrases au cours de ces dix jours où nous avions partagé la même chambre. Il me souhaitait *bonne nuit* d'une voix grave avant de se coucher et c'était à peu près tout. J'étais surpris de ne pas avoir pu reconnaître ces émotions, ni à quel moment elles allaient m'emporter sans prévenir. Cet événement m'avait montré que je n'étais peut-être pas celui que je pensais être. Cette émotivité et cette perte de contrôle incompréhensibles m'humiliaient davantage et mon armure se fragilisait sous les assauts répétés de ce *moi nouveau* que je n'étais pas encore certain de vouloir connaître davantage.

Après quelques heures, je me fis la réflexion qu'il n'y avait rien d'anormal dans tout ça. Tellement de bouleversements s'étaient produits. Un accident de parcours, voilà tout. Le lendemain, on m'apprit que Catherine avait finalement accepté de venir. Plus tard, j'appris ce que ses amies lui avaient dit :

— Tu devrais y aller. Nous, on a confiance. On a prié pour lui. On sait qu'il va arrêter! On va y aller avec toi si tu veux. Tu n'auras pas besoin de conduire.

J'étais surpris de cette sympathie que je n'avais pas vraiment méritée. J'avais la drôle d'impression d'être à la fois *fou de joie* et *mort d'inquiétude*. Elle n'avait pas pu maintenir sa décision. Elle n'avait pas pu me laisser à moi-même. Je pus à peine fermer l'œil cette nuit-là. *La marmotte* était en train de ternir sa réputation.

En prenant soin de ne pas me faire remarquer, je m'installai de façon à pouvoir surveiller la porte d'entrée afin de ne rien manquer lorsque Catherine arriverait. J'avais peur qu'elle rencontre le conseiller et qu'elle reparte sans que j'aie pu lui parler.

Le bruit de la porte me tira de ma réflexion et je la vis entrer. Elle n'était pas maquillée et avait l'air fatigué. Je me sentais honteux et confus devant elle. Je lui fis un petit bonjour du fond du corridor et je m'approchai en ouvrant les bras. Nous nous sommes regardés et j'ai fini par ouvrir la bouche pour briser un silence que je ne pouvais plus supporter :

— Je suis content de te voir !

— Acte deux, scène trois. Ça va faire le théâtre, a-t-elle répondu.

Mes bras sont restés suspendus quelques secondes puis se sont abaissés lentement, comme si je les avais levés par erreur.

Avant que je puisse répondre, un conseiller nous amenait déjà à son bureau. Il lui expliqua en quoi consistait le traitement. Catherine n'écoutait pas et moi non plus. Je la regardais, épiant ses moindres expressions comme pour y trouver un signe qui viendrait apaiser mes inquiétudes. Elle s'était blindée contre une éventuelle rechute de tendresse et elle répétait comme un disque brisé :

— Je suis venue, mais il n'y a plus rien entre nous.

— Ici, vous savez, il y a de la place pour tous les mal-aimés, avait répondu le conseiller.

Catherine s'était mise à pleurer et moi, empêtré dans mes émotions comme un adolescent dans ses bras trop longs, je demeurai immobile pour ne pas ajouter à sa honte de n'avoir pu maîtriser ses larmes devant moi.

Le conseiller me demanda de sortir et je dus retourner en thérapie. J'aurais donné tout ce que je possédais pour entendre cette conversation. J'avais l'impression que cette visite allait signer mon arrêt de mort. J'eus peine à demeurer sur ma chaise pendant tout ce temps et aussitôt la thérapie terminée, je courus au bureau de Brigitte. Après quelques minutes à faire les cent pas devant sa porte, elle me fit signe d'entrer :

— Écoute, me dit-elle, ta femme ne semble pas vouloir s'impliquer davantage avec toi. Elle est au bout du rouleau. Elle dit qu'il est hors de question qu'elle retourne à la même vie qu'avant. Par contre, elle a accepté de venir me rencontrer, ce qui montre qu'elle ne s'en fiche pas complètement. Elle m'a demandé si tu avais des chances de t'en sortir. Je lui ai dit qu'il était trop tôt pour se prononcer.

Je sentais la chaleur me monter à la tête et les oreilles me chauffaient comme si les mots étaient devenus incandescents. Elle ajouta :

— C'est à peu près tout. Si tu veux, on va se revoir demain après la thérapie.

Je me levai, incapable de répondre et je ressortis de son bureau. Je ressentais une colère presque incontrôlable à l'idée que ma conseillère ne m'avait pas davantage supporté. J'aurais aimé la secouer comme un sapin de Noël après le Jour de l'an. « Je suis *alcoolique* aussi. Je peux te comprendre, tu sais », qu'elle m'avait dit. « *Alcoolique* mon cul ! Vive la solidarité humaine ! »

Au lieu de dire: «Il est trop tôt pour se pro-noncer», elle aurait pu dire: «Pour le moment, il fait une bonne démarche et il tient beaucoup à vous.» Je ne sais pas, moi. Si j'avais été conseiller, j'aurais trouvé quelque chose. «On est supposé faire équipe, *sacrement*.»

Tout n'était pas perdu. Catherine s'était tout de même informée de moi. Elle ne s'était pas maquillée et elle semblait fatiguée. Ce n'était pas son habitude. Elle avait dû faire un effort spécial pour venir sans maquillage. Elle ne voulait pas que je pense qu'elle s'était maquillée pour moi. Elle devait s'être dit: «C'est bien assez que je me rende jusqu'à Montréal, je ne vais certainement pas lui montrer que j'ai fait un effort pour lui.» Sa fierté ne lui aurait pas permis de laisser paraître qu'elle tenait encore à moi, ou qu'elle était peut-être encore prête à essayer, malgré tout ce qui s'était passé.

Les jours passaient et malgré le message qu'elle m'avait lancé, je croyais encore à notre bonne étoile. Parfois le doute s'installait et je me demandais si je ne continuais pas à me fabriquer des illusions, incapable d'envisager l'idée qu'elle pourrait me quitter.

J'avais bien retenu cette leçon des AA: *Vingt-quatre heures à la fois.* Essayer de voir plus loin pouvait être terrifiant. Je tentais de l'appliquer rigoureusement en me disant que je n'avais pas d'autres moyens de me préserver de la peur de ce qui n'était pas encore arrivé. Je me rappelai ce que j'avais lu dans un des livres qu'on m'avait remis à l'arrivée:

« L'homme est ainsi fait qu'il peut supporter le poids de vingt-quatre heures, pas plus. Dès qu'il prend sur ses épaules le poids des années passées et des jours futurs, il écrase sous le fardeau[2]. »

2. *Livre de base des Alcooliques anonymes.*

Chapitre 28

Gérard était parti et des nouveaux arrivaient presque à chaque jour. J'étais devenu un des vétérans, ceux que les nouveaux regardent avec admiration et envie. Je ne ressentais plus les contraintes de l'horaire et les longueurs de la thérapie. Ma journée débutait par *toc, toc, toc* :

« Debout, *la marmotte* ! »

Suivaient immédiatement deux ou trois cigarettes bien toussées et bien crachées qui me raclaient la gorge jusqu'aux entrailles et pour terminer, quelques cafés pour rincer le tout et redémarrer le moteur.

Puis on s'assoit, puis on écoute, puis on somnole un peu. « Oh ! Quelqu'un sanglote près de moi. Il doit avoir une bonne raison. » Petit dîner clair chez les sourds et muets. On s'évache dans la nature et le soleil ne fait pas de différence entre les drogués et les *civils*. Il nous souhaite la bienvenue dans son parc :

« Bonjour, messieurs, bonjour, mesdames. Bienvenue chez nous. Oh ! Une petite fleur ici à ma gauche. Les fleurs, quel drôle de phénomène. Pendant des années, elles disparaissent et tout à coup, elles reviennent. Tiens une autre, juste là.

Merci de vous montrer, les fleurs. Vous savez, Catherine est venue la semaine dernière. Elle n'était pas très éclose, mais il y a encore de l'espoir. Mieux vaut *pas éclose* que *fanée*. »

— Eh! *La marmotte*, la récréation est finie. Réveille!

— Je ne dormais pas, je rêvais. Allez, on y va, bras dessus, bras dessous. Salut, Jean-Pierre, salut, Marcel. Vous avez bien mangé? On rentre à la maison. On va fumer encore un peu puis on s'assoira en thérapie. De quoi parle-t-on aujourd'hui?

— J'sais pas trop. Comment veux-tu que je me rappelle? Je me rappelle à peine de mon nom.

Après la thérapie, ce sera la sieste. C'est le bonheur! Après, on ira manger au Club VA. Ça nous changera des *sourds et muets*. Je me suis toujours demandé ce que voulaient dire les lettres VA, sans vraiment faire l'effort de le demander. Souvent, nous nous amusions à faire des jeux de mots avec ces lettres: vraiment alcoolique, vieil avare…

La soupe était aussi claire que chez les sourds et muets, mais ce n'était pas une soupe de pensionnat, c'était une soupe de manque de budget, avec un brin d'affection.

Ce soir, on va chez les AA de Longueuil. L'autobus arrive, grise avec ses lettres violettes, les mêmes que lorsque je suis arrivé et la même tête de hibou. Ça ne me dérange plus. C'est moi qui ai changé, ce n'est pas l'autobus. On arrive à Longueuil. Sous-sol d'église, vieille poussière de presbytère. On m'a dit qu'il faudrait m'y habituer puisqu'à l'avenir, ils remplaceraient les bars et les dessus de bol de toilette.

Quelqu'un me tend la main. Il s'appelle Jean-Marie. Il est alcoolique. Ce n'est pas une surprise, il y a seulement des alcooliques ici. Ah oui, il y a aussi un drogué. C'est moi. Bonjour, je m'appelle Émile, Émile L. Je suis anonyme, le *L.* c'est un secret, tant pis pour vous.

Ce soir-là, nous étions vingt, peut-être vingt-cinq. Le président toussote. Il doit avoir quelque chose à dire. Je serai peut-être président moi aussi. Un jour! On ne devient pas président du jour au lendemain. Il faudra du temps et beaucoup de sous-sols d'églises.

« Il t'en faudra de la patience, Catherine! »

Les tables sont disposées comme en thérapie. Un rectangle qui fait le tour de la salle. Au mur, un grand tableau. J'oublie le président. Je regarde le tableau:

« *Les promesses des AA*

Si nous sommes sincères dans les efforts que demande cette phase de notre évolution, nous serons étonnés des résultats, même après n'avoir parcouru que la moitié du chemin:

– Nous connaîtrons une nouvelle liberté et un nouveau bonheur.

– Nous ne regretterons pas plus le passé que nous voudrons l'oublier.

– Nous comprendrons le sens du mot sérénité et nous connaîtrons la paix.

- – Si profonde qu'ait été notre déchéance, nous verrons comment notre expérience peut profiter aux autres.
- – Nous perdrons le sentiment d'être inutiles et cesserons de nous apitoyer sur notre sort.
- – Mettant nos propres intérêts de côté, nous nous intéresserons davantage à nos semblables.
- – Nous ne serons plus tournés exclusivement vers nous-mêmes.
- – Désormais nous envisagerons la vie d'une façon différente.
- – La crainte des gens et l'insécurité financière disparaîtront.
- – Notre intuition nous dictera notre conduite dans des situations, qui auparavant, nous déroutaient.

Soudainement nous constaterons que Dieu fait pour nous ce que nous ne pouvions pas faire pour nous-mêmes[3]. »

Je lis, je lis et quelques larmes coulent, seulement d'un côté, sur ma joue gauche. Elles sont très belles, ces promesses. Pas très réalistes, mais très belles. Et si c'était vrai ! Je me surprends à rêver :
Nous connaîtrons un nouveau bonheur. La peur aura disparu.

---

3. *Livre de base des Alcooliques anonymes.*

Je me mets à espérer. Personne ne m'a jamais fait de telles promesses. Le président annonce qu'il a invité son ami Charles à nous raconter son histoire.

Charles nous parle de son enfance. Il était tout petit et déjà il se sentait différent. Moi aussi, je me sentais différent, seul dans le vieux hangar derrière la maison. Les minutes s'égrènent, entre les promesses des AA et la voix de Charles qui devient plus douce à mesure que sa vie se transforme. Je n'entends plus son histoire, j'entends la mélodie de sa vie. Le bruit des chaises qu'on bouscule me sort de ma rêverie. Charles ne parle plus.

La voix du président me revient :

— Vous avez quelques minutes pour prendre un café. Après, nous allons passer à la partie *discussion* de cette rencontre. Ici, comme c'est la coutume, les participants peuvent poser des questions au conférencier.

Quelques toux sèches d'alcooliques à peine sevrés, d'autres chaises qui se bousculent et en face de moi, quelqu'un lance la ronde des questions :

— Je m'appelle Jean-Louis, je suis alcoolique.

Et voilà Jean-Louis qui pose une question à Charles. Puis c'est le tour de Solange :

— Je suis alcoolique, dit-elle en pleurant.

Luc, Sébastien et Georges se présentent. Les voix s'approchent de moi et je sens la tension qui augmente à mesure que la mèche brûle dans ma direction.

Jean-Paul, alcoolique, Benoît, Maurice, tous alcooliques.

«C'est à moi. Je suis assis juste à côté de Maurice. C'est à mon tour.»

Un grand silence, les chaises se sont tues, mes jointures sont blanches à force de serrer le rebord de la table. Mes yeux regardent le plancher, fixement. J'ouvre la bouche. Tous les yeux sont tournés vers moi. Je suis incapable de lever la tête. J'ai peur qu'aucun son ne sorte de ma bouche. Je marmonne tout bas:

— Je m'appelle Émile. Je suis alcoolique, drogué. Je suis perdu. Je ne sais plus qui je suis.

Sans que je m'en rende bien compte, ma voix s'était amplifiée, comme un cri fragile qui va se briser avant de s'éteindre dans un souffle. Il y eut quelques instants de recueillement. On aurait dit que les coudes s'étaient resserrés autour de la table et que ma souffrance avait été partagée: «Ne vous inquiétez pas. Je ne pleure pas, seulement un peu d'eau qui n'a pas encore séché, sur ma joue.»

Après un moment de silence un peu plus silencieux que les autres, une autre voix prit le relais à ma gauche:

— Je m'appelle André, je suis alcoolique. Comment fais-tu, Charles, pour continuer de fréquenter les Alcooliques anonymes après toutes ces années?

— Ils sont devenus mes amis, répondit-il le plus simplement du monde.

J'étais transi de froid malgré la chaude soirée d'été. Je me sentais mort de fatigue, vidé de toutes mes énergies, comme si je venais de vomir la bête gluante qui me donnait des haut-le-cœur depuis si longtemps. J'entendais la voix du père Lacasse qui nous disait :

«Rappelez-vous la parole de l'Évangile : *Vous connaîtrez la vérité, et la vérité vous affranchira*[4].»

«Quelle était cette vérité qui allait m'affranchir ? Était-ce cet aveu si pénible à prononcer ? *Je m'appelle Émile, je suis devenu incapable de vivre sans cocaïne et sans alcool.* Étais-je en train de croire à la première promesse du grand tableau de Longueuil ?»

«Nous connaîtrons une nouvelle liberté et un nouveau bonheur.»

Je ressentais un élan de foi, la foi de mon enfance, la foi de mes premières années. Il y avait encore quelque chose à croire. C'était peut-être aussi simple. Il s'agissait de la faire, cette première étape des AA :

«Admettre que j'étais incapable de cesser de consommer de la cocaïne et de l'alcool. Admettre que j'avais perdu la maîtrise de ma vie et qu'il me fallait de l'aide.»

Tous le pensaient autour de moi. J'étais le seul qui en doutait encore.

On m'avait dit que la première étape pouvait me libérer de l'obsession de la cocaïne. Le père Lacasse en avait aussi parlé de cette vérité qui affranchit. Dans ma tête défilait une litanie qui ne semblait plus vouloir s'arrêter : «Je m'appelle Émile, je suis impuissant devant la cocaïne et je ne suis pas mieux avec l'alcool. Je m'appelle Émile, je pense que je suis un drogué. Je m'appelle Émile, je

---

4. Jean 8, 32.

suis un christ de drogué. Je m'appelle Émile, drogué, drogué, la la lalère... »

Je me répétais inlassablement cette vérité dans l'autobus gris tatoué *alcooliques et drogués* en lettres violettes, en répétant cette phrase sous diverses tonalités jusqu'à trouver celle qui sonnait le mieux à mes oreilles. Je rentrai en silence et je montai l'escalier sans même me rendre compte que je n'avais pas prononcé un seul mot depuis la sortie du sous-sol de l'église de Longueuil.

J'ouvris la porte de ma chambre, celle de la salle de bains et j'allumai la lumière. Je me regardai longuement dans le miroir pour m'assurer que j'étais bien moi-même. J'avais quelque chose à dire à l'image dans la glace :

« Tu t'appelles Émile, tu es un drogué. »

J'eus presque peur qu'un long bras sorte du miroir pour me serrer la gorge et me punir d'avoir dit des grossièretés sur moi-même. Mais tout était calme. Il y avait même une lueur ensoleillée autour de ma tête avec des rayons rougeâtres qui lançaient des éclairs dans toutes les directions.

Je me sentis fatigué à avoir peine à tenir debout. Je sortis de la salle de bains et je me laissai tomber sur le lit. J'avais l'impression d'être passé à travers le matelas et de continuer à tomber dans une chute sans fin. Je devenais de plus en plus léger. Je ne tombais plus maintenant, je flottais et un vent parfumé me soutenait sans bruit au-dessus la mer. Je savais maintenant ce que les oiseaux ressentent lorsqu'ils se laissent dériver, ailes grandes ouvertes, savourant la liberté et la beauté de la planète.

Chapitre 29

— Lévesque, Lévesque, lève-toi, tu vas manquer la thérapie. Il est huit heures trente.

Je me soulevai péniblement du lit, les ailes coupées par le poids de la vie. Ce brusque rappel à la réalité avait mis une fin soudaine à la douce légèreté du sommeil qui ne m'avait pas quitté de la nuit. La phrase avec laquelle je m'étais endormi me revint à l'esprit:

«Je m'appelle Émile, je suis alcoolique, je suis perdu...»

Je n'étais pas prêt à redescendre en thérapie sans avoir retrouvé cette sensation de *la vérité qui libère* avec laquelle j'avais si bien dormi. Ce matin-là, *la marmotte* aurait bien aimé comprendre ce qui s'était passé la veille. J'avais poussé sur un bouton et une porte s'était ouverte, un nouveau monde était apparu. Un instant fugace. Le souvenir d'un paysage qu'on a envie de revoir. Une impression de beauté, la vie qui vibre sur une note apaisante, une vérité qui éclaire l'existence. J'en avais suffisamment vu pour en vouloir encore.

Il s'était passé quelque chose que je ne pouvais pas expliquer. Tout cela avait commencé autour de cette table à Longueuil. Je me suis assis sur le bord de mon lit et j'ai prononcé à nouveau les paroles qui libèrent: «Je m'appelle Émile. Je suis un alcoolique et un drogué.» Si le pouvoir de ces mots pouvait déclencher le mécanisme qui ouvre la porte de la liberté, je voulais bien les répéter en ouvrant les yeux chaque matin de ma vie.

On devait m'attendre en thérapie, mais je ne pouvais interrompre ma quête, comme ça, tout près du trésor. La clé se trouvait dans cette première étape, dans ce terrible aveu de l'échec de sa vie. Est-ce que la vérité était parvenue à se frayer un chemin malgré moi?

J'ouvris la porte de la salle de bains et je revis mon visage dans la glace. Il me fit un petit sourire que je lui retournai aussitôt, heureux et presque gêné d'avoir de la compagnie. Après m'être lavé, je me brossai calmement les dents. Je ne ressentais plus cette impression d'être un automate qui avait perdu toute trace des sensations liées aux gestes de la vie.

À regret, j'entrepris la *descente en thérapie*. La conseillère se serait bien passée de cette interruption tardive. Je n'avais qu'une idée, fouiller dans le petit livre qu'on m'avait remis à l'arrivée et retrouver le texte de la première étape des AA. Je voulais m'assurer de trouver une explication avant que le sentiment ne s'évanouisse sans m'avoir livré son secret. Je ressentais intensément chaque phrase que je lisais, comme si quelqu'un avait mis des mots intelligibles sur mes états d'âme. Il y avait donc une explication à tout cela. Je me rendis compte, tout à coup, que la conseillère parlait de la première étape des AA elle aussi. Je relevai la tête et pour la deuxième fois depuis mon arrivée, j'écoutai sans m'assoupir.

J'avais déjà ressenti cette impression les premières fois que j'avais pris de la cocaïne. Comme si un voile s'était déchiré dans ma tête, me permettant de comprendre la vie avec une nouvelle clarté. La cocaïne crée cette fantasmagorie qui rend limpides les coins sombres de la pensée et oblige à en reprendre sans répit, de peur que cette sensation ne disparaisse. J'avais le même sentiment ce matin. Dans ma tête, les pensées s'entrechoquaient et les mots du petit livre déclenchaient une tempête de vie nouvelle qui me faisait écarquiller les yeux et le cœur.

Je parvins à lire le texte de la *première étape* jusqu'au bout. C'était la première fois depuis mon arrivée que je pouvais aligner sept ou huit pages de suite sans décrocher et en me souvenant à la fin de ce que j'avais lu au commencement. J'avais l'impression d'avancer sur un lac gelé où la glace, parfois épaisse, parfois enneigée et parfois fragile me laissait voir par endroits un autre monde, une autre réalité qui existait, vibrante, juste sous la surface.

Tout au fond, une sorte de fébrilité me faisait douter de la lumière. J'avais peur que toute cette effervescence autour de la première étape simpliste des AA ne fût qu'une illusion qui viendrait s'ajouter à toutes les autres que j'avais entretenues. Depuis de nombreuses années, je n'avais d'autres moyens que la drogue pour accéder à ces états d'âme qui m'avaient toujours semblé préférables à la réalité.

Je n'avais plus le choix. Retourner à la cocaïne ou mourir, c'était la même chose. Je décidai donc, ce jour-là, malgré la confusion qui n'avait pas complètement quitté mon esprit, que ma nouvelle drogue s'appellerait les Alcooliques anonymes. Plus tu en prends, mieux tu te portes !

Il y avait, tout au fond du cœur, une vie que je croyais perdue, une énergie capable d'engendrer la joie et une foi qui disait merci au *grand pusher* de l'univers. « Père Lacasse, votre Dieu est partout, continuez de prier pour moi ! »

— Lévesque, tu peux nous dire ce qui t'est arrivé hier soir au meeting ?

— Oui, hier, que s'est-il passé hier ? répétai-je, comme quelqu'un qui arrive d'une autre planète.

— Hier soir, à Longueuil. On ne t'avait jamais vu comme ça. C'est la première fois qu'on t'entendais dire que tu es alcoolique.

— J'ai menti, je ne suis pas un alcoolique, je suis un drogué, ajoutai-je, comme si je ne parvenais pas encore à associer ma condition à celle des autres résidents.

— Tu te penses différent, fit la voix du conseiller avec un brin d'ironie, comme s'il voulait prêter main-forte aux autres pensionnaires.

Je ne savais trop que répondre. Cette intervention me ramenait sur le plancher des vaches. J'aurais voulu sortir de cet endroit et retrouver la joyeuse effervescence où j'étais plongé l'instant auparavant. Je demeurai silencieux alors que tous les regards étaient tournés vers moi. Heureusement, la cloche mit fin à la thérapie et je refermai le petit livre en espérant que cet arrêt mettrait fin à la confrontation.

—Nous reprendrons cette discussion, ajouta la voix du conseiller qui ramassait ses livres et ses papiers avant de quitter la salle de thérapie.

Je n'avais pas l'habitude de parler de moi et de raconter ma vie. On avait déjà essayé de me tirer les vers du nez et je n'avais jamais pu interpréter cette curiosité malsaine comme une perche tendue vers mon bonheur. Je me méfiais des interrogations et des interrogateurs. J'ai quitté la salle, heureux d'avoir évité les deux, du moins pour le moment. Je profitai de l'accalmie pour m'éclipser. Je ne voulais pas avoir à supporter le regard de ceux qui auraient bien aimé m'entendre dire que j'avais enfin été touché par la grâce.

J'avais été touché, mais je gardais la caresse pour moi. «Allez vous faire foutre!»

Je remontai l'escalier et me laissai crouler sur le lit qui cette fois retint ma chute. Plus d'oiseaux, plus d'océans. Rien que de la colère contre ceux qui avaient effacé mes images. Dans une petite demi-heure, il me faudrait redescendre et faire face. Ils voudraient m'avoir. Ils aimeraient bien que je me mette à parler comme eux, que je rentre dans le rang. Ils ont entendu mes aveux. Ils ont aimé ma faiblesse. Ils se sont sentis moins seuls. «Allez vous faire refoutre!»

C'est donc ça l'objectif de la thérapie. Te chatouiller, te torturer, jusqu'à ce que tu finisses par crier *chut*. La voilà leur première étape, parvenir à me faire crier *chut*, à m'arracher des aveux: «Je m'appelle Émile, je suis un alcoolique.»

De toute façon, Brigitte l'a bien dit et elle est ma conseillère: «Il est trop tôt pour se prononcer.» Et moi je dis: «Dans quelques jours, il sera trop tard. Je serai parti.»

Je descendis l'escalier en faisant preuve de détachement et je pris place tout au fond de l'autobus. J'étais parvenu à lire les trois premières étapes du petit livre des AA tout en écoutant le conseiller d'une oreille distraite. Ses explications me semblaient banales à côté de cette nouvelle quête du Graal dans laquelle je venais de m'engager.

Après le souper, je dus abandonner les recherches. J'avais fouillé sans répit toute la journée et je n'avais réussi qu'à augmenter la confusion. J'avais peut-être été victime d'une illusion. La fatigue, la thérapie, le lavage de cerveau, les AA, c'était assez pour distendre la réalité.

Ce soir, nous sortons. Nous allons assister à un nouveau *meeting*. Est-ce que je serai à nouveau frappé par la grâce ou par la première étape des Alcooliques anonymes? On verra bien.

Il ne s'est rien passé ce soir-là, ni tempête de lumière, ni univers parallèle, le calme plat. Je suis demeuré sur la planète où j'ai vécu jusqu'ici, malgré les multiples tentatives pour m'en échapper. Le moral est bon et le sourire facile. Je ne pense plus à la cocaïne et je sors dans quelques jours. Je suis parvenu à faire comprendre à ma conseillère que les études, c'est primordial. Il faut donc que je sorte vendredi puisque ma première session à l'université débute le lundi suivant. Il est bien normal que j'arrive quelques jours à l'avance.

L'idée d'un départ plus tôt que prévu ne me déplaisait pas, mais il n'y avait pas seulement le désir de faire autrement que les autres. J'appréhendais mes débuts à l'université et davantage la première rencontre avec Catherine. Mais j'avais l'avantage de la glace. Contre toute attente, j'avais entrepris une thérapie et j'y étais resté jusqu'au bout ou presque. Je n'avais pas touché à la cocaïne depuis bientôt trois semaines. J'avais droit à quelques considérations.

Il me fallut quelques heures avant de m'endormir, anticipant les réactions de ceux qui m'attendaient et l'obligation de démontrer que j'avais repris le contrôle de ma vie. On m'aurait à l'œil, attendant un événement qui ne pourrait pas ne pas se produire. On en était persuadé. En fait, on l'avait toujours su. Il ne fallait pas se laisser berner par un misérable trois semaines d'abstinence. On pouvait bien attendre encore un peu pour la forme, quelques semaines de plus ou de moins. Bientôt, on pourrait classer définitivement ce dossier sans crainte de se tromper. Il nous donne enfin la chance de prouver que dans son cas, même le traitement ne peut changer la fatalité qui s'acharne sur lui, le pauvre.

Le lendemain matin, je me réveillai juste à temps et pour une fois, j'étais à l'heure autour du grand rectangle thérapeutique où s'épanchaient les cœurs désolés que nous étions. Nous étions désolés de tout : de la pluie et du beau temps, de la tristesse de nos enfants, du départ d'un grand amour, de s'être mis en colère sans raison, d'avoir fait du tort à notre santé en fumant trop, en buvant trop, en sniffant trop, en ne mangeant pas assez, en dormant trop peu, en dépensant l'argent des autres. Nous étions presque désolés du spermatozoïde égaré et de l'ovule inconscient, d'être venus au monde et d'avoir fait cette peine à notre maman. Une belle et grande table. Une grande désolation.

Ce lieu était devenu familier et presque agréable avec le temps. On y avait ri et pleuré tour à tour. J'y avais aussi dormi et rêvé, mais aujourd'hui, on allait probablement tenter de me déstabiliser, de me faire parler, de me faire crier *chut* à nouveau. On avait commencé hier, mais on n'avait pu m'achever. Je m'attendais au pire.

Le conseiller entra. *Oh bonne fortune et petit bonheur!* Ce n'était pas le même que la veille. J'étais sauvé. L'attaque serait différée, à moins que je sois trahi par un de ces alcooliques à la conscience ébréchée. Mais non, il prit une craie et se mit à écrire au tableau. Le silence était presque total à l'exception du tac, tac, tac de la craie qui glissait en laissant derrière elle les mots de la troisième étape :

Nous avons décidé de confier notre volonté et nos vies au soin de Dieu tel que nous le concevions.

Dire ça à un alcoolique, c'était assez pour le renvoyer à la taverne. D'ailleurs, je venais de voir passer devant mes yeux une belle ligne de cocaïne bien dodue qui s'étirait langoureusement sur le dessus d'un bol de toilette accueillant.

Où est-ce qu'il voulait en venir ?

Le père Lacasse m'avait dit bien souvent de m'abandonner à la volonté de Dieu, mais malgré toute sa ferveur et ma bonne volonté, les résultats n'avaient pas été spectaculaires. Je n'étais pas venu ici pour faire une autre retraite, j'étais venu pour cesser de prendre de la cocaïne.

— L'alcoolique qui s'occupe de sa propre vie, risque fort de la mettre en danger, venait de dire le conseiller en reposant la craie sur le rebord du tableau. Il vous semble que cette étape n'a pas de sens, mais est-ce que votre vie actuelle en a un? Est-ce que ce Dieu, à qui cette étape demande de se confier, peut faire pire que ce que vous avez fait de votre propre vie?

Le Dieu du père Lacasse et celui de Bill Wilson s'étaient peut-être rencontrés. J'avais cessé d'entendre la voix du conseiller. Je n'étais plus dans cette pièce. Les exercices de saint Ignace et les étapes des AA dansaient dans ma tête. Ils étaient les mêmes. Je ne pouvais croire à quel point ils étaient semblables.

Les exercices demandaient de *reconnaître que l'homme, sans Dieu, n'est que néant*. Il ne pouvait rien. La première étape des AA demandait d'*admettre que nous sommes impuissants devant l'alcool et les drogues et que nous n'avons plus la maîtrise de notre vie*. Saint Ignace recommandait à ses retraitants de *prier sans cesse pour connaître la volonté de Dieu*. Les AA demandaient de *confier notre volonté et notre vie à un Dieu tel que nous le concevions*. Dans la troisième semaine, les retraitants doivent faire une *confession générale* qui remonte jusqu'à la première confession de leur vie. Les AA demandent de *prendre un inventaire moral et minutieux de nous-mêmes*.

J'étais ébloui par les similitudes et j'avais totalement oublié la thérapie, le conseiller et les tables rectangulaires. J'étais envahi par un sentiment puissant qui me faisait ressentir l'unité de toutes choses. Je n'avais plus à choisir entre les étapes des AA et les retraites du père Lacasse pour m'en sortir. Je n'avais plus à choisir la messe ou les rencontres des Alcooliques anonymes. Il n'y avait plus de différence. C'était la même chose.

Jusqu'à ce jour, peu de pensées m'avaient apporté une paix plus grande que celle de ne plus avoir à chercher la vérité. La vérité était une et elle était partout. Je l'avais entendu plusieurs fois, mais jamais je ne l'avais ressenti de cette façon. Mahomet, Vichnou et le Christ, ils étaient les mêmes. Ils disaient la même chose. J'entendais l'un, j'entendais l'autre. Ils logeaient à la même enseigne et, sans frontières, leurs cieux se confondaient.

La porte s'était à nouveau ouverte et je m'y étais faufilé. Voilà le paysage que j'avais tant cherché la veille. Il ne fallait pas trop creuser. Il apparaissait en son temps. Je pouvais continuer d'aimer le père Lacasse et m'abandonner au Dieu des AA. Il n'y avait pas de contradiction. Prends une route et suis-la. Elle te mènera à la même place que les autres. Le pire, c'est de passer sa vie à avoir peur de prendre la mauvaise et de n'en prendre aucune.

Merci, père Lacasse! Merci infiniment, merci du fond de mon âme. Jamais je n'aurais pu déchirer le voile sans votre *Orémus* à cinq heures du matin, sans la confiance que votre prière m'a donnée, sans le silence, parfois troublé, où vous m'avez plongé, sans la cocaïne que vous m'avez laissé vendre devant la statue de la Vierge.

Qu'il était bon de sentir monter la gratitude, comme une source gratuite et fraîche pour ceux qui m'avaient aimé. J'éprouvais une joie intense et la peur avait disparu. Devant mes yeux, la dernière promesse du tableau de Longueuil :

« Soudainement nous constaterons que Dieu fait pour nous ce que nous ne pouvions pas faire pour nous-mêmes[5]. »

La cloche sonne, mais je ne bouge pas. J'entends les carillons de l'église, juste à côté de la maison de mon enfance. Il ne faut pas que j'oublie, je n'ai plus à choisir :

« Prends la route, n'importe laquelle, elles se ressemblent toutes. Pour un drogué comme toi, les Alcooliques anonymes sont sur mesure. Tu ne seras pas perdu, et le père Lacasse non plus. »

Je me suis levé de ma chaise avec le sentiment que je venais de recevoir mon congé. J'ai compris et je ne crois pas que je pourrai oublier à nouveau, tant la clarté du message ne laissait pas de doute. Je sortis de la salle et je remontai directement à ma chambre. Je m'étendis sur le lit avec le paisible sentiment que ma vie était devenue une autre vie.

Mais, moi qui dormais si bien, je ne pus fermer l'œil. Mille diables choisirent ce moment pour m'assaillir. Nous étions mercredi, quatre heures de l'après-midi. Le cœur sursauta :

« Mercredi, jeudi, vendredi et je suis parti. Même que mercredi, il est presque fini. Un petit

---

5. *Livre de base des Alcooliques anonymes.*

souper au VA, une autre soirée chez les AA et voilà, terminé le mercredi. Il n'en restera plus que deux, jeudi et vendredi. Jeudi, il y aura la thérapie, le dîner, la thérapie, encore le VA, encore les AA. Un alcoolique aura quelque chose à dire et nous voilà presque rendus à vendredi. Catherine, viendras-tu?... Il faut que je parle à Brigitte. Il faut que Brigitte appelle Catherine. Il ne faut pas que j'oublie le paysage, de l'autre côté de la porte!»

Je me lève, je déboule les escaliers, jusqu'au bureau de Brigitte. Je frappe. Elle ouvre la porte, l'humeur aussi joyeuse qu'un ouragan:

— Tu n'as pas vu. C'est marqué *occupé*. Je suis avec quelqu'un. On se verra demain.

— Brigitte, Brigitte, demain c'est jeudi, je serai presque parti. On n'a pas eu le temps de se parler. Catherine, tu l'as appelée?

Mais la porte est déjà refermée et je me parle à moi-même, planté comme un imbécile, honteux de mes angoisses mal accueillies.

Je remonte à ma chambre. Québec, mon autre vie. Il y a donc un endroit qui s'appelle *chez nous*. Catherine, les enfants, il y a presque une éternité que je vous ai quittés. Est-ce qu'il reste encore quelque chose au bout de ce chemin? J'ai peut-être rêvé. «Catherine, est-ce que tu viendras me chercher?»

Il y aura toujours le père Lacasse. Samedi matin, quatre heures quarante-cinq. Il dira sa messe, seul dans la petite chapelle. Comment fait-il pour dire sa messe, seul devant des bancs vides? Je n'ai jamais vu personne à cette messe. Si, il y avait moi, quelquefois. Il va se sentir bien seul le père

Lacasse. Je ne prends plus de cocaïne. Je m'apaise en pensant à lui, l'être le plus fidèle que j'aie connu. Demain matin, il dira sa messe pour moi. J'en suis certain. Il n'y a pas beaucoup de choses dans la vie pour lesquelles on éprouve une telle certitude.

La cloche du souper sonne. Encore quelques cloches et je serai parti. Je pars dans deux jours. Je rentre à la maison. Catherine doit être morte d'angoisse : « Il rentre à la maison. »

Elle a dit à Brigitte : « C'est fini nous deux. »

Est-ce que je vais coucher avec elle, ou au sous-sol ? Je l'avais oublié le sous-sol, la porte des pensionnaires, *L'armoire aux menteries*. Je n'aurais pas dû y penser. Je me sens malade. Je ne pourrai plus jamais dormir à cet endroit.

Je descends l'escalier. Je pars demain. Ma chambre n'est presque plus ma chambre. L'autobus attend. Il ne manque plus que moi. Demain il ne manquera plus personne. La porte de l'autre côté du monde s'est refermée. J'ai tout oublié. J'ai presque oublié pourquoi je suis venu ici.

« Brigitte va m'appeler à son bureau. Catherine va venir me chercher. C'est une dame, Catherine, une grande dame. Elle ne peut pas m'abandonner. Elle ne m'a jamais abandonné. De toute façon, si ça peut te sécuriser, elle n'a jamais abandonné personne. »

Brigitte n'est pas heureuse de m'avoir comme résident. J'ai trop dormi. Je n'ai pas assez travaillé. Je n'ai pas assez parlé. Je n'ai pas eu le temps de vomir ma vie sur son bureau. Ce n'est pas bon signe pour le futur, dit-on. Quelqu'un que j'admirais beaucoup était venu me voir. Il m'a dit : « Il faut que tu ailles chez les AA, au moins trois fois par semaine. N'oublie pas, trois fois par semaine et ta vie va changer. C'est moi qui te le dis!»

Et il était reparti.

Jeudi soir, c'est mon dernier souper au VA et mon dernier meeting des AA. J'écoute le conférencier. Il raconte sa vie. Elle est d'une banalité à mourir. Mais je me surprends à l'écouter, j'entends sa vie. Je ressens sa tristesse quand quelqu'un l'a ramené à la maison pendant la nuit. Il était saoul mort et il s'est endormi sur son balcon. Au matin, sa fille de neuf ans a dû pousser la porte de toutes ses forces pour se rendre à l'école. Son père était couché en travers. Il a ouvert les yeux, a regardé sa fille et n'a pu faire autre chose que de vomir sa honte.

Chapitre 30

Vendredi, c'est aujourd'hui. J'ai mal dormi, très mal dormi. Il m'est arrivé ce qui arrive à ceux qui ne dorment pas, un grand nombre de malheurs qui ne se produiront probablement jamais. Ce matin, on va dire quelque chose pour celui qui va partir. Aujourd'hui, on dira quelques mots pour moi :

— Émile, tu as mis de la gaieté dans le groupe. Chaque matin, tout le monde se demandait si tu allais te lever, dit doucement Jean-Claude. Luc et Albert ont même perdu quelques dollars en gageant sur toi, ajouta-t-il en riant.

— Tu m'as aidé. Tu as été le premier à me dire *bonjour* quand je suis arrivé. Je me suis tout de suite senti à l'aise, poursuivit Albert en bredouillant.

— On ne s'est pas beaucoup parlé, mais quand je t'ai entendu dire : «Je suis un alcoolique», à Longueuil, je me suis dit que je pourrais le faire moi aussi, enchaîna Laurent.

— Nous sommes arrivés presque en même temps. Te souviens-tu, le premier soir ? Tu ne savais pas que c'était interdit. Tu es sorti et tu es revenu avec un sac de réglisse rouge. Je n'avais jamais eu autant de plaisir à manger une réglisse rouge. Luc s'est mis à pleurer et moi aussi. Je ne sais pas pourquoi. J'étais ému parce que quelqu'un avait aimé ma réglisse rouge.

Après quelques instants dans le bureau de Brigitte, nous sommes ressortis et je n'avais aucune idée de ce que nous avions dit dans ce bureau. Tous les résidents étaient massés devant l'entrée pour me dire bonjour. J'étais heureux d'être celui qui part. Je me souviens encore de la voiture stationnée devant l'entrée. Une Cavalier jaune clair. Je n'osais parler par peur de maladresse. Les quelques bagages que j'avais furent placés à l'arrière et Catherine s'installa du côté passager. Elle m'investissait d'une nouvelle confiance. Mais je ne me flattais pas trop, elle détestait conduire.

Je démarrai la voiture. Il me semblait ne jamais avoir conduit tellement ces gestes avaient perdu leur familiarité. J'étais au milieu d'un fourmillement incroyable de bruit et de lumière. Catherine était à ma droite, silencieuse. Une fois sortis de la ville, l'ambiance s'est détendue même si un fond de tension subsistait. J'ai parlé le premier. J'ai raconté ma thérapie. Elle semblait heureuse de m'écouter, comme si le fait de parler était un signe de santé.

Je n'étais pas totalement à l'aise et j'étais incapable de jauger avec justesse la portée de mes paroles et de ses réponses. J'étais frappé par les couleurs, par la beauté de la nature et par les innombrables fleurs de toutes sortes qui décoraient le terre-plein de l'autoroute. Il me semblait que le paysage avait changé, comme s'il voulait me confondre davantage.

La tension montait de plus en plus à mesure que nous approchions de chez nous. Je ne saurais dire si c'était la mienne ou celle de Catherine. Si j'avais osé, je l'aurais serrée dans mes bras avec beaucoup d'affection et un brin de concupiscence. La ville se profilait tout près et le pont fut traversé comme dans un rêve qui nous rapprochait de la maison.

Nous ne sommes pas rentrés tout de suite. Catherine m'invita au restaurant. Elle avait encore besoin d'un peu de temps. Nous avons soupé à la *Tyrolienne*, ce soir-là. Je me souviens encore du nom du restaurant. Après les sourds et muets et le VA, j'étais totalement déstabilisé.

Lorsque le garçon nous offrit du vin, je commandai une bouteille. Catherine eut un geste d'inquiétude, mais je la rassurai en lui disant :

— J'ai décidé de cesser la cocaïne. Mon problème, c'était vraiment la cocaïne. Je n'ai jamais eu de problème avec l'alcool. J'ai tout de même décidé d'être prudent. Brigitte n'a pas cessé de me le répéter. J'ai décidé de ne pas prendre autre chose que du vin en mangeant et seulement quand je serai avec toi.

Elle n'a pas semblé apprécier cette exclusivité. Je sentais son combat intérieur. Elle aurait bien voulu s'opposer à ma décision, mais elle était à court d'arguments. Le repas fut tout de même agréable, sur un fond de tension qui demeurait accroché à l'oxygène que nous respirions. Nos paroles et nos gestes étaient réfléchis. Nous n'étions pas encore prêts pour la spontanéité. Elle comportait trop de risques.

J'avais hâte de rentrer à la maison. Les enfants étaient sortis. La maison était belle. J'avais oublié. Les enfants sont arrivés un à un et nous nous sommes retrouvés au salon, tous ensemble. J'avais l'impression qu'ils se disaient : « Quel est cet homme qui vient d'arriver chez nous ? »

Les enfants se sont couchés un à un et nous sommes restés seuls, n'osant discuter des arrangements pour la nuit. La fatigue eut raison de la raison et nous nous sommes dirigés vers la chambre en silence. J'avais terriblement peur que Catherine m'offre le divan ou la chambre des pensionnaires. Mais elle ne voulait pas faire de vagues et j'ai réintégré la chambre conjugale sans bruit, osant à peine parler, bouger et même dormir, de peur de réveiller les sombres ombres qui vivaient encore dans nos nuits. C'était la cocaïne sans cocaïne.

Nous avons fini par nous endormir et sans faire exprès, dans notre sommeil, mes bras se sont pris dans ses bras, comme les branches poussées par le vent, comme un accident sans conséquence qu'un autre vent viendrait dénouer. Ma jambe, par mégarde, s'est endormie sur la sienne et jamais au grand jamais, nous n'avons été conscients que quelques centimètres de nos épidermes s'étaient égarés dans un sommeil heureux.

Chapitre 31

Les trois semaines en thérapie et les jours qui s'étaient écoulés depuis mon retour ressemblaient à un épisode irréel entre deux incarnations. Je ne consommais plus de cocaïne, je ne consommais presque plus d'alcool sauf un verre de vin avec Catherine au restaurant, et nous allions très peu au restaurant. Mes cours avaient débuté et mon nouveau statut d'universitaire me coûtait plusieurs heures de travail par semaine. J'étais entré au *temple du savoir* rempli de doutes sur mes capacités. J'avais vite compris que nous étions environ cent quatre-vingt à éprouver le même sentiment.

Toutes ces nouveautés n'étaient pas très bien ancrées dans ma vie et la force des anciennes habitudes dansait quelque part sous la surface. Catherine ne savait plus si elle m'aimait encore ou si j'avais encore une chance de devenir quelqu'un qu'on pouvait aimer. Comme Brigitte, elle réservait son jugement. Il était trop tôt pour se prononcer.

J'avais fait un grand saut et j'en étais encore aux manœuvres d'atterrissage. J'étais passé de *restaurateur cocaïnomane* à *étudiant abstinent*, de la rue à l'université et de *c'est fini nous deux* à la semireconduction de mon statut matrimonial. Sans compter que j'étais un Alcoolique anonyme qui avait laissé tomber la cocaïne, mais qui s'était gardé l'option d'un verre de vin à l'occasion, et seulement lorsqu'il était accompagné de sa conjointe, de surcroît.

Mon cerveau n'avait pas encore digéré toutes ces incohérences sociales et biologiques et il m'envoyait fréquemment des signaux de détresse ou à tout le moins, de confusion extrême. Trois semaines, ça ne change pas le monde, ni le mien, ni celui des autres. C'est seulement après qu'on s'en aperçoit réellement. Je me sentais comme un animal qui sort de chez le vétérinaire. On me regardait dans les yeux, non pas pour me lancer des étincelles de plaisir, mais pour y déceler des signes indiquant l'approche de la tempête. Certains se croisaient les doigts, d'autres s'étaient mis à prier, espérant ainsi conjurer le mauvais sort.

Notre condition financière était désastreuse et pour la première fois depuis plusieurs années, j'entrepris de faire un budget. Il fallait établir un plan de versements échelonnés pour Fournier, un pour le centre de traitement que je n'avais pas encore payé et un autre pour rembourser mes associés. J'avais bien pensé à une consolidation de dettes, mais il était difficile de parler de mes *créanciers* au directeur de crédit de mon institution financière.

Le matin, je partais pour l'université et Catherine partait pour mon bureau. J'étais tout de même rassuré, les enfants ne m'appelaient pas encore *maman* et Catherine n'avait pas commencé à *sniffer* de la cocaïne dans les toilettes du restaurant. La confusion régnait. Il aurait fallu refaire les descriptions de tâches et l'organigramme de nos vies.

Les paroles de ma conseillère étaient demeurées bien ancrées et je me rendais religieusement aux rencontres des Alcooliques anonymes. « Trois fois par semaine, qu'elle m'avait dit, et ta vie va changer.» Pour changer, on peut dire qu'elle avait changé, ma vie. Je n'en demandais pas tant. Je respectais la posologie, mais je n'aimais pas le médicament. Je ne parvenais pas à m'adapter aux rencontres des AA à Québec et à retrouver cette joie que j'éprouvais à sortir avec les rescapés de la Maison Querbes. Je ne connaissais personne. J'arrivais aux assemblées quinze minutes en retard et je repartais avant la fin.

Le vent s'était mis à souffler plus fort et plus froidement. Les feuilles tombaient à mes pieds et depuis quelques semaines, je les voyais en baissant les yeux. Ces changements s'étaient faits trop vite. J'avais perdu mon passé sans avoir d'avenir et toute cette activité existait seulement parce que *ne rien faire* n'était plus une option. Comment trouver un nouveau sens à sa vie dans l'auditorium surchauffé de l'université à écouter l'histoire de la presse au Canada français?

Dans quelques jours, ce sera notre anniversaire de mariage. Le seizième d'un mariage qui fait présentement l'objet d'un moratoire d'une durée indéterminée et le premier de ma nouvelle vie. Catherine a décidé de fêter notre anniversaire cette année. Elle part pour la Floride avec sa cousine. Maintenant que j'ai été *traité*, elle sait qu'elle peut compter sur moi et elle est heureuse de quitter cette turbulence qui a presque balayé nos vies.

J'éprouvais un mélange de colère, de tristesse, de jalousie et de soulagement. Tristesse parce qu'elle avait décidé de célébrer notre anniversaire de mariage avec sa cousine, ce qui ne laissait pas de doute sur la qualité de nos amours. Jalousie parce que j'aimais aussi les voyages et que le soleil d'octobre en Floride me semblait une perspective infiniment plus alléchante que le Québec durant le même mois. Soulagé parce que je n'avais jamais été seul, sans surveillance, depuis des années et que j'y voyais une occasion de démontrer mes capacités récemment acquises. Je n'étais pas invité. Elle estimait que j'avais *sniffé* mon droit de réplique et qu'elle pouvait se permettre quelques décisions unilatérales.

Peut-être m'avait-elle demandé ce que j'en pensais et que j'avais été incapable de lui dire la vérité.

J'ai conduit Catherine et sa cousine à l'aéroport et je suis demeuré avec elles jusqu'à l'appel des passagers. Je me sentais calme et confiant et hormis le fait qu'elle partait sans moi, j'étais heureux qu'elle me fasse suffisamment confiance pour me laisser avec la voiture et les enfants. Lorsque je repris le chemin de la maison, un brin d'agitation secouait mes pensées. Je n'arrivais pas à rester en place. Je ne savais pas encore comment rester seul et j'arpentais la maison de long en large, comme un animal en cage. Je pris le téléphone et appelai la gardienne habituelle des enfants avant de sauter dans la Cavalier jaune, celle qui m'attendait à la sortie de la thérapie, celle qui m'était jadis interdite.

Je pris la route du quartier latin. Premier arrêt, mon ex-restaurant. C'était l'heure du souper. Je pris une table et je me demandai si j'allais commander une bière :

« Mais non, me dis-je. Tu ne peux pas prendre une bière. Catherine n'est pas là et la bière, ce n'est pas du vin. C'est vrai. Je ne devrais pas commander une bière. Mais il n'y a pas de vin ici. Et si Catherine était là, je pourrais toujours aller souper avec elle dans un restaurant où il y a du vin, mais elle est déjà loin. Elle est partie pour la Floride sans toi. »

— André, apporte-moi une bière, s'il te plaît.

Comme ça, je ne brisais pas les règles, puisqu'il n'y avait pas de vin et que Catherine n'était pas là. La seule chose logique à faire était de prendre une bière en soupant. Et c'est ce que je fis. Même Catherine aurait été d'accord. C'était notre anniversaire. Elle était avec moi en pensée.

Le repas terminé, je décidai de m'arrêter chez Jean-Pierre en retournant à la maison. Je ne l'avais pas vu depuis longtemps. Il était un ami de longue date et un érudit du *p'tit joint* et de *Sergent Pepper*. Je ne m'attendais pas à le trouver à la maison un samedi soir, mais il y était. Il n'avait pas changé. La musique jouait et une odeur de cannabis s'était incrustée dans le décor. Il m'accueillit chaleureusement et il me passa le *joint* en guise de salutation. Je déclinai l'invitation. La bière, ça va, mais seulement parce que Catherine n'est pas là.

— Tu le sais probablement. J'ai fait un séjour dans un centre de traitement pour la cocaïne. Il fallait que je fasse quelque chose. Ça n'allait plus du tout. C'est fini la *coke*, me sentis-je obligé d'ajouter.

— Tu prendras bien un scotch! Le scotch, ce n'est pas de la *coke*.

— Ah oui, un scotch peut-être. Catherine est partie en Floride. Un scotch et je rentre.

Le scotch coula chaleureusement dans ma gorge où il se mélangea au houblon avant de me réchauffer l'âme. Quelle détente, moi qui avais le doigt sur la gâchette depuis des semaines. Je mis les pieds sur la table et Jean-Pierre me servit un deuxième scotch. Je ne cherchai même pas à me justifier tout bas avant de l'ingurgiter.

— Merci pour le scotch. Je dois rentrer. J'ai été heureux de te revoir.

— Reviens quand tu veux.

Je repris la Cavalier jaune en direction de la maison en me disant que j'étais aussi bien de passer par la route qui longeait le fleuve. J'arrêterais peut-être chez André, un ami qui travaillait au restaurant. On avait déjà pris de la cocaïne ensemble et il m'en avait vendu à quelques reprises. Les amis me manquaient. Je n'avais pas vu personne depuis mon retour de la Maison Querbes.

Ce n'était pas un samedi comme les autres. Tout comme Jean-Pierre, André était à la maison. Il m'invita à m'asseoir et me servit un café.

— Comment vas-tu? Ça fait des semaines. J'ai entendu dire que tu avais lâché la *coke*. Tu t'es fait désintoxiquer. Comment c'était?

Je lui racontai brièvement mes aventures des dernières semaines.

— Tu n'as pas pris de *coke* depuis le mois d'août, répondit-il, surpris.

— Non, pas une seule fois, mais je pense qu'aujourd'hui, je ferai une exception si tu en as?

— Tu ne devrais peut-être pas.

— Juste une ligne ou deux. Ça ne peut pas faire de tort.

J'avais mis de l'alcool dans mon sang et il réclamait davantage. André se leva et revint avec un petit sachet de poudre blanche qui m'examinait avec curiosité. Il allongea deux lignes de cocaïne sur la table. Je roulai un billet que j'insérai dans une narine et j'inhalai sans que mon cerveau n'y décèle une quelconque incongruité.

Je relevai la tête doucement. Il fallait que je sois *cool*. Pas d'excitation. Surtout pas d'agitation. «Tu dois garder le contrôle!»

— J'ai un bon ami qui m'a demandé de lui trouver cinq ou six grammes. Tu me refiles un gramme, je lui fais goûter et si c'est à son goût, je reviens chercher les autres et je te règle le tout.

— T'es certain que ça va? me dit-il en me remettant le sachet.

— T'inquiète pas, je reviens d'ici une heure au maximum.

— À tout à l'heure!

Je remis mon manteau et refermai la porte de l'appartement. Il était temps. Je n'en pouvais plus d'avoir l'air normal. Je dévalai les escaliers comme un fou. Je sautai dans l'auto et j'inhalai la cocaïne à plein nez, à même le sac. Fini les préliminaires et les cérémonies !

Je savais déjà que je n'arrêterais pas. Tout était là. Le cœur qui bat, l'esprit en feu, les pensées qui s'agitent en tous sens et qui te survoltent comme une turbine prête à fournir de l'énergie à la planète. Je suis assis dans la voiture, incapable de ne pas profiter de ce qui m'arrive. Je pense que je l'attends depuis deux mois, cette ligne.

Quel soulagement !

Je me rendis à la maison et je demandai à la gardienne si elle pouvait rester jusqu'au lendemain.

— J'ai décidé d'aller à Saint-Gilbert. Ça fait plusieurs semaines que je n'ai pas vu la famille.

— Je peux rester, répondit-elle. Je n'ai rien à faire en fin de semaine.

Le bon Dieu est bon ! Je pris quelques affaires, et après avoir dit bonjour aux enfants, je ressortis aussi vite que j'étais entré. Je retournai directement chez André. Je frappai à la porte. Il y avait déjà du monde chez lui. Je l'entraînai dans un coin et lui exposai mon problème.

— Écoute, André, mon client a aimé ce que je lui ai fait goûter. Voilà l'argent du gramme que tu m'as avancé. Il m'a dit qu'il pourrait être intéressé à acheter une once si tu peux lui garantir la même qualité, ajoutai-je en lui tendant les billets.

— Une once, je ne peux pas aujourd'hui, mais je pourrais peut-être lui vendre une demi-once.

— Combien ?

— Deux mille dollars. C'est un bon marché.

— D'accord. Tu me donnes la demi-once et je reviens avec l'argent.

— Tu fais pas de conneries!

— T'inquiète pas, je reviens.

Il s'absenta et revint quelques minutes plus tard avec un sac brun bien trop grand pour le petit sachet de poudre blanche. Mais au diable l'emballage!

Bravo, bravo moi-même! Bien joué! Tu es un génie! Tu l'as endormi avec la première ligne. Tu l'as hypnotisé sans trop l'inquiéter avec le premier gramme. Il était déjà en transe quand tu lui as remis l'argent, moins de trente minutes plus tard. Il t'a refilé la demi-once sans même poser une seule question.

Tu es aussi un imbécile, mais il est trop tard. Heureusement, la gardienne n'avait pas d'autres engagements. Tu ne pourrais pas coucher à la maison dans cet état.

La première règle, assurer l'approvisionnement. C'était fait. La demi-once faisait une bosse sécurisante sur ma cuisse droite. Deuxième règle, il ne faut pas que Catherine et les enfants s'en aperçoivent. Je pars pour Saint-Gilbert. Catherine ne sera pas trop surprise si on lui dit que je suis parti à Saint-Gilbert. Je peux relaxer un peu maintenant. Il n'y a plus rien à craindre. Tu as tout ce qu'il te faut pour les prochaines quarante-huit heures.

Je prends la route et je me replonge le nez dans le sac à chaque vingt kilomètres. Plus rien ne compte sur cette planète à part ce sachet et les heures de liberté qui s'allongent devant moi, à perte de vue. J'ai de la cocaïne en quantité. Catherine est en Floride et la gardienne s'occupe des enfants. Je n'ai qu'à profiter de la vie. Je reprendrai du service la semaine prochaine.

J'arrive à Saint-Gilbert. Ma mère est là et comme à l'habitude, elle me demande si j'ai faim. Son affection passe par les pâtés à la viande et la tarte aux framboises. Un de mes frères est là aussi. On me trouve en forme et je le suis. J'ai l'empathie d'un dromadaire qui a rempli sa bosse et qui n'a plus rien à craindre du désert. Je parle, je raconte mes dernières semaines, l'université, la thérapie. Jamais je n'avais raconté ma thérapie avec autant de gaîté et de détails : « Je suis allé en thérapie. Ça m'a fait un bien énorme. Il était temps que je m'occupe de ce vilain problème de cocaïne qui gâchait ma vie et celle de mes enfants. »

La soirée passe. J'appelle les enfants. Il faut que j'entretienne ma nouvelle image de père responsable :

— Ça va, les enfants ! Je suis chez grand-maman. Elle vous fait dire bonjour. Dormez bien ! Si maman appelle, dites-lui que je suis à Saint-Gilbert. Je rentre demain. Bye ! Soyez gentils avec la gardienne.

La soirée s'est avancée jusqu'à ce que, un à un, les *civils* abandonnent et se rendent dans leur terrier respectif. Va te coucher, maman, ton fils veille sur toi :

— Tu ne te couches pas ?

— Je ne m'endors pas. Je me coucherai un peu plus tard.

J'ai passé une partie de la nuit debout à surveiller l'écran vide de la fin des émissions. J'ai écrit, écrit et écrit.

«Il faudra que tu te souviennes. Rien n'a changé. Une ligne et voilà, c'est pareil comme avant. C'est comme si tu n'avais jamais arrêté. C'est fantastique! La même folie, la même fébrilité. Tu le savais au fond, à la minute où Catherine a parlé de la Floride, tu le savais.

Peut-être qu'elle aussi le savait. D'ailleurs, c'est peut-être pour ça qu'elle est partie. Elle se doutait bien que je ne tiendrais pas le coup, mais elle avait besoin d'une certitude. Elle ne le saura jamais, mais il faudra que je me rappelle qu'elle avait raison. Seul, j'en suis incapable. Sa présence sert de frein à mes excès et si je me retrouve seul, tout peut arriver. J'avais un espoir qui n'a pu résister à l'absence de Catherine.

Voilà comment j'aurais aimé que les choses se passent:

«Catherine s'en va et je ne consomme pas. Je reste à la maison. Je joue avec les enfants. Je ne laisse pas sécher les fleurs et je ne vais pas au quartier latin. Je ramasse les feuilles mortes. Je dis bonjour au voisin. Je rentre le bois, je repasse le râteau et je monte le *tempo* pour l'hiver. Bientôt, il fera froid. Venez les enfants, on va s'acheter des tuques et des mitaines. Maman sera contente! Brigitte, tu avais bien raison. Il est encore trop tôt pour se prononcer!»

Ma mère s'est levée. Il est cinq heures du matin. Je suis certain qu'elle aurait aimé me dire d'aller me coucher, comme lorsque j'étais petit. Elle doit se dire que quelque chose ne tourne pas rond. Je la rassure avec des petits mensonges bien enrobés. Une thérapie, ça fait réfléchir. Parfois jusqu'à une heure avancée dans la nuit.

— Ne vous inquiétez pas. J'ai dormi jusqu'à midi hier. J'ai quelque chose à écrire pour l'université. J'en profite.

J'ai écrit des choses tout à fait universitaires cette nuit-là. J'ai *sniffé* tout près de mille dollars de cocaïne pour écrire une romance pour les cochons qui se terminait ainsi:

« Porc pas, porcherie. »

On dit que la cocaïne accroît l'intelligence. C'est bien vrai. J'ai pu le vérifier cette nuit-là.

Au petit matin, j'ai serré les dents, technique bien connue. J'ai prié Dieu pour que rien ne paraisse et je me suis bien promis d'aller voir le père Lacasse. Demain, c'est dimanche, c'est le jour de notre anniversaire. Catherine appellera pour nous souhaiter un bon anniversaire de mariage. Je devrai avoir l'air normal.

Il va peut-être falloir que j'appelle Fournier pour que je puisse payer Michaud. Elle arrive mercredi. Il faudra que j'efface toutes traces de mon escapade. Je devrai jeter toutes ces pages que j'ai écrites. Si elle les trouve, elle saura. Les cochons aussi, il faudra les sacrifier.

Je me suis relevé à dix heures, frais comme une tomate séchée. Les yeux bouffis, la mâchoire douloureuse et l'impression d'être coincé sur un radeau lorsque la tempête se prépare.

Il faut que je me lève! Si Catherine appelle et que je dors encore, elle saura.

Le téléphone sonne. C'est elle, j'en suis certain.

— Bon anniversaire, Émile.

— À toi aussi. Comment ça va en Floride? Quelle température fait-il?

— Tu as repris de la cocaïne, me dit-elle avec la certitude de celle qui détient des preuves accablantes.

— Pourquoi dis-tu ça?

— Hier, à six heures, j'étais étendue au bord de la mer avec Julie. Je me suis sentie mal tout à coup, sans aucune raison. Je lui ai dit: «Je ne me sens pas bien. On rentre. Émile a recommencé à prendre de la cocaïne.»

— Je n'ai pas retouché à la cocaïne.

— C'est ce que Julie m'a dit elle aussi: «Je suis certaine qu'il n'a pas consommé. Il est allé en thérapie. J'en suis certaine.»

— Catherine, tu peux me croire. J'ai décidé de passer la fin de semaine à Saint-Gilbert. Je n'avais pas vu ma mère depuis plusieurs mois et je n'avais pas le goût de rester à la maison. Ne t'inquiète pas, je vais très bien. Comment peux-tu penser que j'aurais pu faire une telle chose le jour de notre anniversaire?

— J'arrive mercredi. Tu viendras nous chercher? finit-elle par dire d'une voix qui hésite entre le désir de croire et la terrible intuition qui ne ment pas.

— Je serai à l'aéroport. Profite de tes vacances! Passe une belle journée.

Elle savait ce qui s'était passé. Nous étions branchés depuis toujours sur la même ligne de transmission. Elle savait, mais je n'avouerai jamais. Je sautai dans la Cavalier jaune et je repris le chemin de la maison. Je payai la gardienne. Je dis bonjour aux enfants et je me couchai en même temps qu'eux.

Lorsque Catherine descendit de l'avion, j'étais nerveux comme un nouveau marié coupable d'adultère. Une peur intense me paralysait et je n'avais presque pas dormi de la nuit. J'avais l'impression d'être suspendu au bout d'un fil, comme un condamné en attente de sentence. Catherine me quitterait, j'en étais certain. Elle n'était plus capable de supporter cette insécurité constante qui l'assaillait chaque fois qu'elle s'éloignait.

Malgré le bronzage de la Floride, elle avait l'air fatigué lorsqu'elle apparut avec ses bagages. Je n'ai pas osé la serrer dans mes bras, de peur d'être repoussé. Nous sommes rentrés à la maison. J'étais parvenu à jeter un doute sur ses infaillibles intuitions. Le crime était presque parfait.

Chapitre 32

J'étais parvenu à sniffer pour mille dollars de cocaïne entre neuf heures du soir et six heures du matin. Je devais maintenant deux mille dollars à André et j'avais écrit un magnifique poème sur les cochons. J'avais encore en ma possession un quart d'once qu'il faudrait maintenant revendre pour rembourser une partie de cette nouvelle dette qui viendrait s'ajouter aux autres que je n'étais déjà plus capable de payer. Cette brève incursion dans un monde où rien n'avait changé me plaça devant plusieurs évidences qu'il n'était plus possible d'ignorer :

- Le départ de Catherine sonnait la cloche de la récréation et si je n'étais pas contrôlé par quelqu'un, il ne fallait pas trop compter sur ma capacité de me contrôler moi-même.

- Même si l'alcool ne présentait pas un problème aussi aigu que la cocaïne, il suffisait de quelques verres pour que s'éteigne la vigilance de tous les instants que je devais exercer sur les pensées qui me ramenaient si naturellement à la cocaïne, une substance contre laquelle j'avais perdu toute défense.

- Lorsque le système était enclenché, le compte à rebours des pensées ne pouvait plus être désamorcé et reprendre de la cocaïne n'était plus qu'une question de temps.

- Je n'avais pas changé. Si je prenais une première ligne, je ferais à peu près n'importe quoi pour en avoir une deuxième, une troisième, une quatrième, jusqu'à ce que j'en meure ou que je serre les dents pour quelques heures avant de me laisser crouler dans un sommeil douloureux.

Cet épisode me propulsa vers les rencontres des Alcooliques anonymes avec une vigueur que je n'avais pas ressentie depuis ma sortie du centre de traitement. J'arrivais à l'heure et au lieu de m'asseoir sur la dernière chaise de la dernière rangée dans le coin le plus éloigné possible des rapports humains, je commençais à me mêler timidement aux conversations des autres vétérans de la grande bataille.

Le fardeau de devoir assister à trois réunions par semaine devint moins lourd et j'éprouvais une certaine satisfaction à me conformer à cette prescription. Tout au fond, sans même me l'avouer, j'avais peut-être cru qu'après quelques mois d'abstinence et une vie bien rangée, je pourrais consommer à nouveau sans faire de dégâts autour de moi. Je savais maintenant que c'était impossible. La phrase du livre des Alcooliques anonymes qu'on nous avait répétée en thérapie résonnait à mes oreilles: «L'idée qu'il pourra un jour consommer normalement est la grande obsession du buveur anormal. Certains la poursuivent jusqu'aux portes de la folie et de la mort.»

Et ce n'était pas différent pour la cocaïne.

La sonnerie du téléphone vint interrompre cette prise de conscience désespérante. Je reconnus facilement la voix de Gabriel qui, à cette heure du matin, ne m'appelait certainement pas pour demander des nouvelles de ma santé. J'avais gardé le contact avec lui et je savais qu'il continuait à fréquenter la *dame blanche*. À cause de sa position publique, il lui était devenu difficile, depuis mon séjour en thérapie, de se procurer facilement la cocaïne qui auparavant transitait par mes bons services. Ce matin-là, alors que j'étais probablement son dernier recours, il osa me demander si j'avais encore quelques contacts que je pourrais lui refiler. Il fut surpris de m'entendre répondre :

— Même si je répugne à te vendre cette cochonnerie, je peux faire beaucoup mieux que ça.

Je lui racontai ma mésaventure en lui annonçant que j'avais encore un quart d'once qu'il me fallait vendre à tout prix. Il était enchanté et je me sentais comme le père Noël. Je lui vendis tout ce que j'avais, malgré la culpabilité que je ressentais. Il avait ses nécessités, j'avais les miennes et aujourd'hui elles se rencontraient fraternellement. Je retournai chez André et lui remboursai une partie de ma dette en lui promettant de régler le reste au cours des prochains jours.

En plus de m'impliquer activement chez les Alcooliques anonymes et de poursuivre mes études universitaires, je devins le fournisseur officiel de Gabriel et de plusieurs autres qui sont venus s'ajouter avec le temps. Au début, je ne faisais que le relais entre lui et quelques fournisseurs que je connaissais. Rapidement, je découvris qu'à la condition de ne pas en consommer soi-même, vendre de la cocaïne pouvait être une activité commerciale rentable. Je n'avais plus ni emploi ni salaire et, malgré le risque encouru, je ressentais une sorte de fierté lorsque je parvenais à acheter quelques cadeaux aux enfants et à sentir le contact des billets verts au fond de ma poche.

Je justifiais mon nouveau métier en me disant que, de toute façon, que ce soit de moi ou d'un autre, ils en achèteraient. Chaque fois que Gabriel m'appelait, je me faisais un devoir de lui proposer un marché. Un nouveau rituel s'était établi entre nous, dicté par l'amitié et la culpabilité que j'éprouvais à lui vendre de la cocaïne. Je lui répétais toujours la même chose :

— Gabriel, tu as le choix. Je te vends un gramme de cocaïne ou tu viens à une rencontre des Alcooliques anonymes avec moi et tu épargnes cent vingt-cinq dollars.

Il répondait infailliblement :

— Aujourd'hui, je pense que je vais prendre le gramme, une autre fois peut-être.

Ce triste *peut-être* continua de résonner à mes oreilles jusqu'au jour où, avant même que je fasse mon offre, j'entendis sa voix à peine audible me dire :

— Elle est à quelle heure ta prochaine rencontre ?

— Demain à huit heures, au monastère des augustines, répondis-je, en essayant de contenir ma joie.

— J'y serai, ajouta-t-il, comme pour me consoler de devoir lui vendre de la cocaïne encore une fois.

Gabriel prit tout de même le sachet et contre toute attente, lorsque je stationnai la voiture devant le monastère des augustines le lendemain, il m'attendait au bas des escaliers. Il me fit un grand bonheur et j'étais fier d'entrer au meeting à ses côtés, ce soir-là. À partir de ce moment s'amorça une période de lune de miel avec l'abstinence et les Alcooliques anonymes. Nous assistions à une, parfois à deux réunions par jour. Tout un groupe de nouveaux et de plus anciens s'était formé autour de nous et nous n'en avions jamais assez d'assister à des rencontres et de discuter jusqu'aux petites heures du matin de ces grands bouleversements qui s'opéraient dans nos vies. Nous avions l'indicible impression d'avoir entrepris une aventure extraordinaire.

Je faisais maintenant partie du *service de la douzième étape* comme on l'appelle chez les AA. Un ou deux jours par semaine j'étais de garde et, avec un autre membre des AA, nous nous rendions chez les personnes en détresse qui demandaient de l'aide au téléphone. Jour et nuit, nous étions confrontés à toutes sortes de situations, parfois cocasses et parfois dramatiques. Nous tentions d'aider ces personnes à traverser une crise ou nous leur offrions de les accompagner à une rencontre des Alcooliques anonymes.

Je menais une double vie. Je volais au secours des alcooliques en détresse et j'en faisais autant pour les toxicomanes en manque de cocaïne au milieu de la nuit. Afin d'améliorer le service, je dus me munir d'un téléavertisseur qui m'était d'une double utilité. Il n'était pas rare qu'il se mette à sonner pour une livraison de cocaïne alors que j'accompagnais un nouveau venu à son premier meeting AA.

Cette vie ne me semblait pas plus anormale que celle que j'avais menée jusqu'ici. Je parvenais à réconcilier ces deux extrêmes en offrant à mes clients l'alternative de m'accompagner gratuite-ment à un meeting AA au lieu de m'acheter un gramme de cocaïne. J'étais aussi fier de mon absti-nence que de ma capacité à acheter un nouveau manteau pour ma fille ou un petit cadeau à Catherine, qui ne me posait pas trop de questions sur ma nouvelle prospérité.

Je faisais du *meeting* et encore du *meeting*, comme on dit chez les AA. Graduellement je m'étais construit un noyau solide d'amitiés, forti-fiées par nos aventures communes avec l'alcool et la cocaïne. Il fallait se tenir ensemble pour ne pas couler, se répéter nos malheurs jusqu'à les exor-ciser et glorifier nos comportements les plus extrêmes pour nous forger une nouvelle estime de nous-mêmes qui reposait sur notre capacité de vivre sans notre raison de vivre.

Un nouveau circuit s'était organisé pour rem-placer celui des bars et des endroits reclus du quartier latin. Le *groupe des Augustines* avait pris la place du *Bar 8*. Celui des *Anciens combattants* nous faisait oublier le *Croque-mitaine* et le vendredi soir, *Franche-opinion* faisait maintenant compétition au *Chanteauteuil*. Nous éprouvions un indicible plaisir à nous retrouver, fiers de nous dire que nous venions de traverser une autre journée sans boire, sans *sniffer* et sans faire de tristesse autour de nous.

Cette nouvelle effervescence nous permettait de ne plus ressentir le grand vide qui n'avait jamais pu être comblé. Le téléavertisseur sonnait, quelqu'un voulait de l'aide ou de la cocaïne. Je répondais aux deux indifféremment. Je savais que lorsque Damien appelerait, il demanderait un demi-gramme et qu'il me rappellerait deux heures plus tard pour en racheter autant. Il préférait être sous l'effet de la cocaïne pour justifier son deuxième achat plutôt que de s'avouer dès le départ qu'il ne pourrait plus s'arrêter après le premier. Je reconnaissais maintenant le numéro de Suzanne. Elle rechutait aux trois semaines et finissait par rappeler en bougonnant pour que l'un de nous pousse son fauteuil roulant à une réunion des Alcooliques anonymes. André était comme un hypoglycémique qui veut sa dose de friandises. Il était toujours pressé. Il payait le gramme d'aujourd'hui et le dernier gramme de la fois précédente pour m'amadouer et il revenait deux ou trois fois durant la nuit pour refaire ses provisions. À payer ainsi le premier et le dernier, les autres s'accumulaient jusqu'à former une jolie somme qu'il ne pouvait plus payer. André avait un magasin d'articles de sports et lorsqu'il sentait que sa dette dépassait le bon sens, il m'appelait:

— Émile, viens au magasin et choisis ce qui t'intéresse.

C'est ainsi que j'ai recommencé à faire du vélo sur un superbe Minelli, léger comme une plume et que les enfants se sont mis à patiner et à faire du ski. Un jour, André disparut. Je me dis, que tout comme moi, ses associés avaient probablement remplacé les serrures du magasin et exigé le remboursement des avances.

Je n'aurais jamais pu cesser la cocaïne sans cette excitation qui me donnait l'impression d'exister à nouveau.

Le temps était maintenant venu de nous attaquer directement au quartier latin. Nous savions intérieurement que nous ne pourrions nous en éloigner bien longtemps. Aussi bien s'y installer franchement que de s'y rendre furtivement lorsque nous n'en pouvions plus d'être *bons garçons*. Il fallait y ouvrir un groupe de AA et le réapprivoiser de l'intérieur.

Au mois de novembre, nous ouvrions le groupe *Quartier latin*. Après avoir cherché une salle sans succès, un ami nous permit de nous installer dans un local désaffecté au-dessus d'un restaurant huppé de la rue d'Auteuil. Nous étions sept ou huit au début, pour la plupart des ex-piliers des bars du quartier latin. Vu que l'entrée était la même que celle du restaurant, il était fascinant, le mercredi soir, de voir le maître d'hôtel diriger le trafic à l'entrée :

— Vous avez une réservation, Monsieur ?

— Nous avons une rencontre à l'étage.

— Bonne soirée, Monsieur.

Je pense que j'étais aussi fier de ce premier groupe que nous avions fondé que du restaurant que j'avais ouvert quelques années plus tôt dans le même quartier. D'ailleurs, au début, les chaises, la cafetière et le système de son de la terrasse du restaurant avaient servi d'ameublement pour le premier groupe de AA du quartier latin. Un juste retour des choses.

Je me sentais revivre. J'étudiais à l'université, je vendais de la cocaïne et j'avais à nouveau de l'argent dans les poches. Je répondais aux appels de détresse de la ligne d'aide et je venais de fonder un nouveau groupe AA qui accueillait aussi les drogués, en plein dans le quartier latin, l'antre de la bête, le tout accompagné de vingt-deux cafés et de deux paquets de cigarettes par jour.

Autrement, le choc aurait été trop violent pour que je puisse le supporter.

Chapitre 33

Les relations familiales reprenaient du tonus, stimulées par mon nouvel appétit pour les rencontres des Alcooliques anonymes, l'ouverture du groupe Quartier latin et la vente de denrées interdites. Mes nouvelles drogues me faisaient du bien.

Je devais maintenant m'attaquer à mon tonus musculaire qui lui, souffrait de graves carences. Je me suis donc inscrit dans un club de *racquetball*. Ma première partie se joua contre un partenaire d'au moins trente ans mon aîné. Après trois ou quatre minutes à courir après la maudite balle noire, je ne pouvais plus respirer. Je dus m'asseoir dans un coin pour tousser les amoncellements de goudron que mes poumons voulaient expulser. Mon adversaire était penché sur moi, frais comme une rose. Il arborait un petit sourire qui me donnait envie de le frapper lorsqu'il me dit :

— Selon moi, tu devrais en fumer une autre.

Je parvins à l'envoyer chier avec toute l'énergie qui me restait et je me relevai pour reprendre un combat que je dus abandonner à nouveau au bout de quelques minutes. J'avais subi une défaite humiliante attribuable à ma condition physique déplorable plutôt qu'au talent de mon adversaire.

Je pensais en avoir fini avec les sevrages, mais me voilà devant la désagréable perspective d'attaquer une habitude dont je n'étais pas encore certain de vouloir me débarrasser. Les méthodes, je les connaissais presque toutes et malgré d'innombrables tentatives plus ou moins sérieuses pour cesser de fumer, je n'avais jamais pu arrêter plus de vingt-quatre heures.

La première fois, je m'étais inscrit aux sessions de l'*Église adventiste du septième jour*. Le premier jour, il ne fallait pas manger et se contenter de boire de l'eau. Le deuxième jour, ils étaient plus gentils. On avait droit au *jus à volonté*. « Il faut permettre au système de se désintoxiquer », disait-on. Le troisième jour, nous pouvions manger des légumes bouillis et ainsi de suite, jusqu'au cinquième jour, où nous pouvions mettre fin à toutes ces épreuves et recommencer à manger normalement. Quelques heures plus tard, j'étais de retour à la case départ. Puis ce fut au tour de l'hypnose, de l'acupuncture et de plusieurs paquets de cigarettes lancés par la fenêtre de la voiture sous un tonnerre de résolutions fracassantes. À cours de moyens, je dus m'adresser aux adventistes pour la seconde fois. Je perdis quelques livres additionnelles, sans pour autant cesser de fumer. Je poursuivis ma quête et sur les conseils d'un autre gourou, je fis un véritable jeûne. Jamais je n'avais tant fumé que durant ces six jours à l'eau claire. On finit par me présenter une nouvelle méthode qui permettait de continuer à fumer pendant plusieurs semaines en décroissant. C'était comme si quelqu'un devait couper la queue de son chien et qu'il décidait, pour le ménager, de lui en couper un petit bout chaque semaine.

Finalement, au cours de cette période, deux membres des AA dont les poumons étaient de la même couleur que les miens, me proposèrent un pari. Nous allions cesser de fumer tous les trois le premier janvier prochain à dix heures du soir. Chacun devait mettre cent dollars dans une cagnotte et un arbitre aurait la responsabilité d'attribuer l'argent à celui ou ceux qui n'auront pas encore fumé au bout de trois mois.

Cette fois serait la bonne. Je décidai d'établir une stratégie en m'appuyant sur les échecs de mes tentatives précédentes. D'ici le premier janvier, je fumerais avec plaisir toutes les cigarettes dont j'avais envie. Il y en avait partout : dans ma valise, dans l'auto, à la maison... Si je devais arrêter le premier janvier, autant profiter des dernières semaines. J'utiliserais la première étape des Alcooliques anonymes pour la cigarette, comme je l'avais fait pour la cocaïne. Elle avait fait ses preuves. Elle pourrait peut-être réussir une deuxième fois.

Le 31 décembre arriva. Nous étions chez ma mère à la campagne. Je me couchai en aspirant à fond plusieurs cigarettes avant de m'endormir. Demain, ce serait un grand jour, une nouvelle année et une nouvelle vie. Ma dernière journée avec celle qui avait été la compagne de mes joies et de mes solitudes depuis l'adolescence. Durant toute cette dernière journée, j'allais lui faire mes adieux en allumant la cigarette suivante avec le mégot de la précédente.

La journée fut aussi longue qu'une année. Je fumais comme un condamné, sentant tomber une à une les minutes qui me rapprochaient de la douloureuse séparation. À dix heures moins cinq minutes, ne pouvant trouver d'autre endroit qui me permettrait d'être seul pour quelques minutes, je m'enfermai dans la salle de bains. Je me mis à genoux, les deux coudes appuyés sur le banc de la toilette et je répétai la *première étape* des AA, mais cette fois-ci pour la cigarette :

— Je m'appelle Émile, je suis impuissant devant la cigarette et je suis incapable de cesser de fumer par moi-même. Si le Dieu qui m'a aidé avec la cocaïne s'occupe aussi de la cigarette, c'est le temps ou jamais de me donner un coup de main. J'en aurai grand besoin.

J'avais parlé à voix basse, comme si j'avais peur que quelqu'un entende ces paroles qui pourraient bientôt devenir un autre mensonge. Je me relevai et une à une, je brisai toutes les cigarettes qui n'avaient pas été fumées avant de tirer la chasse sur une autre partie de ma vie. Je sortis de cette nouvelle chapelle le cœur léger, avec la quasi-certitude que si j'avais pu cesser la cocaïne, je pourrais aussi abandonner la cigarette.

Les secondes passaient, aussi longues que des heures. À dix heures trente, je n'avais pas encore fumé. À onze heures, je tenais toujours le coup. Je ferais bien d'aller me coucher avant la prochaine attaque. Onze heures trente, toute la famille a les yeux tournés vers moi. Catherine me regarde comme si je rejouais une scène maintes fois répétée. On était tellement habitué de voir une cigarette au bout de mes doigts jaunis, qu'il ne semblait plus possible que cette excroissance se détache de mon corps et de ma personnalité. Je me couchai vers minuit. Deux heures ce n'était pas beaucoup, mais pour moi, il s'agissait d'un exploit.

Je m'endormis inquiet, incapable d'imaginer le nombre d'heures qu'un fumeur doit passer avant qu'il cesse de se dire, avec étonnement, qu'il les a passées sans fumer. J'ouvris les yeux vers sept heures du matin et me rendormis aussitôt. Il fallait dormir le plus longtemps possible. La journée serait moins longue.

Je me relevai vers la fin de l'avant-midi. Les adventistes disaient qu'il fallait se désintoxiquer le plus rapidement possible. Pas de café, surtout pas de café!

Au diable les adventistes!

Je me fis couler un bon café. Leur méthode, on en reparlera. Je l'avalai en savourant chaque gorgée. Je me sentais mieux. Il ne fallait pas écouter les adventistes, surtout ceux du septième jour. Je me fis couler un deuxième café. Je n'avais pas encore fumé. J'avais le cœur qui battait juste à y penser. Comme lorsqu'on a pris une bonne avance sur un adversaire et qu'on a soudainement peur de la perdre.

La journée fut longue et pénible. Je m'approchais de mon record de tous les temps.

Au cours des jours qui suivirent, j'étais si occupé à ne plus fumer que j'en oubliais la cocaïne qui, pour le moment, avait été relayée au second plan. Le six janvier, les cours reprirent. Je n'avais toujours pas fumé, mais j'étais incapable de résister à la voix du *prof* qui au bout de quelques minutes me plongeait dans un profond sommeil. Après deux ou trois jours à dormir sur mon bureau, je pris la décision d'abandonner cette session. Toutes mes énergies devaient être consacrées à ne plus fumer. Je gardai un seul cours, *L'indouisme*, celui auquel je m'étais inscrit avec Catherine. Si je m'endormais, je pourrais toujours consulter ses notes. Nous partions ensemble pour l'université une fois par semaine et nous adorions ce cours. L'hindouisme nous permit de nous rapprocher. Il y avait longtemps que nous n'avions pas fait quelque chose ensemble.

Les jours passaient et j'étais redevenu *la marmotte* de la rue Querbes. Je dormais presque continuellement. Je me levais le matin et après avoir pris quelques cafés pour faire chier les adventistes, je me recouchais et je dormais parfois jusqu'à onze heures. Le sommeil m'a permis de ne pas recommencer à fumer. Je me disais constamment: «Quand on dort, on ne fume pas et on n'a pas le goût de fumer.»

Dieu me porta secours, celui des AA et celui du père Lacasse et, jusqu'à ce jour, je n'ai jamais retouché à la cigarette. J'ai empoché deux cents dollars sans grand plaisir puisque mes deux amis se sont remis à fumer.

Chapitre 34

Le téléphone sonna longuement, comme s'il s'attendait à ce que je prenne tout mon temps pour le décrocher :

— Oui, à qui ai-je l'honneur ?

— Laisse faire les honneurs, Lévesque, c'est Fournier. Ça fonctionne toujours notre rencontre de ce soir ?

— Oui, je n'avais pas oublié. On pourrait se voir à sept heures. J'ai quelque chose tout de suite après.

— D'accord. On se rencontre à la place habituelle, rue Couillard.

— Sois à l'heure ! Ce n'est pas la journée la plus chaude de l'année.

— Inquiète-toi pas, répondit Fournier en raccrochant.

Depuis que j'avais troqué la cocaïne pour les AA, je vendais régulièrement à Fournier. J'avais établi de nouveaux contacts et je venais tout juste de recevoir quelques onces d'Amérique du Sud. À sept heures, je devais livrer une once à Fournier.

Je ne me gênais pas trop pour y ajouter quelques grammes de lactose. Il en avait utilisé abondamment pour couper la cocaïne qu'il m'avait vendue au cours des dernières années. Il était de mise que je lui retourne ses bontés. J'avais maintenant la réputation d'être un *pusher* responsable qui savait soigner ses clients.

À sept heures, je rencontrerais Fournier et après, j'aurais le temps d'assister à une rencontre des AA. Depuis quelque temps, il se croyait suivi par la GRC et nous avions redoublé de précautions. Nous avions pris l'habitude de nous rencontrer dans une petite cour intérieure à laquelle on pouvait accéder par un passage voûté qui donnait sur une rue minuscule, dans le quartier latin.

Je quittai la maison vers six heures. Je stationnai la voiture à quelques rues et me dirigeai, comme un piéton ordinaire, vers l'endroit désigné. Il faisait toujours noir comme chez le diable dans cette cour. Après avoir repéré un coin où il y avait de la neige, j'y cachai l'once et retournai me rasseoir dans la voiture, d'où je pouvais le voir arriver tout en demeurant bien au chaud. Il faisait un froid d'enfer et les passants fumaient comme des locomotives. Le cadran indiquait six heures cinquante et les deux points clignotaient inlassablement entre les heures et les minutes pour m'indiquer que Fournier allait bientôt se pointer.

«J'aurais dû apporter un livre. Je n'ai pas encore l'habitude d'attendre sans fumer», me dis-je en tambourinant nerveusement sur le volant.

Mais Fournier était rarement en retard, maintenant que c'était lui qui achetait et moi qui vendais. Encore quelques clignotements et le sept allait bientôt apparaître, suivi des deux zéros et de Fournier. Je compte les clignotements.

«Arrive, Fournier!»

Je grommelle tout bas et je sens la tension qui me remonte jusqu'au bout des doigts. Je frotte le rétroviseur, je frotte les fenêtres des portières pour y percer le givre qui s'y accumule. Sept heures et toujours pas de Fournier.

«J'attends jusqu'à sept heures quinze et je décolle. Ce n'est pas tout à fait normal. Il s'est peut-être fait arrêter. Je ferais mieux de déguerpir d'ici.»

«Mais non, respire par le nez. Il va arriver. Dix minutes, ce n'est pas la fin du monde.»

Mais les pensées s'accrochent les unes aux autres, obsessives.

«S'il s'est fait arrêter, il va peut-être parler...»

Je regarde nerveusement dans le rétroviseur.

«Calme-toi. Il ne peut pas s'être fait arrêter. Il vient acheter de la cocaïne, pas en vendre.»

Ma décision est prise. Je ramasse l'once et je lève l'ancre: «Je suis peut-être suivi moi aussi. Si quelqu'un m'a vu entrer dans cette cour, il n'y a plus de temps à perdre.»

Je sors de la voiture à la hâte et j'atteins le porche en jetant des regards furtifs à gauche et à droite. Je scrute les moindres recoins, le cœur battant à tout rompre.

«Maudit con», me dis-je. «Tu devrais réfléchir avant de faire des *deals de coke* dans une cour intérieure sans issue. Si la police entre ici, t'es cuit comme un rat. D'ailleurs, il y a peut-être déjà quelqu'un dans cette cour.»

Je m'enfonce sous le porche. Tout semble calme, trop calme. Je m'approche de l'endroit et je me penche en faisant semblant d'attacher mes bottes tout en regardant à la dérobée. Personne. J'attrape l'once et je file comme si ma vie en dépendait. Au diable la prudence! J'arrive à l'auto en courant, le cœur battant et je m'y engloutis en verrouillant les portières.

«Calme-toi, calme-toi!»

Je démarre doucement, presque normalement et je regarde si je ne suis pas suivi. Rien à signaler. Je fais le tour du pâté de maisons et je repasse devant le porche:

«Je ne peux pas repasser ici à toutes les deux minutes, ça va paraître louche. Il faut que je téléphone. Je dois appeler Fournier. Je ne peux pas continuer de me promener ainsi avec une once de cocaïne dans la voiture.»

Je m'arrête devant un bar où je suis venu bien souvent. Je sais où est le téléphone. Je descends. Je signale. La sonnerie retentit comme un glas dans mon oreille:

«Réponds, Fournier, sacrement! Qu'est-ce qui t'arrive?»

Un homme descend l'escalier. Il est grand, il a l'air louche. Je laisse tomber le téléphone et je remonte précipitamment l'escalier en me retournant. Il ne s'intéresse pas à moi. Je m'en veux d'être aussi désemparé par le retard de Fournier. Il me semble que je devrais avoir un peu plus de contrôle.

«Je devrais appeler Damien. Damien c'est mon parrain dans les AA. Il pourrait m'aider. Mais non, je ne peux tout de même pas lui dire que je vends de la cocaïne. Dis ton *Notre Père* et pense au père Lacasse.»

Je m'arrête sur le bord de la rue. Je prends l'once et au lieu de réciter le *Notre Père*, j'y plonge un billet de cinq dollars roulé à la hâte et j'aspire directement dans le sac. Une longue *sniffe* dans la narine gauche ! Une deuxième dans la droite. Le calme revient.

« *Fuck* Fournier ! J'ai mieux à faire. Une maudite chance que je n'ai pas appelé Damien et que je n'ai pas récité le *Notre Père*. Je serais encore en train de m'en faire parce que Fournier est en retard. Il est peut-être trop gelé pour marcher à l'heure qu'il est. Je pourrais laisser la cocaïne chez les parents de Catherine. Ils sont partis en voyage. Ce sera parfait ! J'ai la clé et il y a une infinité de cachettes que personne ne pourra jamais découvrir. »

Je m'y rends et, après avoir bien caché l'once et en avoir suffisamment gardé pour les besoins de la soirée, je reprends la route du quartier latin. Je fais la tournée des bars de mon ancienne vie et je dis bonjour aux amis. Il ne sont pas si surpris de me voir. J'y viens régulièrement pour rencontrer des clients.

« Et puis, c'est tout de même mieux que d'avoir recommencé à fumer. Voilà, je n'en pouvais plus, toute cette pression. Étudiant, *pusher* et cocaïnomane, ex-fumeur, fondateur du groupe Quartier latin, c'est trop pour un seul homme. Je l'avais oublié, le groupe Quartier latin. C'est moi qui préside la réunion demain. J'ai été nommé président. On verra ça plus tard ! »

À dix heures trente, j'appelle Catherine. Je lui annonce que j'ai reçu un appel après ma réunion des AA et que je dois répondre à une demande d'aide.

— Tu vas bien ? ajouta-t-elle avec une pointe d'inquiétude dans la voix.

— Très bien. À tout à l'heure !

Je poursuivis ma tournée et je m'enfonçai dans mes amitiés inutiles. À mesure que la soirée avançait, j'avais l'impression de plonger dans la noirceur, comme si toute la lumière des dernières semaines s'éteignait. Je ressentais confusément les conséquences de ce geste inconscient et les dernières lignes ne parvenaient plus à me faire oublier les *qu'est-ce que j'ai fait ?* qui me raclaient la gorge et m'empêchaient de respirer.

Je repris le téléphone. Il était maintenant une heure du matin.

— Catherine, il est arrivé quelque chose. Je serai à la maison dans quelques minutes. Je te raconterai.

« Je savais qu'elle savait ! »

Je stationnai la voiture sans bruit et j'entrai dans la maison. Le passé me frappait en plein visage comme si rien n'avait vraiment changé. Je venais de basculer dans mon autre vie. Catherine était partie. Je m'en rendis soudainement compte alors que j'étais debout dans l'entrée, égaré au milieu de pensées qu'il aurait été préférable d'avoir eues avant sept heures quinze ce soir.

Je ressortis. Je devais lui parler. Je repris la voiture et je me rendis chez ses parents, à deux pas de chez nous. Je me doutais bien qu'elle s'y était réfugiée. La porte n'était pas verrouillée et j'entrai doucement. Lorsque mes yeux se furent habitués à la pénombre, je la vis, recroquevillée comme un fœtus dans un coin du divan. On avait peine à la voir tellement elle était immobile.

Elle était sous le choc. Elle n'avait pas vu venir le coup. Quand je m'approchai pour la toucher, elle s'enfonça davantage dans les coussins en mettant les mains devant son visage comme pour se protéger.

Cette vision me fit ressentir toute l'ampleur de la tragédie qui s'était abattue sur nous. L'onde de choc l'avait frappée avec une telle intensité qu'elle me renvoyait sa détresse en vibrations de frayeur. Nous étions au beau milieu d'un cauchemar et mon seul réflexe fut de poser l'un des gestes les plus désespérés de ma vie.

J'allai chercher le sachet où je l'avais laissé et j'ouvris, toutes grandes, les lumières de la cuisine. J'en versai une partie sur la table et je façonnai une petite ligne de cocaïne, tout juste ce qu'il faut pour en ressentir les effets. Je pris une paille dans l'armoire que je coupai en deux et que je plaçai à côté.

— Catherine, viens ici. Il faut que je te parle.

Après une longue attente silencieuse, elle apparut dans l'embrasure de la porte.

— Assieds-toi.

Elle s'assit, comme si elle ne trouvait rien de mieux à faire.

— Catherine, j'ai bien réfléchi. Il n'y a pas d'autres moyens pour que tu puisses comprendre ce que j'ai vécu depuis quelques années. J'ai préparé un peu de cocaïne pour toi. Il faut que tu essaies. C'est la seule façon de comprendre ce qui m'est arrivé et pourquoi j'ai fait ce que j'ai fait. C'est la dernière chose que je te demande.

Je fus surpris et déçu de sa réponse. Elle reprit vie. Ses yeux lançaient des éclairs.

— Tu es un malade! Émile Lévesque, tu es un malade! lança-t-elle avant de reprendre sa place sur le divan du salon.

J'étais désarmé. Je n'avais pu trouver d'autres solutions aux ravages que je voyais dans ses yeux que d'essayer de l'amener dans mon monde, ne fut-ce qu'un instant. Je savais qu'il n'y avait plus d'autres moyens, qu'aujourd'hui j'avais dépassé le stade du non-retour.

Qu'est-ce que j'espérais? Maintenant qu'aucune parole n'avait de sens, j'avais espéré pendant un instant que je pourrais lui ouvrir mon monde, magiquement, et qu'elle m'aurait compris et pardonné.

— Je suis désolé, Catherine, tellement, tellement désolé.

J'aurais aimé qu'elle sente toute la sincérité de ma désolation. J'avais tellement besoin d'un dernier pardon. La ligne que j'avais préparée pour Catherine se retrouva dans mes narines et la conversation se poursuivit, moi dans la cuisine, elle dans le salon:

— Je sais que je ne pourrai pas arrêter tant qu'il y aura de la cocaïne ici. Je vais la jeter et après, on va essayer de dormir. Demain, je préside le groupe Quartier latin.

Je pris ce qui restait de cocaïne sur la table à pleines mains et je me mis à la jeter dans le broyeur de l'évier en secouant les mains plus doucement qu'il ne l'aurait fallu. Je me léchai les mains comme un chien qui n'a pas mangé, comme un lépreux si affamé, qu'il n'hésite plus à lécher ses propres plaies. Je pris le sachet encore à moitié plein et je le laissai tomber dans le broyeur, sans avoir pu m'empêcher d'y plonger mon visage encore une fois, comme un noyé qui ne peut s'empêcher de respirer l'eau qui va le tuer. Je mis le broyeur en marche et je fis couler l'eau de peur de changer d'idée avant que le sachet ne disparaisse.

Je refermai la lumière de la cuisine et revins m'asseoir à côté de Catherine sur le divan. Je ne sais pas encore aujourd'hui où elle a pu puiser l'énergie qu'il fallait pour s'attendrir encore une fois. Elle ne me repoussa pas. Elle ne me frappa pas. Nous étions perdus tous les deux, deux ballons dégonflés sur une vie en furie.

Plusieurs fois, terrassé par mes propres tempêtes, je suis retourné à la cuisine avant de m'apaiser. J'ai inspecté la table, le plancher, l'évier et le broyeur plusieurs fois durant la nuit à la recherche d'un *apaise tourments*. Heureusement, j'avais bien fait le travail. Il ne restait plus rien. Dans ma tête une seule phrase :

« Je suis le président du groupe Quartier latin. Je dois dormir. Demain je préside le groupe Quartier latin. »

Lorsque les premières lueurs du jour firent mourir les terreurs de la nuit, nous sommes rentrés à la maison et nous nous sommes enfouis sous les couvertures. Nous n'avions pu trouver autre chose que nous-mêmes pour calmer notre effroi, sachant que nous aurions pu mourir tous les deux d'avoir dormi seuls, cette nuit-là.

Au matin, lorsque nous ouvrîmes les yeux, nous ne pouvions croire que nous avions dormi ensemble et que nous étions encore vivants. Aucun de nous deux ne le disait vraiment, mais nous le sentions, implacablement. Nous devions parler doucement, ne pas faire de gestes brusques, être gentils l'un pour l'autre, sinon nous aurions disparu en poussière comme les momies sans leurs bandelettes.

Il ne fallait pas parler de la nuit. Il ne fallait pas parler du lendemain. Il fallait simplement se dire les mots que nous aurions aimé que sache un grand amour avant de mourir. Nous étions prisonniers d'un instant *cristal fragile*, comme la voiture suspendue au bord du précipice, durant les secondes éternelles où se jouent la vie des passagers.

Toute la journée se passa dans une demi-torpeur, entre quelques moments de sommeil arrachés à la nuit et quelques douceurs muettes qui nous rassuraient pour un instant. Il fallait que j'aille au Quartier latin et que j'affronte cette soirée qui faisait déjà bredouiller le président.

Le maître d'hôtel m'accueillit comme à l'habitude. Je tremblais lorsque j'aperçus, de l'autre côté de la porte, ceux qui seraient assis devant moi, attendant que j'ouvre la réunion :

— Je m'appelle Émile. Je suis un alcoolique et un toxicomane. Hier j'ai repris de la cocaïne jusqu'aux petites heures du matin.

« Toute la nuit je me suis dit : « Il faut que je m'arrête ! Il faut que je m'arrête ! Demain je préside le groupe Quartier latin. » Je ne sais pas où je serais aujourd'hui si cette pensée ne m'avait pas soutenu. Je ne sais pas si je dois continuer à présider ce groupe ou si je dois laisser ma place à un autre. Je vous laisse cette décision.

On ne me démit pas de mes fonctions et personne d'autre que moi ne me reprocha cette rechute. En arrivant à la maison, je reçus un appel de la blonde de Fournier. Il était en prison. Il s'était fait arrêter à sept heures, le douze février, quelques minutes avant que je replonge à plein nez dans le malheur.

Attristé, je descendis au sous-sol et retrouvai la clé de la chambre que je gardais cachée près de l'entrée électrique. Avec plusieurs secondes d'hésitation, j'ouvris la porte et poussai le commutateur. La lumière éclaira violemment la scène. Je n'étais plus capable d'avancer, comme quelqu'un qui vient de découvrir au fond d'une grotte les vestiges d'une autre époque. J'étais ému et tremblant. Je retrouvais mon histoire et ma folie. En plein centre du mur, on pouvait encore lire : « Que fais-tu de ta vie ? »

Le gros feutre noir avait roulé par terre et le bouchon était encore planté sur le coin du bureau. Je le saisis d'un geste qui me semblait étrangement familier. Je posai la pointe sur le mur et je me mis à écrire. Il me fallut quelques secondes pour me rendre compte qu'aucun mot ne sortait de sa pointe séchée. Je reculai et le laissai tomber dans la poubelle qui était encore à moitié pleine de vieux mouchoirs en papier. Personne n'était venu dans cette chambre depuis plusieurs mois. Nous l'avions balayée de nos mémoires comme si elle n'avait jamais existé.

Il était temps de nettoyer le passé. Je me dirigeai vers la remise sous l'escalier et, après avoir dégagé quelques objets, je retrouvai un plein gallon de la même couleur que celle qui avait servi à peindre les chambres du sous-sol.

J'entendis la voix de Catherine en haut de l'escalier :

— Qu'est-ce que tu fais ?

— J'ai décidé de nettoyer la chambre qui n'est pas louée.

— Tu ferais mieux de te coucher.

— Tout à l'heure, répondis-je, surpris qu'elle n'insiste pas davantage.

Je finis par trouver les outils à réparer le passé. Un pinceau, un rouleau et un vieux drap que j'étendis sur le plancher. J'ouvris la porte de *L'armoire aux menteries* et j'étendis une première couche de peinture sous laquelle disparaissait, mot à mot, l'histoire de mes dernières années. J'avais l'impression d'enterrer un ami. Un mélange de joie et de tristesse me lançait des signaux contradictoires et parfois, mon rouleau s'arrêtait quelques instants avant de faire disparaître un mot qui me brûlait une marque sur le cœur.

Il fallut trois couches et presque toute une nuit pour effacer les traces du sombre personnage qui avait habité ici. À trois heures du matin, la porte de *L'armoire aux menteries* avait retrouvé sa couleur et la chambre, son apparence d'antan. J'avais l'impression de m'être enfin débarrassé de mes plus douloureux souvenirs.

Je remontai chez moi en me disant que c'était la dernière fois que j'y passais la nuit. J'avais oublié de mettre de vieux vêtements et ceux que je portais étaient tachés de peinture à plusieurs endroits. Je les jetai dans le foyer qui fumait encore et les regardai brûler comme dans un film qui finit bien. Je me dirigeai vers la chambre et j'entrai doucement dans le lit en me collant contre Catherine qui dormait déjà.

Je m'endormis en priant pour Fournier et en me disant que demain, je placerais une annonce dans le journal. Il était grand temps que je loue cette chambre et que j'aille dire bonjour au père Lacasse.

Chapitre 35

Quelques semaines après ma dernière nuit de cocaïne, Catherine fut hospitalisée pour une opération qu'elle retardait depuis longtemps. Je rentrais à la maison après lui avoir rendu visite, lorsque je reçus un appel d'un de mes frères qui vivait à Montréal et que je n'avais pas vu depuis plusieurs mois.

Catherine avait beaucoup de difficulté à le supporter depuis que, pour s'amuser, il l'avait enfermée dans le garde-manger alors qu'elle y cherchait quelque chose pour préparer le souper. Il vivait entre deux verres et posait des gestes totalement imprévisibles. Il n'avait plus de permis et conduisait quand même, au prix de nombreuses arrestations et de déboires à n'en plus finir. J'étais seul avec les enfants, ce soir-là, et même si je n'étais pas fou de joie à l'idée de le revoir, il ne pouvait pas mieux tomber.

Je lui donnai rendez-vous au restaurant. Il était inquiétant à voir. Les yeux brillants d'avoir trop bu, la démarche mal assurée, habillé en juillet alors qu'on était encore en mars, il avait l'air de quelqu'un qui a un immense besoin de repos.

—Qu'est-ce qui t'amène à Québec? lui demandai-je en le saluant.

Il m'expliqua qu'il avait eu une brillante idée. Comme les voitures se vendaient plus cher dans le bas du fleuve qu'à Montréal, il était en route pour la Gaspésie où il voulait vendre sa vieille Mustang noire décapotable 1969 et il avait décidé de m'appeler en passant à Québec.

—On peut avoir d'la bière icitte? lança-t-il, la bouche asséchée par le grand projet qu'il venait de me décrire.

Je lui commandai une bière et je me contentai d'un café. Il regardait mon café comme si j'avais commis un sacrilège. Il était désorienté. Lors de ses précédents passages à Québec, nous avions l'habitude d'arroser copieusement nos retrouvailles.

—Tu ne bois pas? me dit-il.

—Non, pas ce soir!

Il prit sa bière en me racontant qu'une fois la Mustang vendue, il allait reprendre l'autobus pour Montréal et qu'avec l'argent de la transaction, il pourrait démarrer un petit commerce de vente et de réparation de balayeuses.

Je ne répondis pas à la logique implacable de son raisonnement et je commandai une autre bière pour lui éviter d'avoir à me le demander. Si cette grande virée finissait comme les autres, il rentrerait probablement à Montréal après avoir vendu la Mustang à rabais au premier venu qui lui en donnerait quelques dollars pour qu'il puisse finir sa *brosse*.

Après avoir avalé quelques bières, il me dit:

— Allons dans un autre bar. Tu te rappelles, celui où tu m'as déjà amené?

— D'accord, lui dis-je, mais après je rentre. Je dois me lever tôt demain.

Aussitôt arrivé, il s'est empressé de commander deux autres bières.

— Merci, pas pour moi, lui dis-je en levant la main. Je prendrai une eau minérale.

Je vis à nouveau de l'incrédulité dans son regard, ce qui ne l'empêcha pas de dire aussitôt au serveur:

— Apporte-moi les deux bières quand même et apporte-lui son eau *misérable*.

Il aimait les jeux de mots et il en faisait constamment. Dans la famille, on avait même développé un système d'évaluation pour ses blagues. Chaque fois qu'il en faisait une, toute la famille lançait un chiffre d'un à cinq pour attribuer une cote à sa nouvelle blague.

Aussitôt le garçon parti, il se leva soudainement et me dit à voix basse:

— Viens me rejoindre aux toilettes, j'ai du maudit bon *pot*.

— Merci, pas ce soir. Vas-y si tu veux, je t'attendrai ici.

Il revint de la toilette et en s'assoyant, il me dit, d'une voix qui commençait à traîner de la patte:

— Émile, tu m'inquiètes! Pas de bière, pas de *pot*.

— Je n'en ai pas pris depuis quelque temps et je n'ai pas l'intention de recommencer pour le moment.

Il ne répondit pas et garda le silence pendant un bon moment. La conversation repris sans que ce sujet soit à nouveau abordé. Après avoir échangé quelques nouvelles sur la famille, je décidai de rentrer à la maison.

— Je rentre. Tu peux rester si tu veux, moi je dois rentrer. Tu peux venir coucher à la maison, Catherine n'est pas là, ajoutai-je en me levant.

— Peut-être, répondit-il. On verra.

Je quittai le bar. C'était la première fois que je retournais dans un bar depuis l'arrestation de Fournier et j'avais très hâte de sortir. Avant de me coucher, je laissai une lumière à la porte au cas où il déciderait de se prévaloir de mon invitation. Je m'endormis en m'inquiétant pour lui.

Vers les deux ou trois heures du matin, le bruit de la porte me réveilla. Je me levai et en le voyant, je me souvins que je l'avais invité à coucher à la maison. Il était complètement intoxiqué. Il leva le doigt en l'air et en le pointant dans ma direction, il marmonna, dans une langue dont le débit s'était encore détérioré :

— Émiilll, je suis venuuu te voir parce que tuuu m'inquiètes !!!

J'avais l'impression qu'il aurait voulu que je réagisse immédiatement, pour éviter que ma condition ne se détériore davantage.

Je le conduisis au salon et pendant qu'il se laissait tomber lourdement sur le divan, j'entrepris de lui expliquer ce qui m'était arrivé :

— Je suis allé dans un centre de traitement, l'été dernier. Tu le savais sûrement, la nouvelle s'est répandue dans la famille. J'ai laissé le *pot*, la *coke* et l'alcool et je vais chez les Alcooliques anonymes. Je n'ai jamais été aussi en forme. Maintenant, je dois aller dormir. Chaque dimanche matin, je réponds aux appels d'aide qui arrivent au bureau des AA. Je te laisse ce livre, au cas où tu aurais de la difficulté à dormir. On se voit demain matin. Si tu veux, tu peux venir me rejoindre. Je te laisserai l'adresse sur la table.

Je suis retourné me coucher et je me suis réveillé à nouveau vers quatre ou cinq heures du matin. Il y avait encore de la lumière au salon et en me levant, je le vis tout au bout du corridor. Il était assis, la tête penchée, et il tenait le livre des AA dans ses mains tremblantes. Si j'avais su peindre, j'aurais saisi cette scène qui est encore aussi vivante dans mes souvenirs que ce jour-là. Mon frère, qui éprouvait beaucoup de difficultés à lire, encore à moitié saoul, plongé dans le livre des AA à quatre heures du matin. Une pure joie m'envahit en le voyant et je retournai me coucher sans bruit, de peur de briser le charme fragile qui l'avait attiré jusqu'ici.

Au matin, lorsque je me suis levé, il dormait, recroquevillé sur le divan du salon et le livre était encore ouvert sur le coin de la table. Je lui laissai un mot avec l'adresse de l'endroit où je devais passer la matinée et je quittai la maison après lui avoir jeté une couverture sur les épaules. J'avais l'impression de prendre soin d'un enfant.

Vers les onze heures, surpris, je le vis arriver. Il passa l'avant-midi avec moi. Ses mains tremblaient légèrement et je pouvais voir à quel point il avait de la difficulté à cacher l'état dans lequel il se trouvait.

— Cet après-midi, je t'amène à une rencontre des AA. Après, si tu as encore le goût de partir pour la Gaspésie, il sera toujours temps de le faire.

Il ne protesta pas et il assista à sa première rencontre des AA. Par la suite, je parvins à le convaincre qu'il serait aussi bien d'attendre au lendemain avant de repartir pour la Gaspésie. Il finit par accepter et en soirée, je l'amenai à une deuxième rencontre. Lorsque nous sommes revenus à la maison, il ne tenait plus en place. Il se levait et se rassoyait, comme quelqu'un en lutte avec lui-même. Je tentai de lui parler, mais il n'écoutait plus. Au bout de quelques minutes, il se releva en disant :

— Je pars pour la Gaspésie. J'arrêterai te voir en revenant.

— Tu ferais peut-être mieux d'attendre à demain. Il commence à neiger.

C'est ce que je craignais. Sa décision était prise et je savais déjà que je ne pourrais plus le retenir. Je regardai la Mustang s'éloigner et je refermai la porte avec tristesse. Il était vingt-deux heures trente.

À peine m'étais-je glissé sous les couvertures que le téléphone se mit à sonner. Je sautai du lit et décrochai l'appareil. J'eus la surprise d'entendre la voix frigorifiée de mon frère :

— La Mustang est tombée en panne sur le pont de Québec et j'ai dû marcher jusqu'au restaurant le plus proche pour pouvoir téléphoner. Il faudrait que tu viennes m'aider. La voiture est restée en plein milieu du pont. Il faut absolument la déplacer.

Dans ma tête, une seule phrase : « Merci mon Dieu ! Merci, merci, merci ! »

Je sautai dans ma voiture le cœur joyeux et me rendis jusqu'au restaurant. Il faisait peine à voir, gelé jusqu'aux os, tremblant. Il avait l'air d'une ombre qui va s'effacer. Lorsqu'il fut réchauffé, nous sommes parvenus à pousser sa voiture avec la mienne et à la garer dans un endroit sécuritaire avant de retourner à la maison.

Je ne pus m'empêcher de lui dire :

— Ce qui vient de t'arriver, c'est un vrai miracle. Un tel hasard, c'est presque impossible. Quelles sont les chances que tu te retrouves à Québec, que Catherine soit absente, que tu assistes à deux rencontres des AA dans la même journée et que ta voiture refuse d'aller plus loin que le pont de Québec ?

Il demeura silencieux. Il était réchauffé maintenant et je sentais qu'il était heureux d'être encore ici. Il savait qu'il venait de frôler la catastrophe.

— Tu devrais appeler Aline, elle doit être inquiète. Elle doit se demander ce qui a bien pu t'arriver.

Il appela et lorsqu'il raconta à sa femme qu'il était à Québec avec son frère Émile, qu'il était allé chez les AA et que sa voiture était restée en panne sur le pont de Québec, d'avance, je pouvais deviner la réponse d'Aline à l'autre bout du fil. Elle ne se fit pas attendre !

— Tu me prends pour une valise. Tu m'en as raconté de toutes les sortes dans ta vie mais là, tu ne trouves pas que c'est assez !

— Non, non, l'entendis-je répéter. C'est vrai. Je couche ici et on retourne à un meeting des AA demain midi. Après je rentre à Montréal. Veux-tu parler à Émile? lui dit-il en me tendant le téléphone.

— Non, répondit-elle. Mais j'aimerais bien parler à Catherine.

— Catherine est à l'hôpital.

Je pris le combiné, mais je savais qu'il serait difficile de la convaincre.

— C'est vrai, Aline, nous sommes allés à une rencontre des AA et il n'a pas bu de la journée. Catherine est à l'hôpital, elle...

— Vous êtes deux pareils, dit-elle en raccrochant.

Il est vrai que tout cela avait l'air d'un scénario mal ficelé, mais cette fois-là, malgré les apparences, nous avions dit la vérité. Nous sommes retournés chez les AA le lendemain midi, puis encore le soir et il est rentré à la maison.

Je n'aurais jamais cru qu'il pourrait un jour devenir abstinent. Je me trompais. Je l'avais sous-estimé. Après son aventure avec la Mustang, il n'a reconsommé qu'une seule fois avant de se remettre à fréquenter les AA assidûment. La vie ne s'est pas instantanément transformée en paradis pour lui et sa famille, mais il n'a pas rebu depuis.

Chapitre 36

Cet épisode avec mon frère m'avait donné une responsabilité à laquelle je ne voulais plus faillir. Cette odeur de miracle qui avait stoppé net la vieille Mustang sur le pont m'avait impressionné au point d'y voir plus de lumière que de hasard. Comment peut-on, par une combinaison des gestes de la vie, par quelques paroles prononcées au bon moment, par une porte que l'on n'a pas fermée, enclencher les mécanismes subtils d'une cascade d'événements qui transforment la vie à jamais ?

Comment aurais-je pu me remettre à la cocaïne et prendre le risque de redémarrer la Mustang de mon frère en direction de la Gaspésie ?

J'avais été intrigué par le père Lacasse, par sa capacité de rester fidèle à ses promesses et par la certitude qu'il serait là, chaque fois que le vent soufflerait plus fort que ce que ma voile pouvait supporter. Il avait piqué ma curiosité à un point tel, que j'avais décidé de le suivre dans son silence, de prononcer les mêmes prières que lui et de vibrer de sa foi.

Mon frère avait aussi été intrigué par ma conduite et il voulait maintenant poser les mêmes gestes, avec l'espoir d'en être aussi transformé. Je tirais une certaine fierté d'avoir contribué aux changements qui s'étaient produits dans sa vie, mais cette nouvelle responsabilité me pesait et m'emprisonnait dans un rôle que je n'étais pas certain de pouvoir tenir.

Je multipliais les rencontres avec les AA et j'y trouvais une sécurité qui me faisait croire que je pourrais demeurer abstinent une autre journée, une autre semaine, et qui sait, peut-être davantage. Je consacrais presque tout mon temps à ne plus boire et à ne plus m'envoyer de cocaïne dans le système. Sans compter que je n'avais pas fumé depuis trois mois et que j'en étais très fier. J'avais repris le *racquetball* et je pouvais maintenant tenir debout jusqu'à la fin de la partie. J'avais même quelques victoires à mon crédit. Ces petites fiertés s'ajoutaient les unes aux autres et je relevais la tête doucement, sans trop m'en rendre compte. La vie m'apportait de jolis cadeaux, comme si elle voulait me donner le courage de continuer et me remettre les plaisirs qu'elle avait dû m'enlever.

Quelques semaines plus tard, et comme pour confirmer qu'une nouvelle vie semblait vouloir émerger du fiasco des dernières années, le téléphone sonna et je fus stupéfait de ce que j'entendis:

— Bonjour, c'est le père Lacasse. As-tu quelques minutes pour moi?

— Oui, bien sûr. Comment allez-vous?

— Pas si mal, et toi?

— Très bien, père Lacasse, ça va très bien.

— Est-ce que tu organises encore des voyages?

J'eus un petit pincement au cœur en l'entendant parler de voyages. Immédiatement, l'épisode du voyage-retraite en Égypte me revint douloureusement à l'esprit.

— Je n'ai pas organisé de voyages depuis un bon moment, lui répondis-je.

— Tu sais que nos amis vont prononcer leurs vœux à Rome en septembre prochain ?

— Qu'est-ce que vous voulez dire, nos amis ?

— Tu sais, ceux qui ont fait la retraite de trente jours avec toi. Luc, Jean-Yves, Simon et les autres.

— Ah oui, déjà ? répondis-je songeur, comme si les dernières années avaient passé sans que je m'en aperçoive.

— Je veux organiser un voyage pour leurs familles. J'aurais besoin de ton aide.

— Vous voulez que je vous aide à organiser un voyage à Rome ? ajoutai-je incrédule, comme s'il venait de perdre la raison.

— Oui, si tu as le temps, continua-t-il calmement.

Il y eut un long silence. J'étais tellement heureux de cette demande que les mots s'étranglaient dans ma gorge.

— Qu'est-ce que tu en penses ? ajouta-t-il en voyant que je ne répondais pas.

— Oui, père Lacasse. Si vous le voulez, je pourrais certainement vous aider à organiser ce voyage, finis-je par répondre d'une voix mal assurée, comme si cette joie était maintenant teintée de la crainte que ce fût trop beau pour être vrai.

— Quand peux-tu venir me rencontrer ?

— Quand vous voulez, père Lacasse !

— Demain, ça serait bien. Viens dîner avec moi.

— D'accord. J'y serai demain, à midi.

Je n'aurais jamais cru possible, après l'Égypte, que le père Lacasse me fasse une telle demande. Je prenais conscience de ce fardeau que je portais encore, suite à la misérable aventure du voyage-retraite. Je lui avais vendu un rêve qui s'était transformé en cauchemar et sa demande jetait un baume très doux sur mes blessures. Et c'était le père Lacasse lui-même qui me le demandait. Je devais réussir cette fois. Je ne pourrais pas me pardonner un nouvel échec.

Le lendemain, je me rendis à la maison des Jésuites. Le père Lacasse m'attendait. Il m'expliqua son projet plus en détail. En septembre prochain, plusieurs retraitants parmi ceux qu'il avait envoyés à Rome prononceraient leurs vœux à San Giacomo, tout près de Rome. C'était la coutume. Avant d'être ordonnés prêtres, les aspirants devaient prononcer des vœux de pauvreté, de chasteté et d'obéissance et plusieurs membres de leur famille et de leur entourage voulaient se rendre à Rome pour l'occasion.

Je m'en rendis compte rapidement, le père Lacasse m'aurait à l'œil. Sa confiance n'était pas aussi aveugle que je l'aurais souhaité. Il n'avait certainement pas oublié l'Égypte, malgré toute sa bonne volonté. Il m'appelait deux ou trois fois par jour pour vérifier si telle ou telle chose avait été faite et il m'accompagnait à toutes les rencontres où il était question du voyage. Cette probation m'amusait et m'agaçait à la fois. Je comprenais ses inquiétudes, mais j'aurais tellement voulu lui démontrer que je pouvais prendre cette responsabilité sans qu'il n'ait à se préoccuper du moindre détail.

Il ne surveillait pas seulement mes gestes, il surveillait aussi l'itinéraire pour s'assurer que Dieu et la prière demeurent l'élément central du voyage. Il avait déjà ajouté plusieurs messes, la visite des grandes basiliques et plein d'autres religiosités. C'était son voyage et j'acquiesçais à ses demandes avec complaisance. Une cinquantaine de personnes, pour la plupart des parents et des amis des séminaristes, avaient déjà réservé leur place.

De mars à septembre, ma vie fut un véritable tourbillon, partagée entre les Alcooliques anonymes, l'organisation du voyage, les comptes-rendus quotidiens au père Lacasse, le commerce de la cocaïne, les cours d'hindouisme avec Catherine et la vie de famille. Au beau milieu de cette effervescence, j'entendis parler d'un hôpital, à Roberval, qui accueillait les alcooliques qui voulaient entreprendre ce que les AA appelaient la quatrième et la cinquième étape.

Chez les AA, on dit que les alcooliques et les drogués n'ont pas beaucoup de chances de demeurer abstinents s'ils ne se mettent pas au travail et qu'en plus d'assister aux rencontres hebdomadaires, ils n'adhèrent pas au programme de vie en douze étapes des Alcooliques anonymes. On dit que ces étapes, lorsqu'elles sont mises en pratique, garantissent la disparition de l'obsession de l'alcool et des drogues et une nouvelle vie plus heureuse. Cette promesse me semblait à la fois naïve et bien attirante. Pendant la thérapie de la maison Querbes, j'avais été frappé par les ressemblances entre les exercices de saint Ignace et le programme des AA, à tel point que je ne m'étais pas senti dépaysé. C'était comme si la voix du père Lacasse continuait à me parler. Je m'étais tellement senti soulagé par la *première étape* que je m'étais juré de les faire une à une jusqu'à la douzième. Avant d'entreprendre le voyage à Rome, il fallait que je m'attaque à la quatrième et à la cinquième étape :

Nous avons courageusement procédé à un inventaire moral, minutieux de nous-mêmes.

Nous avons avoué à Dieu, à nous-mêmes et à un autre être humain la nature exacte de nos torts.

Je n'avais pas encore une grande confiance dans mes propres capacités et je voyais la thérapie de Roberval comme une assurance additionnelle qui empêcherait la désastreuse expérience de l'Égypte de se répéter. Je voulais faire une quatrième et une cinquième étapes parfaites. Des étapes que je n'aurais jamais besoin de recommencer, puisque j'allais y mettre toute l'énergie et l'honnêteté dont j'étais capable. J'avais l'impression que toute négligence dans ma façon de suivre le programme que j'avais entrepris me ramènerait inexorablement vers la cocaïne. La peur que quelque chose se produise soudainement et vienne détruire le fragile édifice de ma nouvelle vie continuait de me donner des sueurs froides.

La thérapie de Roberval durait deux semaines et j'étais prêt à m'y plonger par désir d'être mieux et par peur que mon passé ne me rattrape. J'appelai à Roberval pour connaître les conditions d'admission. On me répondit: «Ce n'est pas aussi simple. Premièrement, il y a un an d'attente et deuxièmement, on accepte d'abord les gens de la région. Vous pouvez tout de même laisser votre nom et votre numéro de téléphone et on vous appellera si une place venait à se libérer.»

J'étais déçu et soulagé à la fois. J'avais fait ce que j'avais à faire et il n'y avait pas de place. Le reste n'était donc plus de mon ressort. Je laissai mon nom en me disant:

«On verra bien!»

Je repris mes activités habituelles, mais je n'avais pas compté sur cet enchaînement d'événements surprenants qui avaient commencé à organiser ma vie mieux que je ne pouvais le faire moi-même. Il y avait eu mon frère, le voyage à Rome et quelques jours plus tard, le téléphone sonna à nouveau:

— Vous avez fait une demande pour être admis à Roberval. Nous avons une place pour vous. Mais vous devez être ici au plus tard dans deux jours.

J'étais pris à mon propre piège. Un piège que je ne sentais pas très menaçant, mais qui me créait une certaine anxiété. Je me retrouverais en thérapie pendant deux longues semaines et devrais revisiter mon passé encore une fois. Les obstacles fondaient les uns après les autres et lorsque j'annonçai la nouvelle à Catherine, croyant qu'elle accepterait difficilement que je reparte à nouveau, elle me répondit:

— Vas-y si tu veux, ça ne peut pas tomber mieux, juste avant les vacances. Après on ira passer quelques semaines au chalet avec les enfants.

Je pensais que le père Lacasse s'inquiéterait pour le voyage, mais à son tour, il me dit:

— L'organisation du voyage est presque terminée. On n'aurait pas pu trouver un meilleur moment.

Je n'aurais jamais cru que les choses puissent s'arranger aussi facilement et que Catherine n'y voie pas une autre façon que j'avais trouvée pour m'éclipser de la maison. Au fond, ils avaient peut-être besoin, eux aussi, de cette police d'assurances additionnelle contre les ratés du voyage et de la vie.

Catherine vint me reconduire à l'autobus. Je ne savais pas trop à quoi m'attendre si ce n'est de l'expérience que j'avais vécue à la maison Querbes quelques mois auparavant. Tout ce que je savais, c'est que j'allais être enfermé dans un hôpital pendant deux semaines et que la directrice de ce programme, sœur Jeanne-d'Arc, n'avait pas la réputation d'être commode. Elle avait passé les trente dernières années avec les alcooliques et elle ne s'en laissait pas imposer.

Lorsque j'arrivai à Roberval, je me retrouvai dans un environnement familier. On me plaça dans une chambre avec trois autres personnes et pendant deux semaines, je dus m'astreindre à un régime semblable à celui de la maison Querbes. Lever tôt, exposés, repas d'hôpital, conférences des AA, etc. La seule différence, nous avions beaucoup de temps pour rédiger cette quatrième étape qui constituait l'élément central de ce programme.

Je ne me souviens plus combien de cahiers j'ai remplis. J'y ai consigné la partie noire de ma vie, ce que j'avais déjà dit au père Lacasse et ce que je n'avais jamais dit à personne. Je revisitai *L'armoire aux menteries* et bien d'autres tiroirs de mon existence. Je ne pense pas avoir oublié la plus petite chose que je me sois déjà reprochée ou que j'aurais aimé ne pas avoir faite. Il fallait les retrouver et les partager avec une autre personne pour qu'elles perdent le pouvoir qu'elles exerçaient encore sur ma vie.

Je me suis assis devant Jean-Claude, l'autre être humain à qui je devais *avouer la nature exacte de mes torts*[6], et j'ai tourné les pages une à une, parfois joyeux, parfois tremblant de devoir dire ce qui ne se dit pas, retenant une larme, échappant un sanglot, jusqu'à ce que les cahiers se vident de ma tristesse.

S'il est vrai que la vie, dans un instant, défile devant nos yeux lorsque vient le temps de mourir, je n'aurais pas aimé mourir en cet instant. C'était devenu une habitude chez moi d'enterrer les cadavres dans les placards, mais à Roberval, j'ai fait le grand ménage. J'avais parfois agi comme le pire des *trous d'cul*, mais je me rendais compte que dans ces moments-là, j'étais poussé par des mécanismes dont j'ignorais le fonctionnement.

---

6. *Livre de base des Alcooliques anonymes.*

Je me suis rappelé un événement que je croyais avoir oublié, mais dont la saveur amère continuait à peser sur moi. Lorsqu'à la fin des années soixante j'avais été incarcéré en Californie pour une histoire de drogue, j'aurais dû rentrer chez moi à ma sortie de prison et retrouver ceux qui m'avaient aidé à me sortir de ce cauchemar. Catherine surtout. Mais j'étais incapable de penser à autre chose qu'à retrouver quelques amis qui auraient un *joint* à m'offrir. Je finis par retrouver un Québécois que j'avais rencontré en Californie et il m'accueillit à bras ouverts, m'invita à dormir chez lui et m'offrit tous les *joints* que je pouvais fumer. Le lendemain, pour célébrer mon retour, il m'amena à Disney Land, qu'il me fit visiter après une dégustation de cannabis mexicain et de LSD suédois. Le LSD est un hallucinogène puissant et pour moi qui n'avais rien pris depuis des mois, l'effet fut spectaculaire.

Je n'avais jamais été si heureux. Les couleurs, les enfants, la fantasmagorie de cet endroit et le contraste soudain avec les quatre murs verts de la prison me procuraient une indicible sensation de bonheur parfait. J'étais comme un enfant et même si tout ce que je voyais faisait partie d'un décor bien orchestré, je me croyais réellement transporté au pays des contes et des fées. L'effet du LSD était tel, que lorsque nous nous sommes retrouvés à bord d'une embarcation qui circulait à l'intérieur d'une fausse baleine, il a fallu me retenir pour ne pas que je saute hors de l'embarcation. Ce que je voyais était d'une telle beauté que j'aurais voulu rester dans la baleine pour toujours.

Mon ami me ramena chez lui et pendant plusieurs jours, me logea et me nourrit comme si j'avais été l'enfant prodigue.

Un soir, alors que j'étais étendu sur le sofa qui me servait de lit, je le vis vider son portefeuille et le contenu de ses poches dans un tiroir avant de se coucher. L'appartement était petit et nous couchions presque dans la même pièce, à peine séparés par un rideau tendu autour du lit qu'il occupait avec sa nouvelle conquête qu'il baisait copieusement tous les soirs. Moi qui sortais tout droit de prison, j'étais quotidiennement torturé par leurs râlements qui n'étaient en rien atténués par ma présence et qui faisaient trembler mon *décibel-mètre*.

Lorsque j'ouvris les yeux au matin, un nouveau plan avait germé dans mon esprit détraqué. En un instant, j'étais debout, les deux mains dans le tiroir où je l'avais vu ranger ses trésors personnels la veille. Il y avait de l'argent, je ne sais plus combien, un sachet contenant du *pot* en quantité et un autre sac plus petit qui contenait du LSD, le même qui avait failli me transformer en Jonas des temps modernes.

J'ouvris la porte sans faire de bruit et je me rendis directement à la gare d'autobus où je pris un billet à destination de Détroit. Durant tout le voyage, je ne pus chasser de mon esprit la colère et la tristesse qu'il avait dû ressentir à son réveil. Même aujourd'hui, en écrivant cette histoire, j'aurais aimé qu'il soit devant moi pour lui demander pardon et le remercier de m'avoir accueilli avec si grande chaleur, alors que j'étais seul et dépourvu.

J'ai vécu une partie de ma vie en croyant qu'un bon matin, il me retrouverait et entrerait soudainement chez moi pour me frapper.

Je me rappelle encore ce qui m'avait poussé à agir ainsi : je n'aurais pas pu rentrer chez moi le visage *couleur prison* et les mains vides. Il fallait que je puisse montrer que j'étais encore quelqu'un.

« Le Père Noël vous a ramené des cadeaux de la Californie. »

Le pire, c'est que je ne le faisais pas pour Catherine ou pour les enfants, mais pour l'image que je voulais présenter à ceux dont l'amitié n'était rien de plus que cette folle attraction pour ces substances qui nous servaient de tronc commun.

Je continuai ainsi pendant plusieurs heures à déballer deux pleins cahiers de toutes ces jolies vérités sur moi-même. Un jour que nous discutions de ces étapes, ma belle-sœur, la même qui nous avait raccroché le téléphone au nez le soir où la Mustang avait rendu l'âme sur le pont, avait dit, dans son langage coloré :

— Si j'ai bien compris, la quatrième étape, c'est comme si tu remplissais une chaudière de merde et pour faire la cinquième, tu cherches quelqu'un sur qui la vider.

J'aurais dû me sentir mieux après avoir vidé ma chaudière sur Jean-Claude, mais j'avais plutôt l'impression de ne plus savoir comment vivre sans ce que je venais d'abandonner. Ma seule satisfaction, c'était de m'être rendu jusqu'ici, d'avoir complété deux autres étapes du programme des AA et de sentir que j'avais fait un nouveau pas qui allait renforcer mes défenses contre la cocaïne. Je me sentais écorché, décarapacé, dépouillé d'une partie de ma propre vie.

Encore deux jours et je repartirais. Deux jours pour ramasser les lambeaux, pour me préparer à mettre l'œil et le corps dehors. Je suis à quelques centaines de kilomètres de chez moi et j'ai l'impression d'être à l'autre bout du monde, trop loin pour revenir. Je me suis calé dans le dernier banc de l'autobus et j'ai regardé défiler les épinettes. Contrairement à moi, elles reprenaient de la vigueur à mesure qu'on approchait de Québec.

Je rentrais à la maison, mais j'aurais eu besoin de quelques heures de plus. Tout s'était passé trop vite. Il avait fallu se sortir du quotidien, éventrer le patient, extirper l'infection, nettoyer les plaies et recoudre. J'avais joué dans mes souvenirs, ceux qui laissent un petit goût d'amertume. Les fantômes ne survivent pas à la lumière, mais ils ne sont jamais bien loin. Ils attendent, tapis dans l'ombre. Je pensais encore à la poubelle où on avait jeté mes cahiers et j'avais presque envie d'aller les chercher et de tout remettre en place, comme à mon arrivée. Le patient devait rentrer à la maison, mais il avait grand besoin de se ressaisir un peu avant de reprendre sa vie. Il avait besoin d'une chaise berçante et d'une maman.

Mais la vie est bien faite et au retour, les vacances m'attendaient. C'était le temps du chalet, du bord de l'eau, des enfants et des grenouilles, des matins où on n'a pas besoin de se lever et des après-midi où il est possible de se recoucher sans fournir de raisons. Au fil des jours, la paix s'installait et j'avais l'impression de pouvoir penser avec une sorte de clairvoyance où la vérité s'imposait d'elle-même. Les AA disaient qu'il fallait faire *un inventaire minutieux de soi-même*. Est-ce qu'on a en soi une sorte d'armoire où s'entassent, au fil des années, les actions, les gestes, les paroles belles ou blessantes, les mains qu'on a tendues et celles qu'on a mordues, les remords, les mensonges, les temples détruits? En faire l'inventaire, jeter ce qui est corrompu et retrouver ce qu'on ne voit plus, voilà le travail que ces étapes permettaient d'accomplir.

J'avais espéré une explosion, une sorte de feu d'artifice. L'effet ne fut pas instantané et plus subtil que je ne l'aurais cru. J'avais vécu une déception que j'avais engraissée de mes attentes, mais le temps et les vacances m'apportaient un apaisement que je ne savais pas encore reconnaître, faute de ne l'avoir jamais ressenti. Je me sentais banalement, presque platement heureux.

Chapitre 37

À mon retour des vacances, je me remis assidûment aux Alcooliques anonymes et à l'organisation du voyage avec la ferveur de celui qui
veut racheter ses péchés et qui n'est pas certain
que le temps qui lui reste à vivre sera suffisant
pour le faire.

Quoique facilement ébranlable, une nouvelle
confiance semblait vouloir émerger des lourdeurs
dont je m'étais délesté. La quatrième et la cinquième étape m'avaient appris que face à un avenir
qu'on ne se croit pas capable de construire, grande
est la tentation de continuer de s'accrocher à son
passé, si douloureux soit-il. Pour la première fois
depuis bon nombre d'années, mon avenir s'ouvrait
comme un horizon que je pouvais contempler sans
que la peur me fasse fuir à toutes jambes vers le
passé.

La réunion des passagers eut lieu dans la
même salle où deux ans plus tôt, presque jour
pour jour, avait eu lieu la réunion qui devait pré-
céder le voyage-retraite. Les mêmes gestes, les
mêmes biscuits secs et la même cafetière. Je n'avais
qu'à regarder le père Lacasse pour sentir que les
fantômes de l'Égypte étaient encore bien vivants.

Une différence notable toutefois, j'étais abstinent depuis presque six mois, j'avais laissé mon passé à Roberval et le père Lacasse m'avait lancé un défi que je prenais plaisir à relever.

La rencontre se déroula comme si je n'avais jamais fait autre chose de toute ma vie. Je m'étais tellement préparé que j'aurais pu expliquer l'itinéraire sans regarder mes notes et parler de Rome avec l'assurance d'un romain. Le père Lacasse était soulagé et moi aussi. Le premier examen avait été réussi avec succès et rien ne semblait pouvoir empêcher le départ.

À la dernière minute, vu que le nombre de passagers était plus important que prévu, Air France avait ajouté une gratuité dont je pouvais disposer à ma guise. Je me suis rappelé que mon père avait toujours rêvé d'aller à Rome et de voir le pape. Il en avait parlé des centaines de fois, mais il était mort avant d'avoir pu réaliser son rêve.

Je me suis dit que ma mère pourrait peut-être y aller à sa place et à quelques jours du départ, je lui ai proposé de venir à Rome avec nous. J'aurais dû être plus délicat en faisant mon offre. Elle me répondit sur un ton qui me fit sentir que j'étais un imbécile qui n'avait pas réfléchi avant de parler :

— Tu sais bien que je n'ai pas les moyens de faire ce genre de voyage.

— Je t'invite. C'est gratuit, lui dis-je. Je t'offre le voyage. C'est un cadeau que j'ai reçu d'Air France. Tu n'auras qu'à payer tes repas. Tu as juste le temps d'obtenir ton passeport et de faire ta valise.

Il y eut un silence pendant lequel je pouvais presque l'entendre réfléchir. Elle n'avait jamais voyagé. Je sentais qu'elle avait peur d'entreprendre un tel voyage, mais la proposition était difficile à refuser.

— Bon, fit-elle en rompant le silence. Je ne sais pas si je peux me décider aussi rapidement. Donne-moi quelques heures pour y penser et je te rappelle.

La réponse ne se fit pas attendre. Quelques heures plus tard elle me rappela. Sa décision était prise :

— Je suis décidée. J'y vais. Tu me diras ce que je dois faire. Je n'ai jamais fait ce genre de voyage.

— Je suis certain que tu feras un très beau voyage. Et Catherine sera avec nous. Tu vas pouvoir visiter Saint-Pierre de Rome et voir le pape, ajoutai-je, heureux de sa décision.

— J'ai pensé à ton père et je me suis dit : « Il a toujours voulu aller à Rome. Je vais y aller à sa place. » Je suis certaine que là où il est, il pourra nous accompagner.

Les quelques jours qui nous séparaient du voyage furent emportés par la fièvre des préparatifs et à la fin du mois d'août, un groupe de parents et d'amis chauffés à blanc par les chapelets du père Lacasse, quittaient Québec à destination de l'aéroport international de Mirabel.

Le plaisir fut de courte durée. Trente minutes plus tard, cinquante-sept personnes marchaient silencieusement sur le bord de l'autoroute, attendant impatiemment que la compagnie de transport leur envoie un autre autobus pour remplacer celui qui venait de rendre l'âme.

Un début de voyage éprouvant. À mi-chemin entre Québec et Montréal, l'autobus s'était arrêté soudainement, comme une mort subite. Le père Lacasse devait penser que le mauvais sort s'acharnait sur les voyages que j'organisais. Il se tenait à l'écart, égrenant son chapelet et appelant la Vierge et tous les saints à notre rescousse. Même si tout cela n'avait rien à voir avec moi, je m'en voulais de ne pas avoir vérifié davantage les états de service de cette compagnie. La litanie des reproches que je me faisais à moi-même déferlait sans pitié. Nous avions encore du temps devant nous, mais la tension se lisait sur tous les visages.

Une heure plus tard, *bonheur et petits beignes bien chauds*, un nouvel autobus s'arrêtait derrière l'ancien et nous reprenions la route à destination de l'aéroport. Je respirais plus à l'aise pour ne pas dire que je recommençais tout juste à respirer. Le père Lacasse remit son chapelet dans sa poche avec un soupir de soulagement.

La suite du voyage se déroula sans histoire et au petit matin, nous débarquions à Paris. Le vol à destination de Rome ne décollait qu'à quinze heures et pour occuper la journée, le père Lacasse m'avait demandé d'organiser un tour de ville qui, en même temps, lui permettrait de s'arrêter à la chapelle de la Médaille miraculeuse, rue du Bac. Un autobus attendait déjà à la sortie de l'aéroport et je confiai le groupe aux bons soins du chauffeur, du guide local et du père Lacasse. Pendant ce temps, je prendrais quelques heures de repos pour être en mesure d'assurer la suite du voyage vers l'Italie. Nous devions nous retrouver à la porte d'embarquement à treize heures trente.

À l'heure prévue, j'attendais tranquillement le retour des voyageurs. Le temps passait et le groupe n'arrivait pas. Je vérifiai les écrans. J'étais bien au bon endroit. Je le fis appeler plusieurs fois sur l'intercom de l'aéroport sans succès. Avec la circulation à Paris, il n'était pas surprenant qu'ils aient pu prendre quelques minutes de retard, me disais-je pour tromper ma nervosité.

Je tournais en rond comme une toupie. J'essayais de garder mon calme, mais nous étions à trente minutes du départ et toujours pas de signe des passagers. Catherine voulait bien me rassurer, mais elle était aussi nerveuse que moi:

— Qu'est qu'on va bien pouvoir faire s'ils n'arrivent pas à temps pour le départ? Nous pourrions toujours essayer de prendre le vol suivant, mais nous sommes cinquante-sept. Pas facile de loger autant de monde à si courte échéance! Sinon, il n'y aura pas d'autres moyens que de coucher à Paris et de repartir demain. Est-ce que la compagnie aérienne acceptera de faire ces changements sans frais? Sinon, c'est la catastrophe. Qui paiera l'hôtel?

— Ça suffit! Je pars à leur recherche.

Par chance, Catherine était avec moi. Je lui demandai de demeurer sur place et si le groupe arrivait, de partir pour Rome avec lui et de ne pas s'occuper de moi. Je trouverais bien un moyen de me rendre à Rome. Si le groupe n'arrivait pas, elle devait partir pour Rome seule, prévenir les séminaristes qui nous attendraient à l'aéroport et s'assurer que les bagages étaient bien acheminés à la pension où nous devions séjourner.

À peine avais-je laissé Catherine qu'on m'appelait à l'intercom :

« Émile Lévesque est demandé au comptoir d'Air France, au terminal 2 B. »

J'attaquai au pas de course les tubes transparents sans fin de l'aéroport Charles-de-Gaulle où des escaliers roulants couraient en tout sens comme dans un mauvais rêve. Je finis par retrouver le comptoir d'Air France. Le groupe était là, comme un troupeau égaré. Je sentais une colère noire qui montait en moi comme une marée, mais ce n'était pas le temps de perdre les pédales. Avant même que le père Lacasse ouvre la bouche, je m'adressai au groupe sur un ton qui interdisait toute réplique :

— On n'a pas le temps de discuter, nous avons une chance infime d'attraper notre vol. Vous vous mettez en ligne derrière moi et vous ne me perdez pas de vue.

L'agent d'Air France me dit :

— Vous n'avez aucune chance. Vous devriez essayer de faire des arrangements pour le prochain vol.

— On y va ! continuai-je comme si je ne l'avais pas entendu.

Je repartis en courant, le père Lacasse à mes trousses et le groupe qui suivait tant bien que mal et s'allongeait à mesure que les plus en forme se distanciaient des autres. Au loin, j'apercevais l'aire d'embarquement. Il n'y avait plus personne, mais la porte était encore ouverte. Je dis au père Lacasse :

— Je cours essayer de les retenir. Rejoignez-moi le plus vite possible.

Je tentai un sprint final en direction de la porte que je finis par atteindre. J'expliquai le problème à l'agente tout en essayant de reprendre mon souffle. Elle prit son walkie-talkie et appela à bord. L'appareil s'apprêtait à se séparer de son corridor d'embarquement. Pendant un instant, elle me regarda sans expression en attendant un signal qui ne venait pas. Je me retenais pour ne pas la secouer comme un vieux pommier. Finalement, elle ouvrit la bouche:

— Allez-y! Montez!

Nous avions réussi. Le groupe m'avait rejoint. Plusieurs étaient pliés en deux et essayaient de reprendre leur souffle. Les passagers embarquèrent un à un. Catherine nous vit arriver avec un cri de joie et de soulagement. J'avais presque oublié ma mère. Je la cherchai des yeux. Elle était en sueur, mais elle était là, bien assise, quelques sièges derrière moi:

— Ça va? lui dis-je.

Elle me fit un signe de la main pour me rassurer.

Quel départ! Je m'enfonçai dans le siège à côté de Catherine. Je fermai les yeux et je laissai les battements de mon cœur s'apaiser. Pendant quelques minutes, je ne savais plus si je devais rire ou pleurer.

Nous avons laissé la grisaille du sol et au-dessus des nuages, un soleil magnifique nous attendait. J'ai détaché ma ceinture et j'ai pris le temps de parler à chacun des passagers. Certains

étaient simplement heureux d'avoir pu embar-
quer à temps, d'autres n'étaient pas encore remis
de leurs émotions. Je m'arrêtai près du père
Lacasse. Il avait les yeux à demi fermés. Il priait.

Je lui mis la main sur l'épaule. Il ouvrit les
yeux :

— Il était moins une !

— Remercions le Seigneur ! me répondit-il

Sa voix tremblait encore et, même si son
visage avait retrouvé un peu de sa couleur, il n'était
pas encore remis du marathon qu'il ne s'était pas
préparé à courir. Je m'en voulais de ne pas les
avoir accompagnés à Paris.

Une envolée sans histoire nous amena jusqu'à
Rome. Les retrouvailles émouvantes des familles
redonnèrent le sourire aux passagers éprouvés par
l'absence de sommeil et les émotions de la journée.
J'étais heureux de retrouver mes amis silencieux de
la retraite. Nous n'avions pas suivi la même route,
mais nous nous retrouvions au même endroit. Je
sentais leur joie de me revoir et leur gratitude.
J'avais amené leurs familles à cet événement et
dans quelques jours, ils prononceraient leurs
vœux : pauvreté, chasteté, obéissance. Des mots qui
peuvent faire sourire, mais qui pour eux étaient
chargés de signification. Ils étaient joyeux et faisaient plaisir à voir.

J'étais soulagé d'avoir survécu à ces deux premières journées et après m'être assuré que tous les
voyageurs étaient confortablement installés pour
leur première nuit en Italie, je rejoignis Catherine
qui dormait déjà.

Des événements imprévus avaient défié mes capacités, mais j'étais parvenu à conserver la maîtrise, au prix d'une sourde tension qui ne m'avait donné aucun répit depuis le départ. Ce voyage était devenu un défi où j'avais l'impression de jouer ma vie et malgré la fatigue, la peur d'échouer s'amusait à faire fuir un sommeil dont j'avais pourtant grand besoin.

Chapitre 38

Je me levai au petit matin et pendant que les voyageurs cuvaient encore leur fatigue, je m'aventurai dans les rues minuscules du quartier aux abords de la pension. Quelques minutes de marche au hasard et la porte ouverte d'un petit café me sourit. Le soleil se levait, la ville était encore calme, le café était délicieux et je me sentais heureux, comme ça, sans raison particulière.

Il fallait que je revoie le programme de la journée et que je m'assure que rien n'avait été laissé au hasard. Les deux premières journées m'avaient montré que le voyage ne me laisserait pas le répit que j'espérais. J'étais l'organisateur et l'accompagnateur et à ce titre, je ne devais pas m'attendre à faire un beau voyage. Je devais plutôt veiller à ce que tous les autres en fassent un excellent.

Il y aurait certainement de bons moments avec mes amis de la retraite et les autres passagers, mais j'aurais à peine le temps de profiter des paysages. Au cours des prochaines heures, ils me tomberaient dessus avec toutes sortes de petits problèmes qu'il faudrait régler rapidement: «il n'y a pas d'eau chaude dans ma chambre; la personne que tu as mise avec moi ronfle comme une locomotive ; la chasse d'eau ne fonctionne pas ; j'ai oublié mon rasoir à Québec... »

Au cours de ces premières journées à Rome, je découvris graduellement pourquoi le père Lacasse avait envoyé ses retraitants dans cette communauté. Alors que toutes les autres communautés religieuses étaient en déclin, celle-ci était devenue incapable de répondre aux demandes qui affluaient de tous les coins du monde. Je me rendis compte qu'ils étaient plus d'une centaine d'aspirants à la prêtrise et qu'ici, au grand plaisir du père Lacasse, les traditions et la ferveur s'étaient maintenues bien vivantes. Ils étaient encore vêtus de ces longues soutanes noires que portaient les curés de mon enfance, ils chantaient en latin et avaient hâte de se lancer dans la bataille, comme les Croisés à l'assaut de Jérusalem.

Cette ferveur leur venait tout droit de San Giacomo. Dans ce petit village, à quelques kilomètres de Rome, le frère Gregorio avait sonné la charge de cette effervescence qui avait bouleversé la communauté et les villages environnants. Cet homme avait décidé de construire un sanctuaire à la Vierge et contre toute attente, il y était parvenu. J'allais bientôt découvrir que le reste de son histoire était encore plus surprenant.

On l'appelait encore le frère Gregorio, mais en fait, il était devenu le père Gregorio. Il avait été nommé prêtre, sans même avoir étudié la théologie, privilège incomparable qui lui avait été accordé par le pape Pie XII. Il célébrait maintenant la messe et bâtissait des sanctuaires, lui qui, disaitt-on, avait reçu les stigmates du Christ, comme le padre Pio et d'autres religieux avant lui.

J'étais d'autant plus intrigué que j'étais déjà tombé sur la biographie du padre Pio dans la bibliothèque des jésuites en Égypte. N'ayant rien d'autre sous la main, je l'avais d'abord feuilletée pour passer le temps, mais rapidement, je m'étais laissé prendre au charme de sa vie et je l'avais lue d'une couverture à l'autre.

Personne ici ne racontait l'histoire du frère Gregorio directement. On entendait des bribes à droite et à gauche comme si, sans être secrète, elle ne pouvait se raconter qu'à voix basse. Je ne voulais pas mettre en doute les confidences de mes amis québécois, mais je ne pouvais pas non plus m'empêcher de penser que leur perception de la réalité avait bien pu être altérée par trop de silence ou trop de prières.

Les parents des séminaristes connaissaient déjà son histoire et le père Lacasse aussi. Il m'en avait parlé à quelques reprises, mais la tourmente des dernières années ne m'avait guère permis d'y porter attention. Quand je lui posai la question directement, il me répondit simplement :

— On doit être prudent avec ces choses-là et le pape n'a pas encore reconnu ses miracles !

Comme prévu, le dimanche suivant, nous partîmes pour San Giacomo où le frère Gregorio avait élu domicile. À mesure que nous approchions, le trafic se faisait de plus en plus dense et les derniers kilomètres furent interminables. L'autobus parvenait difficilement à se frayer un chemin jusqu'au village et à trouver un endroit pour se stationner. Nous nous sommes retrouvés au beau milieu d'une foule immense qui défilait dans les rues en chantant des cantiques. L'un des séminaristes nous raconta :

— C'est ainsi chaque dimanche. La procession se dirige vers l'église que le frère Gregorio a construite à la Vierge de Fatima.

Nous étions tassés comme des sardines et il faisait une chaleur étouffante. On aurait cru qu'une machine à remonter le temps nous avait brusquement ramenés trente ans en arrière. Quelques passagers ne se sentaient pas bien et je dus les sortir de la foule pour leur permettre de respirer. Au détour d'une rue, j'aperçus l'objet de toute cette dévotion. Une statue de la Vierge grandeur nature, portée par des fidèles, avançait lentement en se balançant de droite à gauche. Elle réglait les mouvements de la foule, comme la tête d'un serpent géant qui aurait envahi les rues de San Giacomo.

Après plus d'une heure de marche, nous avons pu apercevoir le clocher de l'église au loin. Plusieurs passagers montraient des signes d'épuisement. Parmi eux, ma mère et Catherine qui n'avaient jamais pu supporter le soleil. Je me demandais si elles pourraient tenir le coup. D'autres avançaient comme des automates, hypnotisés par les cantiques, la chaleur et la Vierge qui oscillait comme un pendule à l'horizon.

De peur que le problème ne s'aggrave, je demandai à un séminariste d'éviter la foule et de prendre un autre chemin pour atteindre l'église. Je parvins à convaincre ma mère, Catherine et les plus mal en point de le suivre. Je demeurai avec le reste du groupe, malgré l'envie que j'avais de prendre le raccourci avec eux, au risque de perdre quelques indulgences.

Depuis le premier janvier, je n'avais jamais été frappé par une telle envie de fumer.

Finalement, la procession atteignit l'église et la foule s'y engouffra à la suite de la Vierge qu'on remisa sur sa tablette jusqu'à la prochaine procession. J'en avais presque assez et dans ces moments-là, je devenais cynique.

Par bonheur, une bonne fraîcheur régnait dans l'église et à mesure que ma température revenait à la normale, ma santé mentale faisait de même. L'église était déjà pleine à craquer et la queue de la foule traînait encore sur le parvis. Un prêtre de haute stature fit son entrée, suivi de servants en soutane noire et surplis de dentelle. La foule devint silencieuse. Le frère Gregorio montait à l'autel et levait les mains au ciel en récitant les premières prières de la messe. On aurait pu entendre voler les anges. Ses mains étaient enveloppées de gaze blanche, des jointures jusqu'aux poignets. Je ne pouvais m'empêcher de surveiller chacun de ses gestes pour essayer de les voir à nouveau, mais j'étais trop loin et je pouvais à peine distinguer les détails.

Mes passagers étaient en sécurité et la tension se relâchait graduellement. Je fermai les yeux et je me laissai bercer par le chant grégorien. Catherine et ma mère étaient juste à côté et j'étais heureux qu'elles soient avec moi. Il ne manquait que mon père avec qui j'avais si souvent chanté la messe. Je retrouvais quelque chose de mon enfance dans ce voyage : la ferveur, la naïveté, les messes en latin, les soutanes noires, les processions, la foi sans questionnement, l'émerveillement.

La messe prit fin et l'église se vida comme une outre trop pleine. Poussés par la marée, nous nous retrouvâmes à l'extérieur, à l'ombre de la tour imposante où étaient suspendues les cloches du sanctuaire que le frère Gregorio était parvenu à construire, malgré l'avalanche de difficultés qu'il avait dû affronter.

Brusquement, les conversations se turent et dans un seul mouvement, comme une chorégraphie bien rodée, les têtes se sont tournées vers la haute silhouette qui traversait le sentier pavé qui coupait la pelouse entre l'église et le presbytère. Le frère Gregorio, recueilli, la tête basse, les mains cachées dans les manches de sa soutane, disparut aussi vite qu'il était apparu, sans se retourner.

Les conversations reprirent, mais étrangement, personne ne parlait de lui, comme s'il ne venait pas tout juste de passer devant nous. Il était infiniment présent dans ces lieux, mais on évoquait son nom à voix basse, comme un secret qui devait être protégé.

Après avoir piétiné de longues heures dans les bouchons qui entouraient la capitale, l'autobus parvint à se frayer un chemin jusqu'à la pension. Les passagers étaient silencieux, ruminant dans leur cœur les mystères que nous avions à peine effleurés. Demain, il faudrait se lever tôt. Nous partons pour Florence et Venise et nous nous arrêterons à Castagno où nous serons reçus par le frère Gregorio.

Chapitre 39

La campagne italienne est jolie et le soleil est au rendez-vous. Florence la belle, malgré ses charmes, ne parvient pas à séduire les pèlerins, impuissante à contrer l'attraction que Castagno et le frère Gregorio exercent sur les voyageurs. Une fébrilité s'est emparée du groupe qui aurait volontiers sauté par-dessus tous les joyaux de l'Italie pour ne pas manquer le rendez-vous avec ce fils de Dieu.

Vers une heure du matin, nous arrivons à San Gimigniagno. Les rues sont étroites et l'autobus ne peut se rendre jusqu'au monastère où nous devons passer la nuit. Les derniers mètres devront se faire à pied. Les rues sont désertes et on ne parvient pas à retrouver l'endroit. Les plus en forme portent les bagages des plus âgés et nous avançons péniblement, au hasard des rues cahoteuses de la ville endormie.

Cinquante-sept personnes, valise à la main, tournent en rond au beau milieu de la nuit, dans un bourg inconnu du nord de l'Italie à la recherche d'un endroit dont ils ignorent l'emplacement. Les séminaristes qui ont organisé cette partie du voyage avaient davantage compté sur la grâce de Dieu que sur une bonne vieille carte de la ville.

Malgré tout, la chance nous sourit et nous finissons par trouver un hôtel où un bon samaritain nous donne enfin des indications claires pour nous rendre au monastère.

Après plusieurs minutes de marche, nous voilà en face d'un imposant portail qui demeure obstinément fermé malgré le vacarme que nous faisons en tambourinant sur les épaisses portes de bois. Plusieurs se tiennent debout, le regard vide, épuisés par la longue marche et le voyage. D'autres sont assis par terre, presque endormis, la tête appuyée contre leur valise. Catherine et ma mère sont encore debout et ne semblent pas trop affectées par la visite nocturne de San Gimigniano.

Finalement, un moine endormi, traînant de la patte et des clés, nous fit entrer dans ce monastère du XVe siècle où nous attendaient de minuscules cellules qui semblaient avoir été creusées dans la pierre et qui demeuraient froides et humides malgré la saison. La fatigue l'emporta sur l'inconfort et quelques instants plus tard, tout le monde dormait à poings fermés.

Au matin, les voyageurs tiennent encore le coup et se montrent joyeux malgré la nuit trop courte et les difficultés inattendues que nous avons rencontrées. Heureusement, la nature de ce voyage et la présence des séminaristes et du père Lacasse leur font voir ces contraintes comme des petites épreuves qui purifient l'âme et la préparent à recevoir la grâce de Dieu. La rencontre avec le frère Gregorio, la cérémonie des vœux et le rendez-vous avec le pape à Castel Gondolfo n'en seront que plus joyeux et plus méritoires.

Le soleil du matin chasse l'humidité qui avait envahi nos vêtements et malgré le manque de sommeil, nous partons joyeux pour Castagno. Après quelques heures de route, l'autobus s'immobilise dans une large cour où s'alignent plusieurs bâtiments et une petite église. Les passagers se lèvent un à un, pressés de sortir et de voir enfin celui de qui on espère un miracle. Je suis fasciné par toute cette histoire au sujet du frère Gregorio, mais de là à croire tout ce que j'ai entendu, il y a un pas que je ne suis pas encore prêt à franchir. Je suis l'accompagnateur, je ne suis pas un pèlerin !

Pourquoi a-t-on si hâte de voir quelqu'un comme le frère Gregorio ? Pour obtenir une faveur, pour être transformé, pour que l'impossible se change en miracle ?

J'attends que tout le monde soit descendu avant de me lever, ne m'autorisant pas à succomber à la fièvre qui s'est emparée du groupe. Avant de sortir de l'autobus, je lève les yeux pour examiner les environs et je le vois, comme une apparition, à quelques dizaines de mètres devant moi. Il est debout devant l'église et il me regarde droit dans les yeux. On aurait dit qu'il savait que quelqu'un manquait à l'appel.

Après quelques instants, il disparut et je restai planté dans la porte de l'autobus. Je ressentais une sorte de honte devant les défenses inutiles que j'avais opposées à cette rencontre. Il avait lu en moi comme dans un livre ouvert et j'avais ressenti sa présence, simplement, comme une vérité à laquelle on ne peut échapper.

Les cloches sonnent et la messe va débuter. Ceux de notre groupe et d'autres, qui viennent probablement des alentours, entrent dans l'église. Tout autour, la campagne avec ses champs et ses arbres se gorge du soleil de septembre et il fait juste assez chaud pour qu'on ait envie de se dire : « Comme on est bien ! »

Je suis encore cloué sur place par le choc de ce premier regard que le Frère Gregorio a posé sur moi. Lorsque je me décide à entrer dans l'église, elle est déjà pleine à capacité et la messe a débuté depuis un bon moment. Je décide de demeurer debout à l'arrière et de suivre la messe de cet endroit. Une sorte de ferveur oubliée flotte dans l'air et j'ai l'indicible sentiment d'être enveloppé par l'amour de Dieu. Le moment de la consécration arrive et, comme les autres autour de moi, je m'agenouille à même le sol en fermant les yeux. J'entends à peine les paroles du prêtre, mais la cloche de la consécration résonne familièrement à mon oreille. Une brise, subtile d'abord, m'apporte un doux parfum de rose et je me dis : « Dieu que cet endroit est agréable ! »

Mais rapidement, l'odeur s'accentue. Elle m'enveloppe complètement, comme si j'avais été agenouillé au beau milieu d'un jardin de roses. Je n'ai jamais rien senti de pareil. Étonné, j'ouvre les yeux et je regarde autour de moi. Les fidèles sont recueillis et personne ne semble se soucier de cette odeur persistante qui me chavire la tête et le cœur. Lorsque je tourne les yeux vers la gauche, le frère Gregorio est agenouillé tout près de moi, à quelques centimètres. Il a les yeux fermés, son épaule touche presque la mienne. Lorsque je baisse les yeux, je peux voir les bandelettes qui enveloppent ses mains jointes.

Un jardin de roses prie à mes côtés. Des larmes envahissent mes yeux. Je suis transporté dans un autre monde où la vie coule différemment, où les choses prennent une couleur qui les rend perméables à la grâce de Dieu. Elle se répand comme un baume qui répare le cœur et le gonfle d'amour pour tout ce qui vit. Elle crée la certitude que l'âme peut se connecter à l'univers et que la vérité est tellement apaisante que la peur n'est plus un sentiment.

La messe se termine et je suis incapable de me relever. Je regarde autour de moi. Les fidèles se dirigent vers la sortie. Est-ce que j'ai eu des hallucinations? Mais non, je sais bien que quelque chose vient de se produire et ce sont bien des larmes qui mouillent ma joue. Je suis seul dans l'église. Le frère Gregorio n'est plus là. Je me relève et pousse la porte de l'église. Une sorte de luminosité éclaire la campagne. Le ciel est très beau. Quelques nuages ici et là, juste assez. Catherine se tient devant moi et elle fait partie de ce paysage. Je me sens amoureux. Certains jours, j'oublie que je l'aime autant.

Je m'approche d'elle et je lui demande:

— As-tu senti cette odeur de rose pendant la messe?

— Non, pourquoi?

Avant que je puisse répondre, quelqu'un sonne le rassemblement. Le frère Gregorio nous attend. Nous entrons dans une petite salle où des chaises ont été disposées en demi-cercle. Chacun peut poser des questions ou lui parler tout simplement. Les séminaristes lui font la traduction. Il a les yeux brillants et le sourire joyeux. Il nous dit qu'il est heureux lorsqu'il est ici à Castagno. Il nous raconte qu'à chaque été, il organise une retraite pour les jeunes de la région. Il a installé des haut-parleurs dans les champs et plusieurs fois par jour, il prend le microphone et leur parle de Dieu.

Je me dis que j'aurais bien aimé passer quelques jours ici dans les champs à écouter la parole de Dieu habillée en parfum de roses. Je n'avais plus de questions. Il m'avait déjà répondu. Je demeurai silencieux et j'écoutai ce qu'il avait à dire. Il répondait avec simplicité. Il se disait le serviteur de Dieu et nous exhortait à chercher à faire sa volonté. J'aurais aimé quelque chose de plus intime ou de plus original, mais il n'en fut rien.

Au cours de l'après-midi, nous quittions Castagno à destination de Venise, laissant le frère Gregorio à sa prédication champêtre et à ses mystères. Les passagers étaient anormalement calmes et silencieux. Certains étaient déçus. Ils auraient aimé en savoir ou en voir davantage, toucher ses plaies, dévoiler son mystère, assister à un miracle en direct. D'autres étaient simplement heureux d'avoir pu s'en approcher et moi, je ne savais plus. J'étais sous le charme, comme une méditation qui n'est pas encore terminée.

Plusieurs heures nous séparaient encore de Venise et j'étais heureux de pouvoir m'offrir un moment de pure tranquillité avec Catherine qui laissait tomber sa tête sur mon épaule, les yeux fermés et la respiration tranquille, comme si elle goûtait encore la paix et le parfum de la chapelle de Castagno.

L'autobus s'arrêta sur les quais et le bateau nous amena jusqu'à l'hôtel que nous atteignîmes alors que le soleil couchant dorait les façades des palais ocre de Venise. Après une bonne nuit de repos, nous fîmes ce qu'on doit faire à Venise : visiter la place Saint-Marc, s'égarer dans le palais des doges et se laisser bercer par les gondoles qui nous invitent à des excès de romantisme. Après plusieurs années dans la tourmente, nous avions été sauvés de l'anéantissement total par la prière du père Lacasse, la grandeur des idéaux amoureux de Catherine et par l'énergie inépuisable que le Créateur m'avait donnée pour agir et transformer. Ce jour-là, nous nous sommes laissés glisser sur les canaux. Nous avons revisité nos amours et remercié la vie de nous avoir gardé ensemble.

Après ces quelques jours à Venise, l'autobus nous ramena à Rome. J'avais encore le cœur retourné par l'odeur des roses et le nouveau printemps de nos amours. Le frère Gregorio s'était agenouillé tout près de moi. Catherine avait baissé sa garde et s'était glissée dans mes bras comme une fiancée amoureuse. Le père Lacasse m'avait laissé seul avec le groupe durant plusieurs jours. J'étais comblé !

La crainte de l'échec m'avait quitté et le voyage prenait son rythme, partagé entre les monuments grandioses de la Rome antique et les immenses cathédrales élevées à la gloire de Dieu. Assise, où vécut saint François, avait été une inspiration et

Saint-Pierre de Rome, une œuvre sur laquelle nous avons médité doucement à l'ombre des colonnades et dans la fraîcheur odorante de ses jardins après la pluie. De larges sourires éclairaient les visages des pèlerins et même ceux qui n'avaient pas la fibre religieuse s'étaient laissés pacifier par l'aura du frère Gregorio et par l'affection contagieuse de cette nouvelle famille que le voyage avait rassemblée.

Samedi, nous retournons à San Giacomo où se déroulera la cérémonie des vœux. À notre arrivée, l'église est déjà pleine à craquer et les futurs prêtres, par dizaines, défilent devant l'autel avant de s'aligner devant le célébrant aux mains percées.

Le père Lacasse se tient tout près du frère Gregorio. Il célèbre la messe, les mains jointes et les yeux humides :

— Pauvreté, chasteté et obéissance, puisse Dieu leur donner l'énergie que demandera cette vie qu'ils choisissent aujourd'hui.

La cérémonie se termine et nous serrons dans nos bras ceux qui viennent de choisir une nouvelle vie dont les difficultés seront un défi qu'on peut à peine imaginer. Ils ne seront plus jamais les enfants qu'ils se sont permis d'être au cours de ces dernières semaines.

Le jour du départ est arrivé et les maisons se sont écartées encore une fois pour laisser passer l'autobus dans l'étroite ruelle de la pension. En un tournemain, elle s'y vide corps et biens. Sur la piste, le transporteur qui nous ramène à Montréal attend les derniers voyageurs.

Encore un peu d'amour, une dernière caresse, une main qu'il est temps de laisser et il ne reste que les yeux qui se détournent pour ne pas montrer les larmes qu'on ne peut plus retenir. Bientôt, le sol disparaîtra et le soleil lancera un dernier rayon sur la coupole de Saint-Pierre. Les passagers seront silencieux, voulant conserver encore un instant ce moment unique qui va s'échapper malgré eux, quelque part entre ici et la côte, quelque part entre ici et chez nous.

Catherine dort sur mon épaule depuis la gondole de Venise. Ma mère a visité le pape à Castel Gondolfo un dimanche de septembre et, les yeux fermés, elle a raconté à mon père qu'elle a bien aimé ce dernier voyage avec lui. Le père Lacasse remercie Dieu de lui avoir donné des enfants.

Et moi, j'ai réglé mes comptes avec l'Égypte et j'ai exorcisé mes fantômes. J'ai touché l'amour de Dieu et ouvert les portes de l'avenir.

Rentrons à la maison!

Chapitre 40

Quelques mois après le voyage, un nouvel épisode vint s'ajouter à celui de la Mustang. David, un autre de mes frères, vivait des moments difficiles et sa vie s'était embrouillée dans les vapeurs de l'alcool qu'il consommait en quantité industrielle. Il était le cadet de la famille et je me sentais responsable de sa consommation. Comme un vrai grand frère, j'avais l'impression de l'avoir initié à l'alcool et aux drogues, en lui faisant miroiter le bonheur qu'elles semblaient me procurer. Sa situation devenait de plus en plus pénible et j'avais bien tenté de lui laisser savoir que j'avais changé de cap, mais il s'intéressait davantage à ma capacité de lui avancer quelques dollars pour boucler ses fins de mois qu'aux Alcooliques anonymes.

Nous étions le douze février et dans quelques heures, j'allais fêter mon premier anniversaire d'abstinence. Ce jour-là, il m'avait appelé et je l'avais invité à m'accompagner au groupe Quartier latin en lui disant :

— Aujourd'hui, c'est mon premier anniversaire d'abstinence et on me remettra un gâteau pour souligner l'événement. J'aimerais beaucoup que tu puisses m'accompagner.

Il m'avait répondu :

— On verra.

Il se pointe chez moi vers seize heures alors que je ne croyais plus qu'il allait venir. Il ne respire pas le bonheur. Il me raconte qu'il n'a plus d'argent, qu'il se cherche du travail depuis plusieurs semaines. Il a postulé comme cuisinier dans une garderie et on lui a promis de l'appeler avant cinq heures aujourd'hui. Il ajoute en s'enflammant :

— J'suis écœuré de me chercher du travail. J'suis écœuré de ne pas avoir d'argent dans les poches. Si je suis embauché, j'irai à ton anniversaire. Si à six heures ils ne m'ont pas appelé, je vire une *christ de brosse*.

Je tente de le dissuader d'agir ainsi et je prie silencieusement sans trop y croire. Mon frère et ses recherches infructueuses d'emplois sont célèbres dans le canton.

Tout en prenant un café, nous regardons l'horloge de plus en plus nerveusement à mesure que l'aiguille s'approche de six heures. La sonnerie du téléphone nous fait sursauter tous les deux. Je décroche. C'est pour lui. Une voix féminine le demande. Je n'entends pas la conversation, mais je vois apparaître un sourire sur son visage et il raccroche en disant :

— J'y serai lundi matin.

Avec une pointe de regret, il ajoute :

— J'vais y aller à ton *christ* de meeting, mais cette fois-ci seulement.

J'aimerais tellement qu'il prenne goût à ces rencontres que j'ose à peine bouger de peur qu'il change d'idée.

Après le souper, nous nous rendons au groupe Quartier latin. Un gâteau sur lequel a été plantée une seule chandelle repose sur la table en avant de la salle. Mon frère se promène en déclarant solennellement à ceux qui pourraient mal interpréter sa présence en ces lieux :

— Pas de malentendu. Je suis seulement venu pour l'anniversaire de mon frère. Je n'ai pas de problème avec l'alcool. Je l'accompagne.

Je suis anxieux. J'ai peur que le conférencier ne soit pas à la hauteur. Je m'approche du président et je lui demande le nom de celui qui doit parler. Il me dit :

— C'est Donald.

— Le Donald que je connais ?

— Oui, me répondit-il. J'ai pensé que ce serait bien de lui donner la chance de parler.

Je suis anéanti. Si Donald prend la parole ce soir, mon frère ne reviendra jamais plus à une rencontre des Alcooliques anonymes de toute sa vie. J'aurais voulu lui suggérer de faire un échange et de faire parler Donald la semaine suivante, mais je n'ose pas. Après avoir salué quelques membres et avoir présenté David à Damien, mon parrain, je décide de m'asseoir en espérant que Donald ne parvienne pas à le faire fuir à jamais.

Après l'introduction habituelle, le président ouvre l'assemblée :

— Aujourd'hui, la personne que j'avais invitée s'est désistée à la dernière minute. Je vous présente donc Damien, qui a bien voulu le remplacer.

Mon cœur se remit à battre de gratitude et je me fustigeai moi-même pour le peu de foi que j'avais eu envers cette vie qui était parvenue à faire sonner le téléphone avant six heures et à faire changer le conférencier au moment où quelqu'un avait besoin d'entendre une autre voix.

Damien allait parler à la place de Donald. Il était un homme rempli de douceur. Il allait parler de sa passion pour la musique et de son désir de devenir musicien. Mon frère aussi avait étudié la musique. Il allait aimer Damien. J'étais abasourdi par tout ce qui nous arrivait. Je ne pouvais pas croire que la vie me faisait un tel cadeau.

David a adoré sa soirée et le message que nous a livré Damien ce soir-là. Il est revenu la semaine suivante, puis l'autre semaine… Damien est aussi devenu son parrain. Après plusieurs mois d'abstinence, il a perdu la bataille des plages et du rhum de Cuba, mais d'une façon surprenante, même si la vie n'a pas toujours été tendre avec lui, il est retourné au groupe Quartier latin et n'a pas rebu depuis.

Chapitre 41

Au début de l'année suivante, le père Lacasse me fit part de son désir d'organiser un deuxième voyage à Rome pour les familles de ses retraitants qui avaient déjà prononcé leurs vœux et qui seraient ordonnés prêtres par le pape. Il m'avait expliqué qu'à chaque année au mois de juin, le pape, qui est aussi l'évêque de Rome, ordonne les nouveaux prêtres de son diocèse. Cette année-là, parmi ceux qui allaient être ordonnés, six ou sept se trouvaient être des retraitants qu'il avait dirigés vers la prêtrise. Il avait aussi une autre raison de se réjouir. Il avait été choisi pour concélébrer la cérémonie avec le pape. Avec une certaine fierté dans le regard il m'avait dit:

— En général, lors d'une ordination, les prêtres du diocèse qui le désirent peuvent imposer les mains à la suite de l'évêque. Avec le pape, deux prêtres seulement sont choisis. Le pape impose les mains, puis les deux prêtres le suivent et imposent les mains à leur tour. J'ai été choisi parce que les parents et le supérieur de la communauté ont voté pour moi. C'est très rare que ces choses-là se produisent. Ils m'ont dit: «Notre communauté se doit de vous obtenir cet honneur.

Nous sommes vos enfants et de grandes grâces sont rattachées au geste d'imposer les mains aux futurs prêtres. »

J'avais à nouveau reçu des gratuités d'Air France et j'avais invité Isabelle, l'aînée de la famille, à venir à Rome avec moi. Elle était au début de l'adolescence et je n'étais pas certain qu'un voyage avec son père, même en Italie, pourrait susciter chez elle un quelconque intérêt. À mon grand plaisir, elle accepta.

Sans que je lui demande, elle s'intéressait à tout ce que je faisais et elle m'aidait avec les tâches du voyage. J'étais fier qu'elle soit à mes côtés et de sentir qu'elle appréciait le voyage. Lors d'une excursion, un des passagers avec lequel elle s'était liée d'amitié me dit :

— J'ai passé une partie de la journée avec ta fille hier et elle m'a dit : « C'est drôle, mais mon père en voyage, on dirait que ce n'est plus mon père. »

Je l'ai pris pour un compliment et j'ai su que j'avais retrouvé un peu de cette belle complicité que nous avions lorsqu'elle était plus jeune et que j'agissais normalement.

Le jour de l'ordination, nous étions une cinquantaine parmi la foule des parents et des invités venus de tous les coins du monde pour assister à cette cérémonie. La place Saint-Pierre et la basilique étaient fermées au public ce jour-là. *Sur invitation seulement*. Une longue file serpentait entre les tréteaux blancs jusqu'à la barrière où des gardes vérifiaient minutieusement les cartes d'invitation.

Nous approchions de la guérite. Les gens ne semblaient pas affectés par le soleil qui leur tapait dessus sans merci. Un événement qu'ils attendaient depuis de longues années allait se produire et un voile de recueillement semblait flotter sur eux, comme s'ils étaient déjà entrés en eux-mêmes et qu'ils aménageaient un coin de leur âme pour que les précieux souvenirs de cette journée ne risquent pas de s'effacer.

Tout était démesuré à Saint-Pierre de Rome, la largeur de la place, l'immensité de la basilique, la magnificence des lieux et les siècles d'histoire qui demeuraient attachés à chacune de ces pierres. On ne pouvait s'empêcher de vibrer à toutes ces énergies et elles avaient déjà commencé à ramoner les cœurs de ceux qui attendaient silencieusement. On pouvait presque les entendre battre, écrasés les uns contre les autres, dans cette foule qui se sentait si près de Dieu.

Nous voilà presque au poste de garde. Les formalités sont bientôt complétées et nous pouvons enfin pénétrer à l'intérieur de la basilique où, dans quelques heures, se déroulera l'ordination solennelle d'une centaine de nouveaux prêtres. Depuis quelques jours, les tensions sont devenues palpables chez les parents. Ils ont peine à contenir leurs émotions en pensant que demain, le pape imposera les mains et qu'un fils deviendra prêtre. Le père Lacasse n'y échappe pas. Il est devenu recueilli et silencieux.

Une fois passé les grandes portes de la basilique, une bonne fraîcheur nous apaise et nous avançons dans la grande nef vers les places qui nous ont été assignées. Nous sommes tout près de l'allée centrale où le pape et les séminaristes passeront avant de s'approcher du grand baldaquin de la basilique.

Soudainement, un bruit sourd monte de la foule et s'amplifie comme une vague qui pousse les visages à se retourner. Les plus petits se dressent sur le bout des pieds, les autres allongent le cou. Poussées par la foule, les chaises raclent le marbre et, si indifférent que vous puissiez être, vous ne pouvez vous empêcher de chercher du regard celui qui s'avance, solennel, distribuant des petites bénédictions qu'on accueille en son cœur comme un cadeau précieux de la vie.

Jean-Paul II passe devant nous. Je pourrais le toucher. Pendant un instant, je me demande comment il peut supporter tous ces regards braqués sur lui. Ses yeux sont clairs et s'allument parfois d'un regard enjoué, comme un père heureux que ses enfants le soient aussi.

À mesure qu'il s'avance, la vague continue de se déplacer et la clameur suit le mouvement de la foule. Derrière lui, des évêques en costume du dimanche et à leur suite, des prêtres en simple soutane et surplis. Parmi eux, j'aperçois le père Lacasse. Je le reconnais à sa façon de marcher, la tête penchée vers la droite. Ses mains sont jointes et ses doigts sont pointés vers le ciel. Il est presque devant moi.

— Qu'est-ce qui vous arrive, père Lacasse, vous pleurez?

Il ne me voit pas. Il ne voit plus personne. Les larmes roulent sur ses joues, envoyant de petits éclairs lorsqu'elles croisent un rayon de lumière. On devine qu'il est heureux et qu'il ne pense même pas à essuyer des larmes qui coulent si joyeusement. Je ne peux m'empêcher de pleurer aussi, heureux jusqu'au fond du cœur de l'avoir amené jusqu'ici. Cette fois, il n'a pas posé de questions. Il m'a laissé avec le groupe et il s'est pleinement affairé aux choses de Dieu.

La longue procession continue son avance et c'est au tour des futurs prêtres de passer devant nous. Des regards se tournent vers moi et vers les parents qui m'entourent. Les deux Yves sont là. Il y a aussi Luc, Simon et Michel. Quel chemin nous avons parcouru! Il y a quelques années, nous avons passé trente jours en silence avec le père Lacasse. Aujourd'hui, ils vont devenir prêtres et je suis ici avec eux, avec leurs parents et avec le père Lacasse qui pleure et qui risque de mourir de joie.

Les grandes orgues de Saint-Pierre lancent maintenant leurs premières notes et des voix qui font fondre le cœur remplissent la basilique et parfument l'air que nous respirons. La messe a débuté. Je peux voir le père Lacasse. Il pleure encore. Les larmes continuent de s'échapper de ses yeux mi-clos, sans sanglots, doucement, comme une coulée de joie qui empêche l'âme d'éclater. Il a l'air chez lui sous le grand baldaquin de Saint-Pierre. Je peux presque entendre sa prière. Il se prépare à imposer les mains aux futurs prêtres et il demande à Dieu de le garder digne à jamais des gestes qu'il s'apprête à poser.

Le grand moment arrive. Il s'avance avec le pape et un autre prêtre. Il suit Jean-Paul II et impose les mains à son tour sur la tête de chacun des nouveaux prêtres. Je ne peux pas détacher mon regard. Je ne me rappelle pas l'avoir vu ouvrir les yeux une seule fois pendant tout le temps qu'a duré l'imposition des mains. Je ne sais pas comment il a fait pour se déplacer ainsi parmi tous ces prêtres agenouillés, les yeux fermés, quelques larmes tombant sur la tête de ceux qu'il vient d'ordonner:

«Par ces mains qui se posent sur ta tête, à l'endroit même où le pape a posé les siennes, je t'ordonne prêtre et je te donne le pouvoir de pardonner les fautes et de faire le bien. Que Dieu te vienne en aide!»

Peu importe ce qui arrivera par la suite, ces hommes peuvent maintenant disposer du pouvoir qu'ils ont reçu et ce, pour la durée de leur vie.

Il est revenu se placer au même endroit et il n'a pas bougé jusqu'à la fin de la cérémonie. Les grandes orgues et le chœur de Saint-Pierre continuaient de nous malaxer le cœur comme dans un rêve. Je me rappelle les parents qui pleuraient tout autour de moi, les nouveaux prêtres couchés face contre terre devant l'autel, et le pape qui prononçait les dernières paroles de la messe au milieu du scintillement des tiares et des chasubles.

Puis ce fut la fin. Les applaudissements de la foule se mêlèrent aux chants de la sortie. Le pape repassa devant nous, recueilli cette fois, les yeux à demi fermés. Le père Lacasse marchait à sa suite et les nouveaux prêtres fermaient la marche, radieux et souriants, cherchant un éclair de fierté dans les yeux de leurs parents.

Le groupe finit par se retrouver à l'arrière de la basilique et je me mis à la recherche du père Lacasse, sachant qu'il ne connaissait pas le lieu fixé pour le rassemblement après la cérémonie. Je finis par le retrouver dans une pièce qui ressemblait à une sacristie où les vêtements sacerdotaux étaient encore étalés. Il était agenouillé, en prière, et il ne semblait plus de ce monde.

Je m'approchai et je lui touchai doucement l'épaule. Il ouvrit les yeux.

— La communauté a organisé un banquet à quelques kilomètres de Rome. L'autobus nous attend. Il ne manque plus que vous.

Au lieu de répondre il me dit d'une voix à peine audible :

— Si tu veux, je vais te bénir.

Je me suis agenouillé devant lui et il a placé ses deux mains sur ma tête. Il a murmuré à nouveau les paroles de l'ordination comme un mantra qui ne veut plus s'arrêter. Je sentais ses mains, celles du pape et l'esprit de tous ces prêtres qu'il avait touchés devant le grand baldaquin. J'étais ému de ce cadeau précieux qu'il voulait me donner et qu'il tenait encore dans ses mains.

— Je pense que je n'irai pas. Je vous rejoindrai peut-être plus tard, ajouta-t-il avant de refermer les yeux.

Je le laissai à ses préoccupations célestes et je rejoignis le groupe qui m'attendait sur la place Saint-Pierre. Je pris la main d'Isabelle, heureux de l'avoir pour moi tout seul durant quelques jours encore.

Chapitre 42

Le deuxième voyage avec le père Lacasse m'avait permis de refaire provision de crédibilité. Je relevais les épaules et je flottais sur la vague de mes récents succès. J'avais fait la paix avec moi-même, avec l'Égypte et avec Catherine. L'abstinence de cocaïne et les Alcooliques anonymes étaient maintenant bien ancrés dans ma vie et mon téléavertisseur continuait de sonner, autant pour les alcooliques en détresse que pour les cocaïnomanes en manque au milieu de la nuit.

Noël approchait et je revenais de Montréal où je m'étais rendu pour renouveler mes *stocks* en vue de cette période de l'année où les clients n'hésitent pas à investir massivement dans la poudre qui fait croire que la fée Carabosse et le Père Noël sont une seule et même personne.

L'autobus entre en gare et je pousse un soupir de soulagement. La porte s'ouvre. Je descends et accélère le pas, poussé par un vent froid qui fait pencher la tête et serrer les dents. Je traverse la salle d'attente sans m'arrêter et je lève la main pour appeler un taxi où je m'engouffre en fermant précipitamment la porte. Je donne mon adresse au chauffeur en ajoutant quelques commentaires sur la température en guise d'introduction. N'ayant pas l'intention de m'étendre davantage sur les soubresauts climatiques du pays, je m'enfonce dans la banquette arrière et je profite de la bonne chaleur qui règne dans la voiture. Je suis heureux de rentrer à la maison.

Au bout de quelques instants, tout en gardant un œil sur la route, le chauffeur se tourne vers moi en disant:

— J'ai l'impression que nous nous sommes déjà rencontrés.

— Peut-être, répondis-je distraitement en entendant cette remarque qu'il devait faire à tous ses clients.

De la banquette arrière, je jette tout de même un regard au chauffeur et malgré la pénombre, j'ai aussi l'impression d'avoir déjà vu ce visage.

— Je suis certain qu'on se connaît. Est-ce que vous demeurez à Québec? poursuivit la voix insistante du chauffeur.

— Oui, depuis plusieurs années, répondis-je, en me disant que j'ai déjà entendu cette voix.

Le chauffeur se tourne à nouveau vers moi et s'écrie soudainement:

— Lévesque, sacrement! Émile Lévesque. Tu ne me reconnais pas? Fournier, Fournier, ton *pusher*, ton fournisseur de *coke*, lance-t-il en freinant brusquement et en s'arrêtant sur l'accotement.

— Fournier! m'exclamé-je à mon tour, surpris et heureux de le revoir. Qu'est-ce qui t'arrive? Tu t'es recyclé en chauffeur de taxi. J'ai pensé à toi des centaines de fois. On m'a dit que tu avais eu des problèmes, que tu étais en prison.

— Oui, j'ai pris deux ans et je suis sorti quatre mois avant la fin de ma sentence. Je fais du taxi à temps partiel.

— Ta blonde m'avait raconté ce qui t'était arrivé. Je suis vraiment content de savoir que tu vas bien.

— Il faut que je te raconte. Je n'ai pas reconsommé depuis mon arrestation, ajouta-t-il à ma grande surprise. En prison, j'ai connu les Alcooliques anonymes et depuis ma sortie, je continue à faire du bénévolat et je m'occupe d'un groupe AA pour les prisonniers.

Mon cœur saute quelques battements. Fournier chez les AA. Je m'attendais à tout sauf à ça.

— Je n'ai pas repris de cocaïne, moi non plus, depuis presque deux ans. À l'époque, j'avais déjà quelques mois d'abstinence. Le soir où tu as été arrêté, voyant que tu n'arrivais pas, j'ai paniqué et je me suis fourré le nez dans le sac. Je n'ai pas besoin de te faire un dessin. L'once que tu devais acheter y est presque passée. Finalement, nous avons la même date d'abstinence. On a beau avoir de l'imagination, Fournier chez les AA, c'est tout de même une nouvelle.

Nous sursautâmes tous les deux lorsque mon téléavertisseur lança son cri strident. Fournier me regarda d'un air perplexe. Il ne fit aucune remarque et je le remerciai silencieusement de ne pas me questionner, moi qui n'aurais pas su quoi répondre à celui qui savait bien que *téléavertisseur* et *cocaïne* sonnent de la même façon.

Nous étions survoltés de nous retrouver et nous avons continué à parler pendant un long moment. Du passé, de ce trou de deux ans qui nous séparait de notre dernier rendez-vous manqué, des AA, de cette nouvelle vie qui cherchait à se reconstruire. Nous avions suivi des routes différentes, mais nous étions arrivés au même endroit.

— Je dois retourner travailler, finit-il par dire en redémarrant la voiture.

Il s'est arrêté devant la maison et nous avons échangé nos numéros de téléphone en promettant de nous revoir. Juste avant de descendre, un souvenir m'a traversé l'esprit :

— Te rappelles-tu cette fois où tu étais venu m'acheter une once de *coke* au monastère à Charlesbourg ?

— Je m'en souviens comme si c'était hier, répondit-il sans hésiter comme si je venais de raviver un souvenir tenace. J'ai acheté de la cocaïne dans toutes sortes d'endroits, mais dans un monastère, ça sortait de l'ordinaire. Je me rappelle d'un curé qui marchait de long en large avec son chapelet. Je me souviens même du soleil qui entrait par les vitraux et d'une statue au bout du corridor. Dans la soirée, tu avais rappelé pour me racheter la *coke* que tu m'avais vendue le matin même. Je n'ai jamais oublié.

— Moi non plus je n'ai jamais oublié, ajoutais-je en descendant du taxi.

Je lui tendis la main et je pouvais sentir tout le poids de notre passé dans cette main que je serrai un peu plus longtemps qu'à l'habitude. Je suis rentré à la maison, rempli d'une douce émotion qui me rappelait avec tendresse le grand amour que le père Lacasse avait toujours eu pour moi et que je ressentais intensément en ce moment même. Nous ne le savions pas, mais notre destin s'était joué ce jour-là, entre les mains du père Lacasse qui égrenait son chapelet dans le couloir ensoleillé du monastère.

Le lendemain matin, j'appelai Sébastien, une connaissance qui faisait le même métier que moi et qui me vendait de la cocaïne à l'occasion. Je lui dis que je voulais le rencontrer le plus tôt possible. Nous nous sommes donné rendez-vous dans un restaurant du quartier latin. Aussitôt attablés, sans introduction, je lui proposai un marché qu'il pouvait difficilement refuser :

— J'ai une proposition à te faire, mais j'ai besoin d'une réponse aujourd'hui. Tu achètes toute la cocaïne que j'ai en main et je te transfère tous mes clients. Il n'y a pas de meilleur temps pour acheter, les fêtes arrivent.

— J'y ai déjà pensé, mais je ne pensais jamais que tu te déciderais un jour. Tout dépend du prix et du temps que tu m'accordes pour te payer.

Je lançai le prix auquel j'avais réfléchi une partie de la nuit en ajoutant que j'étais prêt à des arrangements raisonables pour le paiement.

— Laisse-moi y réfléchir et je te donne une réponse ce soir.

Dans la même journée, nous avons conclu la transaction. Mon inventaire et mes clients ont changé de main. Je les ai prévenus un à un qu'ils auraient désormais un nouveau fournisseur.

Je n'aurais jamais cru possible que Fournier soit celui qui vienne sonner le réveil d'une conscience qui s'était graduellement assoupie dans la poudre blanche et les billets verts. J'avais été assommé par sa déclaration d'abstinence et mon téléavertisseur, qui avait honteusement sonné en sa présence, avait fait le reste du travail. Je n'ai jamais revendu de cocaïne et je n'en ai jamais repris non plus. Le père Lacasse avait préparé le terrain et Fournier, contre toute attente, m'avait donné le coup de grâce.

Encore aujourd'hui, je ne sais pas toujours où est la vérité, mais je sais très bien où est le mensonge. Tant de choses se sont passées en si peu de temps que parfois, je doute de tout ce que j'ai vécu. Une certitude inaltérable demeure :

« Que Dieu existe ou qu'il n'existe pas, nous possédons tous en nous une fibre qui ne peut s'empêcher de vibrer à l'idée de Dieu.

Et cette idée est sans limites… »

Épilogue

Juin 2004

— Ici la maison des Jésuites, répondit la voix de la réceptionniste.

— Le père Lacasse, s'il vous plaît.

— Vous voulez parler au père Lacasse ?

— Oui, s'il vous plaît.

— Vous êtes en ligne.

— Oui, répondit la voix faible et hésitante du père Lacasse.

— Bonjour, père Lacasse.

— Qui m'appelle ?

— Émile.

— Je ne comprends pas !

— C'est Émile, Émile Lévesque.

— Jacques Lefèvre ? fit sa voix, interrogative.

— Non, père Lacasse, Émile Lévesque.

— Vous parlez trop vite. Je ne comprends pas.

— Émile Lévesque ? répétai-je un peu plus fort, incertain si c'était la mémoire ou l'ouïe qui faisait problème.

— Où est-ce qu'on s'est connus ?

— J'ai fait plusieurs retraites avec vous, père Lacasse et des voyages. J'ai même fait la retraite de trente jours.

— Je suis vieux, très vieux maintenant. J'oublie tout et je suis sourd. Ça va me revenir, continua sa voix qui, je le sentais, fouillait parmi ses souvenirs.

— Je pensais aller vous voir ce matin.

— Oui, c'est bon. Tu peux venir si tu veux.

Je raccrochai, déçu de ne pas avoir appelé avant. Plusieurs mois s'étaient écoulés depuis notre dernière rencontre. J'avais peut-être raté ses dernières semaines de lucidité. J'étais attristé de le voir ainsi, incapable de se souvenir, cherchant un fil qu'il pourrait encore suivre pour se raccrocher à sa vie qui s'effaçait, inexorablement.

La voiture file tout droit vers Saint-Jérôme. Pour lui, je serai peut-être devenu un inconnu. Je stationne et je retrouve les longs corridors sombres malgré le jour, les planchers cirés et cette odeur que je ne peux identifier, quelque part entre le détergent, l'encens et l'extrême-onction. Je repasse devant la chapelle où nous nous étions arrêtés il y a quelques mois. Je pousse le bouton de l'ascenseur qui arrive lentement en grinçant. La porte se referme. Mes doigts poussent machinalement sur le chiffre cinq. C'est le dernier bouton qui mène au dernier étage avant le dernier repos.

La porte de l'ascenseur s'ouvre à nouveau. Il fait très clair ici. Le corridor est percé de larges fenêtres qui projettent une lumière trop crue. Des fauteuils roulants sont alignés le long du mur. Je me retrouve devant l'infirmière et je demande le père Lacasse :

— Dernière chambre au bout du couloir, à votre gauche.

Je m'avance. Voyeur indiscret, je ne peux m'empêcher de regarder par l'embrasure des portes, les têtes blanches et les corps frêles qui se perdent dans des draps trop blancs.

Je frappe à la porte et j'attends. Aucun bruit ne vient troubler le silence. Un bon vent me souffle au visage et quelques chants d'oiseaux viennent se mêler aux bruits de la vie. Je tourne la poignée, lentement et la porte s'ouvre sans bruit. À mesure que l'ouverture s'agrandit, un rayon de soleil s'engouffre dans la chambre et éclaire une scène tirée d'un livre d'images. Le père Lacasse est enfoncé dans son fauteuil roulant, la tête penchée, les yeux fermés, parfaitement immobile. On dirait une statue.

— Il dort, me dis-je en m'approchant sans bruit.

Encore un pas et le soleil, qui passe par la porte maintenant grande ouverte, l'éclaire comme si un projecteur avait été braqué sur lui. Ses cheveux sont d'un blanc éclatant et au beau milieu de cette immobilité, ses mains, comme des fleurs séchées, égrènent un chapelet couleur de rose.

Il ne m'a pas encore entendu. Je le regarde, heureux d'être venu. Il n'a pas encore ouvert les yeux, mais je sais qu'il va me reconnaître.

— Bonjour, père Lacasse.

Il est avec la Vierge. Il ne m'entend pas.

— Père Lacasse !

Ses yeux s'ouvrent et il cherche tout autour, essayant de sortir du rêve où il était plongé.

— Qui est-ce ?

— Émile, Émile Lévesque.

— Ah oui, mon ami Émile, murmure-t-il comme si la chance lui souriait et qu'il venait de mettre la main sur le bon souvenir.

Une bouffée de joie me submerge. Je lui prends les mains. J'ai eu peur qu'il ne se souvienne plus.

— Approche-toi, je ne te vois pas. Quand tu m'as appelé, j'étais incapable de te reconnaître. Je suis ennuyeux. Quatre-vingt-dix-huit ans, ajoute-t-il comme excuse. Souvent, je suis perdu. Je ne sais plus si c'est le matin, l'après-midi, le soir. Je suis tout mêlé. Avec certaines personnes, ça va très bien. Avec d'autres, il faut que je les démêle. Je n'ai plus de mémoire. Je savais que quelqu'un devait venir me voir, mais je ne me rappelais plus si c'était toi ou un autre.

— Père Lacasse, après notre rencontre, en février, j'ai commencé à écrire sur vous, sur les retraites, sur les problèmes que j'ai eus avec la cocaïne.

— Est-ce que j'aurai le droit de lire ça avant de mourir?

— Oui, je l'espère bien. J'ai écrit sur les voyages qu'on a faits ensemble et sur ceux qu'on a manqués. Vous vous rappelez le voyage en Égypte que j'avais annulé quelques jours avant le départ.

— C'est vague dans ma mémoire.

Il ajouta, comme s'il parlait de la pluie et du beau temps:

— Je pense bien que dans trois ou quatre semaines, je vais déménager. Des semaines, il ne m'en reste pas beaucoup.

Je n'ai pas saisi tout de suite, comme quelqu'un qui ne veut pas entendre ce qu'on vient de lui dire. Le père Lacasse venait de me dire qu'il sentait que sa fin était proche. Je continuais à parler pour masquer l'émotion et pour faire semblant que je n'avais pas entendu.

— Oui, à peu près trois ou quatre semaines, répéta-t-il, avec l'air de quelqu'un qui prépare ses vacances.

— Qu'est-ce qui vous fait penser comme ça ? Vous allez peut-être vous rendre à cent ans ?

— C'est le Capitaine qui va décider. Ça va venir, ajouta-t-il doucement avant de poursuivre. Il y a tout un groupe de personnes que j'appelle *mes enfants*. Tous les jours, dit-il en insistant, je les remets entre les mains de Dieu. Ils sont tous mêlés dans ma tête, mais je les mentionne quand même. Des parents, des amis, des retraitants… As-tu déjà pensé à la joie qu'éprouve ta maman quand elle pense à toi ?

Sans attendre ma réponse, il poursuivit, de sa voix lente, marquée de pauses et de longs silences où il semblait chercher une suite à ses pensées.

— Il y a la joie, et il y a la *joie*, continua-t-il en insistant davantage sur la deuxième sorte de joie pour me faire comprendre. Pense à la joie que tu éprouves en pensant à tes enfants. Tu n'as pas besoin de te dire : « Je suis en train d'éprouver de la joie pour mes enfants. » Tout ça se passe spontanément. C'est quelque chose qui atteint directement le cœur sans que la volonté intervienne. Rien qu'à les voir ou rien qu'à y penser, tu éprouves de la joie et tu te sens heureux. C'est le genre de joie qu'on éprouve à mon âge. La joie de penser à nos amis qui sont ici et là, qui pensent à nous et qui prient pour nous. Les voir nous aide beaucoup. Mais moi, dit-il avec un sourire moqueur, je vois de moins en moins bien. Quand on voit, la joie est d'autant plus grande.

Je pensai à mes petits-enfants qui étaient venus quelques jours plus tôt et dont le souvenir me revenait, comme une brise sur le cœur, soudainement. Je les voyais ouvrir la porte et courir dans les escaliers, sauter sur le divan. À cette pensée, la *joie* dont il me parlait m'envahissait, gratuite et puissante, sans que je fasse le moindre effort. Je pensais aussi à la joie qu'on éprouve à Noël lorsque les enfants sont sur le point d'arriver. Cette espèce d'appréhension, elle est faite de cette joie qui ne se commande pas et qui nous envahit, spontanément.

— Maintenant, parlons de tes écrits, me dit-il. Tu m'as dit que tu écrivais. C'est une bonne chose. Il faut écrire sur les belles choses qui se font.

— C'est ce que je fais, père Lacasse. J'écris sur les belles choses qui me sont arrivées avec vous.

— Tu es bien charitable de penser à ça et de me le dire, mais il ne faut pas seulement écrire sur moi, il faut écrire sur toutes les belles choses qui se font.

— Je voudrais vous poser une question : Qu'est-ce que vous aimeriez qu'on écrive sur vous ?

Il frotta sa main sur le côté de son visage pendant quelques instants et il me donna sa réponse :

—Je pense qu'au lieu de se demander ce qu'on aimerait que les gens disent de soi, il faudrait se demander : Quel bien a-t-il fait ? Quels en ont été les effets ? Quel bonheur a-t-il apporté à telle personne, à tel groupe ? Ce n'est pas l'homme, c'est l'œuvre qui mérite d'être retenue et exaltée. Le bien, c'est l'action de Dieu. Alors, il faut se demander quel bien a été fait et le présenter en exemple. C'est très beau de penser à ça et de venir m'en parler. Je t'en remercie.

—J'ai apporté mon premier texte. Vous voulez que je le lise maintenant ou si vous préférez attendre ? lui demandai-je, même si je connaissais déjà sa réponse.

—Non, non. Je préfère l'entendre de la bouche même de l'auteur, dit-il en souriant.

—D'accord, mais vous savez, je suis un peu nerveux à l'idée de vous lire ce que j'ai écrit.

Le père Lacasse était devant moi, les yeux à demi-fermés, comme s'il allait entendre une confession. Je tenais les pages dans mes mains et je me rendis compte qu'un léger tremblement faisait palpiter le papier.

—C'est intitulé *Une terrible bataille*. C'est le titre provisoire que je lui ai donné et la date, c'est celle de votre anniversaire, le 20 février. Est-ce que vous m'entendez bien ?

Il leva la main en gardant les yeux à demi fermés, pour me dire que tout allait bien et que je pouvais continuer :

« *Ma vie était en lambeaux et il m'a invité à faire une retraite de silence. Il m'a dit que Dieu allait m'accueillir, comme son enfant...* »

Je le sentais ému et je l'étais moi aussi. J'eus toutes les difficultés du monde à éviter les larmes qui me venaient aux yeux lorsque je parlais de sa propre mort à un homme qui allait mourir. Je lisais lentement, détachant bien chaque mot et chaque phrase, pour m'assurer qu'il pouvait suivre et comprendre. Les pages se tournent, l'une après l'autre et je lis le dernier paragraphe de mon premier texte :

« *J'ai marché avec lui et j'ai ouvert la porte de l'ascenseur qui repartait pour le royaume des mourants. Je me suis surpris à prier, pour que cette fois, il ne s'arrête pas avant d'avoir atteint cet au-delà qui avait allumé sur son visage le sourire de celle qu'il appelle encore sa maman.* »

Je m'arrêtai et il y eut un long silence. Le père Lacasse avait encore les yeux à demi fermés, les mains jointes en prière comme je l'avais vu si souvent. Lorsqu'il ouvrit la bouche, il me dit :

— C'est très touchant. C'est très beau. C'est tellement intime, que celui qui va lire ton texte sera incapable de comprendre à moins qu'il soit habitué à parler de choses spirituelles. C'est très émouvant tout ça, ajouta-t-il.

— Oui, j'ai été très ému moi aussi lorsque vous m'avez raconté cette histoire.

— Et puis, ça peut faire beaucoup de bien, ajouta-t-il avant de continuer. Je t'ai déjà parlé d'un projet que je voudrais réaliser. Je veux écrire une lettre pour demander des prières. Il faut que les gens se remettent à prier. Comment faire ? me suis-je dis. Il faut que je parle de cette idée à quelqu'un. T'es mon homme! me dit-il soudainement, avec une vigueur et une assurance qui tranchaient avec sa voix habituellement incertaine et chancelante. Je ne l'aurais pas fait de cette manière, mais tout de même, tu l'as écrite cette lettre. Il faut que tu continues.

Ce projet allumait des étincelles dans ses yeux et dans sa voix. Ses convictions pouvaient encore le soulever de sa chaise et remplir sa voix d'une certitude inébranlable qui transcende la vie, même si elle va bientôt s'éteindre, sourde, aveugle et vidée de la moitié de ses souvenirs. Il avait vu une autre énergie qui pourrait prendre en charge ses projets. Il voulait que je devienne le prolongement de ses mains devenues trop faibles pour agir et de son esprit qui ne voulait pas s'arrêter de construire et de sauver.

— Peut-être que tu pourrais, en changeant un peu tes phrases, mentionner moins souvent: *père Lacasse! père Lacasse! père Lacasse! père Lacasse!*

Je ne pus m'empêcher de sourire et de ressentir cette *joie* dont il avait parlé. J'aimais ce petit côté d'humanité qui ressortait parfois dans les moment les plus inattendus et qui me le rendait encore plus précieux.

— Il faut que tu écrives. J'ai hâte d'entendre la suite. Il y aura bien quelqu'un qui voudra publier tes écrits, peut-être un journal? Il est déjà tard. Nous aurons l'occasion de reparler de tout ça. Je vais te bénir: «Dieu qui regardez vos enfants, remplissez leurs cœurs de joie, de confiance et d'amour…»

— Je voulais vous dire, père Lacasse, vous avez été très important dans ma vie.

—Merci de me le dire. J'en remercie le Seigneur.

J'avais hâte de sortir, de retrouver le monde des vivants. Je me sentais infiniment triste à l'idée de le laisser ici où il ne pouvait plus rien faire. Plus de projets, plus de péchés à confesser, ni d'âmes à sauver. Rien que le temps qui passe et qui vous tue en ne disant pas quel jour il viendra vous chercher.

* * *

Le très révérend père Lacasse va bientôt déménager au ciel. Ses yeux voient à peine, ses oreilles ne sont plus certaines de ce qu'elles entendent. Ses jambes peuvent à peine le porter et il essaie sans succès de mettre de l'ordre dans quatre-vingt-dix-huit ans de souvenirs pêle-mêle. Il peut aussi vous surprendre avec des éclairs de beauté et de tendresse venus d'un lieu de son esprit qui flotte entre terre et ciel. Sa mémoire se vide. Ses pensées fuient par des trous invisibles et s'évaporent comme la rosée. Je voudrais colmater les fuites et recueillir ses pensées comme un liquide précieux que je lui redonnerais à boire pour qu'il me parle encore une fois.

Aujourd'hui je me suis mis à espérer qu'à mon dernier souffle, la porte du ciel s'ouvrira et Catherine et mes enfants verront, dans mes yeux, la joie que j'éprouve en voyant le père Lacasse qui m'ouvre les bras et m'arrache à ce monde en murmurant: «*Mon ami…*»

Pour joindre l'auteur, écrire à:
rodepare@yahoo.com

Si vous vivez des difficultés avec l'alcool
ou les autres drogues, vous pouvez recevoir
de l'aide aux endroits suivants.

Par Internet:

www.toxquebec.com

Au téléphone:

Drogues: Aide et référence
Montréal: (514) 527-2626
Autres régions: 1 800 265-2626

Le service est gratuit et anonyme. Il est offert
24 heures sur 24, 7 jours sur 7 et ce, pour
l'ensemble du territoire québécois. Ouvert à tous,
ce service téléphonique peut répondre
aux demandes d'information et orienter les
démarches de toute personne aux prises avec des
problèmes reliés à l'alcool ou aux autres drogues.

CET OUVRAGE
COMPOSÉ EN PALATINO CORPS 13 SUR 15
A ÉTÉ ACHEVÉ D'IMPRIMER
LE VINGT-HUIT FÉVRIER DE L'AN DEUX MILLE CINQ
PAR LES TRAVAILLEURS ET TRAVAILLEUSES
DES PRESSES DE L'IMPRIMERIE TRANSCONTINENTAL
À LOUISEVILLE
POUR LE COMPTE DE
LANCTÔT ÉDITEUR.